W9-BSY-830

KARL ROBERT MANDELKOW

Hermann Brochs Romantrilogie »Die Schlafwandler«

Gestaltung und Reflexion im modernen deutschen Roman

HEIDELBERG 1962

CARL WINTER · UNIVERSITÄTSVERLAG

Archiv.-Nr. 3230

Satz und Druck: Georg Appl, Wemding

Vorwort

Die vorliegende Studie war bereits im Herbst 1958 abgeschlossen. Der ursprünglich gehegte Plan, auch den „Tod des Vergil“ in die Untersuchung einzubeziehen, mußte leider infolge anderweitiger Arbeitsvorhaben des Verfassers fallengelassen werden. Die durch den vor kurzem erschienenen 10. Band von Brochs „Gesammelten Werken“ erstmals bekanntgewordenen Briefe an Willa Muir, die für die Entstehungsgeschichte der „Schlafwandler“ in manchem Betracht wichtig und aufschlußreich sind, konnten noch während der Drucklegung dieser Arbeit verwertet und in den Text eingearbeitet werden.

Daß eine wissenschaftliche Untersuchung des epischen Werkes von Hermann Broch, vor allem des von der Forschung bisher kaum beachteten Romans „Die Schlafwandler“, zu diesem Zeitpunkt noch ein Wagnis darstellt, ist dem Verfasser bewußt. Wenn ihm gerade bei der Beschäftigung mit diesem Gegenstand die Problematik einer auf mitteilbare „Lösungen“ zielenden, die Aussage des Kunstwerks durch Deutung liquidierenden Interpretationsmethode deutlich geworden ist, so wird vermutlich die künftige Forschung zur modernen Dichtung und zum modernen Roman die durch die Ergebnisse der neueren philosophischen Ästhetik angebahnte Wendung zu einer mehrperspektivischen, verschiedene gleichberechtigte Deutungsmöglichkeiten offen lassenden konstruktiven Interpretation realisieren. Unter diesem Gesichtspunkt harrt die moderne Epik, in der jenes pluralistische Verfahren zum vorwiegenden Darstellungsmittel und -medium geworden ist, noch der ihr adäquaten Reflexionsform deutender Erhellung. Daß so auch der vorliegende erste Versuch einer literaturwissenschaftlichen Analyse von Brochs „Schlafwandlern“ nicht die Grenzen einer „traditionellen“ Behandlung eines „modernen“ Gegenstandes verlassen hat, mag als methodischer Kompromiß zwischen dem Weg einer die Aussage des Werkes wiederholenden, tautologischen „Auslegung“ und dem Wagnis eines die Mehrdeutigkeit und Ineffabilität des echten Kunstwerks herstellenden hermeneutischen Experiments verstanden werden.

Nicht versäumen möchte ich es, an dieser Stelle meinem verehrten Lehrer Hans Pyritz zu danken für die lebensbestimmende wissenschaftliche und menschliche Förderung, die mir durch ihn zuteil geworden ist. Mein Dank gilt ferner Herrn Professor Dr. Adolf Beck, der durch wertvolle Anregungen produktiven Anteil an dieser Arbeit genommen hat, und Herrn Professor Dr. Karl Ludwig Schneider, dessen nie ermüdende Bereitschaft, seine profunde Kenntnis der modernen Literatur im Gespräch mitzuteilen, auch den eigenen Bemühungen auf diesem Felde zugute gekommen ist.

Amsterdam, im Februar 1962 Karl Robert Mandelkow

Inhaltsverzeichnis

Einleitung

a) Hermann Broch und die Krise des modernen Romans

Mit dem Erscheinen der „Frühen Schriften" und des Neudrucks der „Unbekannten Größe" des österreichischen Romanciers Hermann Broch im Herbst 1961 liegt die Reihe seiner „Gesammelten Werke", mit deren Herausgabe der Rhein-Verlag in Zürich im Jahre 1952 begonnen hatte, nunmehr in zehn Bänden abgeschlossen vor[1]. Wir stehen damit vor der eigentlich recht sonderbaren Tatsache, daß der vielleicht am wenigsten bekannte unter den großen deutschsprachigen Romanschriftstellern des 20. Jahrhunderts bereits zehn Jahre nach seinem Tode eine als endgültig zu betrachtende Ausgabe seiner Werke erhalten hat. Broch ist so – schon rein äußerlich gesehen – zum Klassiker geworden, bevor überhaupt sein Name, von seinem Werk ganz zu schweigen, einem breiteren Leserpublikum bekannt geworden ist. Wennschon die literarische Kritik, vor allem seit dem Erscheinen des in vielem Betracht die Kritik geradezu herausfordernden „Tod des Vergils" im Jahre 1945, dem Werk Brochs ein reges Interesse entgegengebracht hat, ist die wissenschaftliche Forschung in diesem Fall bisher nur sehr zögernd nachgefolgt. Erst seit geraumer Zeit mehren sich die Anzeichen dafür, daß der Komplex „Hermann Broch" zu einem Gegenstand von hoher Aktualität auch für die literaturwissenschaftliche Betrachtung zu werden scheint. So war es bis vor kurzem auch noch kaum möglich, ein zusammenfassendes Bild des Dichters zu geben, und erst der Abschluß der Werkausgabe hat eine Textgrundlage geschaffen, die eine über den bisherigen Rahmen hinausgehende wissenschaftliche Beschäftigung mit Hermann Broch als geboten und berechtigt erscheinen läßt.

In der bisher vorliegenden Literatur über Hermann Broch ist sein Werk eingeordnet worden in einen Zusammenhang, der zumeist mit dem zum abgegriffenen Schlagwort gewordenen Begriff „Krise des modernen Romans" näher umrissen zu werden pflegt. „Krise des modernen Romans", ein Phänomen, das schon seit längerer Zeit zu erregenden Auseinandersetzungen und Diskussionen Anlaß gegeben und weit über das engere Gebiet der Literaturwissenschaft hinaus auch die literarisch Interessierten in seinen Bann gezogen hat: diese begriffliche Etikettierung ist zu einem Sammelbecken der unterschiedlichsten Meinungen, Vorstellungen, Ansichten und Gegenansichten, Forderungen und Mißverständnisse geworden. Indem wir uns zur Aufgabe gesetzt haben, das mit dieser Formel umrissene Problemfeld näher ins Auge zu fassen und einer umfassenderen Geschichte des modernen Romans vorzuarbeiten, glauben wir der Lösung der damit aufgegebenen Fragen durch eine eingehende und, soweit dies geisteswissenschaft-

[1] Die genauen bibliographischen Angaben finden sich im Literaturverzeichnis.

licher Forschung überhaupt möglich ist, exakte Analyse von Brochs erstem Roman, den „Schlafwandlern", der als vielleicht eindrucksvollstes Beispiel für die Wandlung der epischen Form in den letzten Jahrzehnten angesehen werden darf, näher zu kommen.

Die Formel „Krise des modernen Romans" birgt in sich bereits eine Reihe von Problemen allgemeiner und grundsätzlicher Art, die wir einleitend und in unser Thema einführend kurz berühren möchten. Der mit ihr anvisierte Sachverhalt steht in der geistig-kulturellen wie politisch-geschichtlichen Entwicklung des 20. Jahrhunderts nicht isoliert da, sondern hat seine Entsprechungen in fast allen Lebensgebieten. „Krise" scheint das Macht- und Zauberwort zu sein, mit der sich jede Erscheinung, gleich welcher Art, zumindest seit 1918 zutreffend umschreiben läßt. Sind wir aber berechtigt, diesen der Soziologie entstammenden Begriff ohne weiteres auf geistesgeschichtliche Phänomene zu übertragen? Woher nehmen wir die Maßstäbe, um entscheiden zu können, ob etwa eine Kunstform sich in der Krise befindet oder nicht? Ist nicht jede echte schöpferische Leistung grundsätzlich das Produkt einer „Krise", gemessen an dem traditionellen Hintergrund, von dem das Neue immer nur unter Geburtswehen sich ablöst? Diese Frage hat, wie uns scheint, nicht ohne Berechtigung, Werner Haftmann in einem Aufsatz: „Der Glaube an die Krise" gestellt. Er schreibt:

> Kann man es überhaupt rechtfertigen, gegenüber der Geschichte des menschlichen Geistes von „Krisen" zu reden? Das Wort „Krise" soll in diesem Zusammenhang den Übergang von einem Zustand in einen anderen durch eine Gefahrenzone hindurch, die durch Überlagerung von Altem und Neuem als Kampfzone ausgewiesen wird, bedeuten. Aber was heißt denn das, auf das menschliche Geschlecht und seine Geschichte bezogen! Das ist ja der Zustand, in dem sich der geistige Mensch in jeder Minute seines Lebens grundsätzlich befindet! Jenes Durchschreiten einer Kampfzone ist also ein Dauerzustand[2].

Diese Bemerkung Haftmanns, der wir vorerst keinen Kommentar hinzufügen wollen, führt uns sogleich zum zweiten Glied in unserer Formel, der Bezeichnung „modern". Was meinen wir, wenn wir vom „modernen" Roman sprechen? Sind die Werke Hermann Hesses, Ernst Wiecherts, Werner Bergengruens, Hans Carossas in der gleichen Weise als „modern" zu bezeichnen wie etwa diejenigen Thomas Manns, Franz Kafkas, Hans Henny Jahnns oder Hermann Brochs? Wir stehen hier vor dem grundsätzlichen Problem, mit dem jede geisteswissenschaftliche Forschung, zumal aber die gattungsgeschichtliche, zu kämpfen hat: der Antinomie zwischen einer deduktiven und einer induktiven Betrachtungsweise. Ihrer kann der Literaturhistoriker nicht entraten, und wenn wir dennoch die Bezeichnung „modern" enger umgrenzen wollen, so nur in der allgemeinsten Form, indem wir „modern" und „zeitgenössisch" in der Weise trennen, daß wir als „moderne" Romane diejenigen Werke bezeichnen werden, die sowohl in inhaltlicher als vor allem in formaler Hinsicht in bisher unerschlossen gebliebene Bereiche vorgestoßen sind. Was aber darf, gemessen an traditionellen Formen, als

[2] In: Geistige Welt. Jg. II, Heft 3. Oktober 1947. S. 112f. Wiederabdruck in: Haftmann. Skizzenbuch. Zur Kultur der Gegenwart. Reden und Aufsätze. München (1960). S. 8.

ein solcher Vorstoß angesehen und gewertet werden? Gibt es im Bereich des Romans so etwas wie eine traditionelle Form? Das führt uns endlich zum dritten Glied in unserer Formel, zum Gattungsbegriff des Romans. Es würde zu weit führen und den Rahmen unserer Arbeit sprengen, wollten wir das schwierige und verwickelte Problem einer Gattungspoetik des Romans hier aufrollen. Die Frage nach einer Form des Romans an sich als der Folie, von der traditionelle und moderne Bestrebungen sich abheben, wird nur von einer normativ ausgerichteten Poetik beantwortet werden können. Versuche dieser Art sind in der Geschichte der Romantheorie immer wieder angestellt worden, doch waren sie zumeist im Ansatz bereits zum Scheitern verurteilt, hat sich doch der Roman als ein Proteus immer wieder jeglicher theoretisch-begrifflichen Erfassung und Bestimmung entzogen und als das Sorgenkind und „enfant terrible" jeder Gattungspoetik erwiesen. Dennoch läßt sich trotz der hier gemachten Einschränkungen ein allgemeiner Grundzug aufweisen, der für alle unterschiedlichen Formen und Spielarten dessen, was wir vereinfachend und in formelhafter Abkürzung als „traditionellen Roman" bezeichnen wollen, kennzeichnend gewesen ist. Robert Musil hat in seinem Roman „Der Mann ohne Eigenschaften" dieses Grundelement, das alle traditionelle Erzählkunst in ihrem Wesen bestimmt hat, in höchst treffender Weise umschrieben:

> Und als einer jener scheinbar abseitigen und abstrakten Gedanken, die in seinem Leben oft so unmittelbare Bedeutung gewannen, fiel ihm ein, daß das Gesetz dieses Lebens, nach dem man sich, überlastet und von Einfalt träumend, sehnt, kein anderes sei als das der erzählerischen Ordnung! Jener einfachen Ordnung, die darin besteht, daß man sagen kann: „Als das geschehen war, hat sich jenes ereignet!" Es ist die einfache Reihenfolge, die Abbildung der überwältigenden Mannigfaltigkeit des Lebens in einer eindimensionalen, wie ein Mathematiker sagen würde, was uns beruhigt; die Aufreihung alles dessen, was in Raum und Zeit geschehen ist, auf einen Faden, eben jenen berühmten „Faden der Erzählung", aus dem nun also auch der Lebensfaden besteht. Wohl dem, der sagen kann „als", „ehe" und „nachdem"! Es mag ihm Schlechtes widerfahren sein, oder er mag sich in Schmerzen gewunden haben: sobald er imstande ist, die Ereignisse in der Reihenfolge ihres zeitlichen Ablaufes wiederzugeben, wird ihm so wohl, als schiene ihm die Sonne auf den Magen. Das ist es, was sich der Roman künstlich zunutze gemacht hat: der Wanderer mag bei strömendem Regen die Landstraße reiten oder bei zwanzig Grad Kälte mit den Füßen im Schnee knirschen, dem Leser wird behaglich zumute, und das wäre schwer zu begreifen, wenn dieser ewige Kunstgriff der Epik, mit dem schon die Kinderfrauen ihre Kleinen beruhigen, diese bewährteste „perspektivische Verkürzung des Verstandes" nicht schon zum Leben selbst gehörte. Die meisten Menschen sind im Grundverhältnis zu sich selbst Erzähler. Sie lieben nicht die Lyrik, oder nur für Augenblicke, und wenn in den Faden des Lebens auch ein wenig „weil" und „damit" hineingeknüpft wird, so verabscheuen sie doch alle Besinnung, die darüber hinausgreift: sie lieben das ordentliche Nacheinander von Tatsachen, weil es einer Notwendigkeit gleichsieht, und fühlen sich durch den Eindruck, daß ihr Leben einen „Lauf" habe, irgendwie im Chaos geborgen[3].

[3] Robert Musil. Der Mann ohne Eigenschaften. Gesammelte Werke in Einzelausgaben. Hrsg. v. Adolf Frisé. Hamburg 1952. S. 664/665.

Was von Musil hier als der „ewige Kunstgriff der Epik" bezeichnet wird, „die Aufreihung alles dessen, was in Raum und Zeit geschehen ist, auf einen Faden, eben jenen berühmten ‚Faden der Erzählung'", darf als das Grundcharakteristikum des Romans überhaupt, ohne Rücksicht auf seine geschichtlich und individuell bedingten Sonderformen, angesehen werden. Der Erzähler, „dieser raunende Beschwörer des Imperfekts", wie ihn Thomas Mann genannt hat[4], der eine Geschichte erzählt: das ist die Ursitutation, aus der heraus alle Epik geboren ist und die auch die neuzeitliche Erscheinungsform des Epischen, den Roman, in seinen Grundzügen geprägt und bestimmt hat. So kommt E. M. Forster in seinem berühmt gewordenen Buch: „Aspects of the Novel" zu einer ähnlichen Feststellung:

> We shall all agree that the fundamental aspect of the novel is its story-telling aspect, . . .[5]

Wie verhalten sich nun, um auf die eingangs gestellte Frage und zu der Formel „Krise des modernen Romans" zurückzukommen, die modernen epischen Bestrebungen zu diesem Grundaxiom aller „traditionellen" Romankunst? Wir vertrauen uns hier wiederum Robert Musil an, der die oben angeführte Analyse des Epischen in folgender Weise abschließt:

> Und Ulrich bemerkte nun, daß ihm dieses primitiv Epische abhanden gekommen sei, woran das private Leben noch festhält, obgleich öffentlich alles schon unerzählerisch geworden ist und nicht einem „Faden" mehr folgt, sondern sich in einer unendlich verwobenen Fläche ausbreitet[6].

Der erregende diagnostische Inhalt dieses Schlußteils einer Betrachtung über das Epische, die Musil auf den Helden seines Romans bezieht, die jedoch über das Werk Musils hinaus Geltung beanspruchen darf für einen großen Teil moderner Epik überhaupt, ist die Infragestellung des Grundtriebs aller Epik: des Erzählens. Diese Infragestellung, die Leugnung der Möglichkeit, „alles, . . ., was in Raum und Zeit geschehen ist, auf einen Faden, eben jenen berühmten ‚Faden der Erzählung'" aufzureihen, findet ihre Begründung in der Behauptung, daß „öffentlich schon alles unerzählerisch geworden ist und nicht einem ‚Faden' mehr folgt, sondern sich in einer unendlich verwobenen Fläche ausbreitet."

Damit aber sind wir am Kern des Problems, das uns in unserer Arbeit beschäftigen soll, angelangt. Der entscheidende Wandel, dem die epische Kunstform in den letzten Jahrzehnten unterworfen wurde, und der zu einer für den modernen Roman charakteristischen Auflösung und Destruktion aller bisherigen traditionellen Erzählformen geführt hat, liegt in der Erfahrung begründet, daß die Welt im gegenwärtigen Kairos in einem Grade unerzählerisch geworden ist, der ihre dichterische Bewältigung nahezu unmöglich zu machen scheint. Dieser Erfahrung sind in mehr oder minder starkem Maße alle großen Dichter des 20. Jahrhunderts, sofern sie sich nicht als Epigonen in traditionelle Klischees geflüchtet haben, verpflichtet. Hier schließt sich der Ring: die Krise des modernen Romans, oder genauer, wenn wir überhaupt an dem in Bezug auf die Entwick-

[4] Thomas Mann. Altes und Neues. Kleine Prosa aus fünf Jahrzehnten. Stockholmer Gesamtausgabe. Frankf. a. M. 1953. S. 338.

[5] E. M. Forster. Aspects of the Novel. London 1927. S. 40.

[6] Robert Musil. a. a. O. S. 665.

lung literarischer Formen problematischen Begriff „Krise" festhalten wollen, die Krise des traditionellen Romans, ist der adäquate Ausdruck und das schöpferische Widerspiel einer tiefgreifenden Erschütterung der abendländischen Welt- und Lebensauffassung, deren vielleicht umfassendste Ursache in einer entscheidenden Wandlung des Wirklichkeitsbewußtseins zu suchen ist. Diese Erfahrung eines schlechthin radikalen Wandels des Verhältnisses von Ich und Wirklichkeit, die die Physiognomie des 20. Jahrhunderts gegenüber der früherer Epochen von Grund auf verändert hat, trat fast gleichzeitig in den verschiedenen Bereichen der Philosophie und der Naturwissenschaft etwa seit der Jahrhundertwende in Erscheinung und fand wenig später auch in der Kunst ihre Entsprechung. Wir werden im Zusammenhang unserer Untersuchung auf dieses Problem noch ausführlich zurückkommen, ist doch der hier nur skizzenhaft angedeutete Vorgang für Hermann Broch in einem Grade lebens- und werkbestimmend gewesen wie bei kaum einem zweiten Dichter des 20. Jahrhunderts. Sein gesamtes Schaffen ist von der schmerzlich erfahrenen Einsicht in die Undarstellbarkeit einer Welt durchdrungen, die in die Vieldimensionalität von einander ausschließenden Aspekten zu zerfallen droht, einer Welt, die dem Dichter keinerlei Möglichkeit mehr offen zu lassen scheint, ihr den Stempel einer erzählerischen Ordnung aufzuprägen. Genau besehen steht sein Dichten damit von vornherein vor einer unauflöslichen Paradoxie, gilt es doch, eine undarstellbar und unerzählerisch gewordene Welt im Spiegel der Erzählung, des Romans, aufzufangen und dichterisch zu bewältigen. Mit der Auflösung dieses Paradoxons hat Hermann Broch in seinem Werke bis zu seinem Tode gerungen; seinem Kampf um die dichterische Bewältigung einer undichterisch gewordenen Welt verdanken wir das zweifellos interessanteste Romanexperiment innerhalb des deutschen Sprachraums im 20. Jahrhundert, dessen oben aufgezeigte paradoxe Ausgangsposition jedoch der Möglichkeit einer Vollendung im künstlerischen Sinne ebenso entgegenstand, wie die dadurch gegebene hochgespannte Esoterik sein Werk einer breiteren Leserschaft verschloß und wohl immer verschließen wird.

b) Lebensabriß und Übersicht über das epische Werk

Der am 1. November 1886 in Wien geborene Romancier Hermann Broch gehört einer Generation von Dichtern an – im gleichen Jahre wurde Gottfried Benn geboren, 1875 Thomas Mann und Rainer Maria Rilke, 1877 Hermann Hesse, 1880 Robert Musil, 1882 James Joyce, 1883 Franz Kafka – in deren Werken fast ohne Ausnahme der oben umrißhaft beschriebene Wandlungsprozeß seinen Niederschlag gefunden hat. Die epochale Umwälzung der Welterfahrung, die damit in Verbindung stehende Erschütterung aller festgeglaubten Wertmaßstäbe und nicht zuletzt der grundlegende Wandel des Menschenbildes sind die Stigmata der Werke jener Autoren, für die der erste Weltkrieg die Rolle einer schicksalhaften Wende gespielt und ihrem Leben den Stempel einer Existenz zwischen den Zeiten aufgeprägt hat. Wichtiger vielleicht noch als die Einordnung in einen allgemeinen Generationszusammenhang scheint uns für die geistige Situierung Hermann Brochs der Hinweis auf seine durch Herkunft und Lebensraum begründete Zusammengehörigkeit mit der speziellen Thematik und Fragestellung der gleichzeitigen österreichischen Dichtung zu sein. In ihr kam das Bewußtsein der Fragwürdigkeit und Brüchigkeit aller Lebensfundamente früher und stärker zum Durchbruch als in der reichsdeutschen. Das Kernthema von Brochs gesamtem Schaffen, das Thema des Endes, des Untergangs und der Wende eines Zeitalters, hat in der österreichischen Dichtung unseres Jahrhunderts, die damit gleichsam eine stellvertretende Funktion bekommt, eine beherrschende Mittelpunktsstellung eingenommen. Die Erschütterung eines im Falle Österreichs jahrhundertealten festen Ordnungs- und Spannungsgefüges hat aber zugleich auch schöpferische Kräfte entbunden, die gerade am Leiden und an der Not einer dem Untergang geweihten Zeit emporwuchsen und im schöpferischen Gegenwurf gegen Auflösung und Zerstörung sich in der Gestalt zeitüberdauernder Kunstwerke sammelten. Es wäre eine besonders reizvolle und fruchtbare Aufgabe, den tieferliegenden Ursachen des überragenden Anteils, der der österreichischen Dichtung an der Geschichte der modernen deutschsprachigen Literatur zukommt, nachzuspüren. Fritz Martini, der diese Frage gleichfalls aufgegriffen hat, schreibt über die Reihe der hier in Betracht kommenden Dichter:

> In ihnen allen drängt eine neue Weltbewegung zu völlig gewandelter Optik und Sprache. Blickt man mit geschärfter Aufmerksamkeit zurück, so erkennt man den Einsatz dieser Reihe mit Grillparzer und Stifter – sie mündet in Hugo von Hofmannsthal, Rainer Maria Rilke, Georg Trakl, Franz Kafka, Robert Musil, Hermann Broch. Die größten Namen sprechen für noch viele andere. Es scheint, als ob im österreichischen Schrifttum der geistige Raum weiter, die Empfindungskraft reizbarer, der künstlerische Mut zum Wagnis freier und unbedingter sei. Unzweifelhaft: aus dem geistigen und seelischen Klima dieses Landes kommt ein führender, breit in die internationale Welt ausstrahlender Impuls der deutschen literarischen Entwicklung. Reichtum als Not des Untergangs[1]?

Broch selbst hat in einer in seinen letzten Schaffensjahren entstandenen großen Studie über „Hofmannsthal und seine Zeit“ ein eindringliches Bild der sterbenden Donaumonarchie entworfen, als deren „edles Symbol“[2] er das Leben Hofmannsthals begreift, dessen Entwicklung er von der frühen Reife von „Der Tor und der Tod“ bis hin zur späten Vollendung von „Der Turm“ mit tiefem, wenn auch oft eigenwilligem Verständnis verfolgt und mit den geschichtlichen, politischen, wissenschaftlichen und künstlerischen Strömungen und Impulsen seiner Zeit in Beziehung setzt. Der Aufsatz über Hofmannsthal, unter dem äußeren Druck eines Auftrags der Bollingen-Foundation[3] geschrieben und nur unter Überwindung eines starken inneren Widerstandes dem Gegenstand gegenüber in Angriff genommen[4], darf als eine Art Vermächtnis des Dichters betrachtet werden, in dem er noch einmal alle Motive, die sein Denken und Dichten bestimmt haben, zusammenfaßt und unter der Maske Hofmannsthals rückschauende Re-

[1] Fritz Martini. Hermann Broch und „Der Versucher“. a. a. O. S. 468.
[2] Essays. Bd. 1. S. 149.
[3] Vgl. Essays. Bd. 1. S. 354.
[4] Vgl. Briefe. S. 273.

chenschaft über den eigenen Weg als Dichter ablegt. Daß Broch den Weg der Selbstklärung und der Selbstinterpretation nur über den Umweg der Deutung eines anderen Dichters gehen konnte, ist Ausdruck einer eigentümlichen Ich-Verschwiegenheit[5], die ihn auch von seinen eigenen Werken wie von den Werken eines Fremden sprechen ließ[6]. Ihr steht eine extreme Werkbesessenheit zur Seite, die den Dichter zum ruhelos umgetriebenen Sklaven seiner zahlreichen Arbeitsvorhaben machte, und die in einem auffallend paradoxen Verhältnis zu der Einsicht in die Vergeblichkeit, Antiquiertheit und das moralisch Unerlaubte des Werkes als einer legitimen Lebensäußerung steht, die Broch in zunehmendem Maße bedrängte. Trotz dieser quälenden Spannung zwischen dem Willen zum Werk und dessen verzweifelter Infragestellung, die im „Tod des Vergil" ihren dichterischen Ausdruck gefunden hat, blieb die spontane Bindung an das Werk und dessen Vollendung der dominierende Grundzug in diesem an fast tragisch zu nennenden Spannungen und Konflikten so reichen Leben.

Werkbesessenheit und Ichverleugnung, letzteres ein Zug, der ihn in starken Gegensatz etwa zu Thomas Mann bringt, sind die bestimmenden Elemente einer Biographie, die Broch selbst, seine Stellung zu Kafka und Musil umreißend, in einem Brief auf die lapidare Formel gebracht hat:

> Etwas teile ich jedenfalls mit Kafka und Musil: wir haben alle drei keine eigentliche Biographie; wir haben gelebt und geschrieben, und das ist alles[7].

Dieses briefliche Zeugnis, in dem Broch aus der Rückschau des Alters seinem Leben einen einheitlichen Grundzug, den des Schreibens, aufzwingt, stimmt mit seiner tatsächlichen Biographie nicht überein, denn der Dichter ist erst spät, nachdem er das vierzigste Lebensjahr bereits überschritten hatte, zur Literatur gestoßen. Nach einem Studium an der technischen Hochschule[8] war er 1908 in die Textilfabrik seines Vaters eingetreten und wurde bald an leitende Stellen in der österreichischen Industrie berufen, bis er plötzlich im Jahre 1928 seine Laufbahn als Industrieller aufgab, um an der Wiener Universität als Gasthörer Mathematik und Philosophie zu studieren[9]. Während dieser Zeit schrieb er gleichzeitig an seinem ersten großen Roman, den „Schlafwandlern", der 1931/32 erschienen ist.

Diese plötzliche Wendung in Brochs Laufbahn, seine Abkehr von einem gesicherten Leben als Leiter der väterlichen Fabrik und als Vorstand des Industriellenverbandes, seine Hinwendung zur ungesicherten Existenz eines vom Ertrag seiner literarischen Arbeiten abhängigen Schriftstellers, darf nicht als vollständiger Bruch mit seiner bisherigen Lebensform angesehen werden. Diese Wendung war vielmehr vorbereitet durch eine langjährige produktive Anteilnahme an den

[5] Die Broch wiederum als einen hervorstechenden Wesenszug Hofmannsthals herausstellt.

[6] Vgl. die „Bemerkungen zum ‚Tod des Vergil'", in: Essays. Bd. 1. S. 265–275.

[7] Briefe. S. 321.

[8] Vgl. dazu Brochs „Autobiographie als Arbeitsprogramm". In: Massenpsychologie. S. 37f. Vgl. auch den Brief an Willa Muir vom 22. 12. 1931. In: Die unbekannte Größe. S. 329f.

[9] Vgl. Briefe. S. 359/60.

Entwicklungen der modernen Philosophie, der Logistik, der Mathematik und nicht zuletzt auch der Dichtung. Wir besitzen aus jener frühen Zeit eine Reihe von Aufsätzen Brochs, die, zum Teil anonym veröffentlicht, den kommenden Romanschriftsteller als subtilen Interpreten der zeitgenössischen Philosophie und Kunst zeigen, Aufsätze, deren bisweilen logistische Esoterik auf alles andere als auf einen künftigen Romanautor zu deuten scheinen[10]. Es ist von größter Wichtigkeit für die Beurteilung des späteren dichterischen Werkes, die philosophisch-mathematisch-logistische Ausgangsposition seines Autors im Auge zu behalten. Broch rückt hier in unmittelbare Nähe zu einem Dichtertyp, dessen geistige Physiognomie wir im Bereich der modernen Dichtung am eindrucksvollsten und konsequentesten in der Gestalt des französischen Dichters Paul Valéry verkörpert finden[11]. In beiden Dichtern drängt ein gleich ursprünglicher und gleich starker Trieb zur philosophischen Reflexion wie zur dichterischen Gestaltung auf Vereinigung in einem Werk, das den autonomen Bezirk des Ästhetischen beständig transzendiert und in Frage stellt. Bei beiden ist der dichterische Prozeß gebunden an erkenntnistheoretische Voraussetzungen, die den künstlerischen Akt jeder freien Spontaneität berauben und ihn einem Ideal der Exaktheit unterwerfen, das traditioneller Kunstübung recht eigentlich fremd ist und seinen Ursprung in der Wissenschaft hat[12]. Vor allem die Mathematik war es, auf die sowohl Valéry wie auch Broch sich immer wieder zurückgezogen haben als auf ein Refugium, das ihrer Sehnsucht nach Genauigkeit, Abstraktion, Wissenschaftlichkeit und Klarheit am stärksten Genüge tat[13]. So wird in den frühen Aufsätzen Brochs,

[10] Vgl. Sidonie Cassirer. Hermann Broch's early writings. In: PMLA 75 (1960), S. 453–462 und die Einleitung von Ernst Schönwiese zu Bd. 10 der „Gesammelten Werke". Die unbekannte Größe. S. 21ff.

[11] Eine vergleichende Untersuchung des Werkes, vor allem aber der Briefe der beiden Dichter, hinsichtlich ihres Dichtungsbegriffs und ihrer Auffassung vom Amt des Dichters wäre eine äußerst lohnende und interessante Aufgabe. Wir müssen uns hier auf einige wenige Hinweise beschränken. Vgl. Albert Schulze Vellinghausen. Bausteine der Kunst. Briefe Paul Valérys. In: Die Neue Rundschau 68 (1957), S. 141–154.

[12] Eine prophetische Vorausschau auf seine eigene Entwicklung, die als repräsentativ für die Entwicklung der modernen Kunst überhaupt bezeichnet werden kann, findet sich in einem Brief Valérys an André Gide aus dem Jahre 1902: „En vérité, je crois que ce qu'on appelle art est destiné ou à disparaître ou à devenir méconnaissable. L'art est en train de ne pas échapper à l'expérience et a l'analyse exacte. Je le sens et j'en vois des indices. Le jour n'est pas loin où certaines recherches encore jeunes y arriveront." In: André Gide – Paul Valéry. Correspondance. 1890–1942. Paris 1955. S. 395.

Auch Robert Musil, dessen Stellung zwischen Wissenschaft und Dichtung in vielem mit dem Anliegen Brochs, beides in einer höheren Synthese zu vereinigen, verglichen werden kann, hat sein Werk diesem Ideal der Exaktheit anzunähern gesucht. In einem Notizbuch aus dem Jahre 1932 findet sich folgende Anmerkung zu seinem Roman „Der Mann ohne Eigenschaften": „Dieses Buch hat eine Leidenschaft, die im Gebiet der schönen Literatur heute einigermaßen deplaciert ist, die nach Richtigkeit, Genauigkeit." In: Robert Musil. Der Mann ohne Eigenschaften. a. a. O. S. 1640.

[13] In einem Brief an den Mathematiker Jacques-Simon Hadamard gibt Valéry seiner Sehnsucht nach der Mathematik Ausdruck, deren Einfachheit und Klarheit er mit dem „unreinen" Charakter der Sprache, auf die er als Dichter angewiesen ist, vergleicht: „Vous voyez aussitot tout le chimérique de ma pensée et comme elle se rapporte bizarrement ou illégitimement aux mathématiques! ... C'est qu'il m'arrive souvent d'invoquer

die bereits die erkenntnistheoretischen Grundlagen seiner später in die „Schlafwandler" exkursartig eingebauten Geschichtsphilosophie enthalten, die Mathematik als die „reinste ontologische Erkenntnis" bezeichnet[14]. Dieses Primat der mathematischen Erkenntnis, das Brochs Denken bis zum Ende seines Lebens beherrscht hat, ließ ihn schon sehr früh die von Dilthey und Rickert aufgerichtete Scheidung von Natur- und Geisteswissenschaften in ihrer Grundsätzlichkeit anzweifeln und zugunsten eines Erkenntnismonismus relativieren:

> Damit entwickelt sich auch für uns die scheinbare methodologische Differenz zwischen den sogenannten Natur- und Geisteswissenschaften in Übereinstimmung mit der Rickertschen Präzisierung von der „Typisierung" des Gemeinsamen einerseits und der „Individualisierung" des Einmaligen andererseits, gleichzeitig aber auch aufzeigend, daß diese Differenz keine gegensätzliche ist und keine gegensätzliche sein darf. Denn jene Formen, die einmal Typisierung, ein andermal Individualisierung heißen, erfüllen stets die gleiche logische Funktion, die wir als die wissenschaftliche überhaupt kennzeichnen konnten, erweisend, daß nur eine und einzige Form des Wissenschaftlichen möglich ist, wie es eben auch nur eine einzige und einige Leidenschaft des Wissens geben kann[15].

Wir können uns an dieser Stelle nicht auf eine Erörterung der speziellen philosophischen Problematik der frühen Aufsätze Brochs einlassen. Uns ging es vor allem darum, darauf hinzuweisen, in welch hohem Maße Brochs gesamtes Werk an diese gedanklichen Voraussetzungen, die den Grundriß einer mathematisch-logistischen Erkenntnistheorie einschließen, gebunden bleibt. Die Koordinierung von philosophischer Reflexion und dichterischer Gestaltung, die ein auszeichnendes Merkmal allen modernen Dichtens ist, bestimmt in schlechthin beispielloser Weise das Romanwerk unseres Dichters, der seinen ersten Roman, die „Schlafwandler", der die Herkunft seines Autors aus dem Bereich der exakten Wissenschaften und der Philosophie nicht verleugnet, der Intention nach als einen „erkenntnistheoretischen Roman" konzipiert hat[16]. Die Hinwendung zur Dichtung, vor allem in ihrer am wenigsten exakten, am wenigsten mathematisierbaren

vos dieux subtils quand je me débats dans un désordre d'impressions et de relations qui défie le vocabulaire, la syntaxe, – et le lecteur probable. Dans certaines recherches (que j'appellerai „philosophiques" pour épargner notre temps) je me suis pris mille fois à souhaiter qu'un démon mathématique, – non celui de Maxwell, mais celui de Riemann, – apparût et m'aidât à me construire un schéma de mes idées simultanes. Le géomètre a le bonheur de réaliser, à cause de la simplicité des données initiales et de la séparation nette et parfaite des opérations, ce que l'artiste littéraire entrevoit et manque à chaque instant, à cause de la complexité des objets, du caractère impur et statistique du langage commun et de ses formes ..." In: Paul Valéry. Lettres a quelques-uns. Paris 1952. S. 171/172.

[14] „Die Möglichkeit des mathematischen Seins ist die reinste ontologische Erkenntnis und, wenn man unter reiner Naturwissenschaft die mathematische Physik verstehen will (soferne man von ihren praktischen Auswirkungen und Schlüssen absieht und sie auf die Setzung der logischen Möglichkeiten beschränkt), auch die absolut naturwissenschaftliche Erkenntnis: in ihr ist Seinsnotwendigkeit und logische Möglichkeit zur vollen identischen Evidenz gebracht." Zum Begriff der Geisteswissenschaften. In: Die unbekannte Größe. S. 270.

[15] Zum Begriff der Geisteswissenschaften. a. a. O. S. 271/272.

[16] Briefe. S. 23.

Form, nämlich dem Roman, erscheint demjenigen, der das essayistische Frühwerk Brochs und dessen an der esoterischen Sprachform der phänomenologischen Schule orientierte Abstraktheit, Formelhaftigkeit und Unanschaulichkeit kennt, als zumindest verwunderlich und bedarf einer näheren Erklärung.

Die Entscheidung zur Dichtung, die, wie wir sahen, für Broch zugleich eine Lebensentscheidung von weittragender Bedeutung gewesen ist, liegt in einer Erfahrung begründet, die der Dichter mit seiner Zeit teilte, die bei ihm jedoch mit einer Intensität zum Durchbruch kam, die uns berechtigt, von einem Urerlebnis Brochs zu sprechen. Wir meinen das Urerlebnis des Einbruchs des Irrationalen in eine Welt festgeglaubter rationaler Ordnungen und Setzungen. Das Überwältigende dieser Erfahrung wird nur verständlich, wenn wir uns vor Augen halten, daß mit ihr die rationale Weltkonzeption, die der Dichter in den Jahren vor dem Beginn seiner eigentlichen schriftstellerischen Laufbahn aufgerichtet hatte und deren Leitbild das Exaktheitsideal mathematischer Wahrheit gewesen war, einer tiefgreifenden Erschütterung ausgesetzt wurde, die Broch an der Möglichkeit philosophischer Erkenntnis überhaupt zweifeln ließ. Die Skepsis gegen die rationale Weltbewältigung, wie Philosophie und Wissenschaft sie zu erreichen trachten, trieb Broch zur Dichtung, mit Hilfe derer er die Lösung derjenigen Probleme, die Beantwortung derjenigen Fragen zu finden hoffte, die in den Erkenntnisbereich des Rationalen nicht aufgehen, und die den sogenannten „metaphysischen Rest", wie es in einem Brief aus dem Jahre 1932 heißt, bilden, dessen „Beweisbasis ... anderwärts gesucht werden (muß) – und die ist bloß im Irrationalen, im Dichterischen zu finden"[17].

Es ist nur eines der vielen Paradoxe, nur einer der vielen Widersprüche im Leben Brochs, daß der Weg, der ihn aus der Skepsis gegen die Philosophie und die Wissenschaft zur Dichtung geführt hatte, mit der radikalen Skepsis gegen die Dichtung endet und ihn am Ende zur Wissenschaft und zur Philosophie als zu seiner Ausgangsposition zurückkehren läßt.

In den „Schlafwandlern" hat Broch in der Gestalt Bertrands, die, wie wir noch zeigen werden, ein verkapptes Selbstporträt des Dichters ist, die Problematik des philosophierenden Menschen, der dem Einbruch des Irrationalen gegenübersteht, dichterisch veranschaulicht. In den monologischen Betrachtungen Bertrands im dritten Band der Trilogie heißt es:

> Hat diese Zeit, hat dieses zerfallende Leben noch Wirklichkeit? Meine Passivität wächst von Tag zu Tag, nicht weil ich mich an einer Wirklichkeit zerreibe, die stärker wäre als ich, sondern weil ich allenthalben ins Unwirkliche stoße. Ich bin mir durchaus bewußt, daß bloß im Aktiven der Sinn und das Ethos meines Lebens zu suchen ist, aber ich ahne, daß diese Zeit für die einzig wahre Aktivität, für die kontemplative Aktivität des Philosophierens keine Zeit mehr hat. Ich versuche zu philosophieren, – doch wo ist die Würde der Erkenntnis geblieben? ist sie nicht längst erstorben, ist die Philosophie angesichts des Zerfalls ihres Objektes nicht selber zu bloßen Worten zerfallen. Diese Welt ohne Sein, Welt ohne Ruhen, diese Welt, die ihr Gleichgewicht nur in der steigenden Geschwindigkeit noch finden und erhalten kann, ihr Rasen ist zur Schein-Aktivität des Menschen geworden, ins Nichts ihn zu schleudern, –

[17] Briefe. S. 67.

> oh, gibt es eine tiefere Resignation als die einer Zeit, die nicht mehr zu philosophieren vermag[18]!

In diesem entscheidenden Text, dessen Bedeutung für die Entwicklungsgeschichte von Brochs Denken erst auf dem Hintergrund des Wissens um die langjährigen philosophischen Bemühungen des Dichters, auf rationalem Wege die Probleme dieser Welt zu lösen, voll aufleuchtet, wird der Einbruch des Irrationalen, der das rationale Erfassenwollen der Welt unmöglich macht, in seiner Wirkung näher umschrieben als Zerfall und Auflösung der Wirklichkeit. Wir haben oben bereits von der Krise der Wirklichkeitsauffassung als der vielleicht tiefstliegenden Wurzel der Krise der abendländischen Welt- und Lebensauffassung an der Wende vom 19. zum 20. Jahrhundert gesprochen. Die Spiegelung dieses revolutionären Prozesses in der modernen Dichtung hat seine schon heute klar erkennbare und in ihren einzelnen Stadien genau aufweisbare Geschichte, auf die wir später noch zurückkommen werden. Broch selbst steht hier gleichsam am Ende einer Reihe, die mit dem jungen Hofmannsthal beginnt und über die Frühwerke von Musil, Kafka und Benn, um innerhalb der deutschen Literatur nur die wichtigsten Dokumente zu nennen, unmittelbar in die Dichtung der zwanziger und dreißiger Jahre mündet.

Brochs Hinwendung zur Dichtung, in der er die Bewältigung und die Lösung der mit der Grunderfahrung des Irrationalen aufgegebenen Problematik zu finden suchte, erhielt einen entscheidenden Antrieb durch die Begegnung mit einem Werk, das wie kein zweites bestimmend und beeinflussend auf ihn eingewirkt hat, ein Werk, durch dessen Studium er recht eigentlich erst zum Dichter heranreifte, das die in ihm liegenden schöpferischen Kräfte allererst entband und das eigene Werk in einer Art von geistigem Wettkampf mit dem Vorbild entstehen ließ: dem „Ulysses" von James Joyce. Dieses überdimensionierte Rätselwerk, dieses Modell modernen Erzählens, wurde für Broch eine Erfahrungsquelle ersten Ranges, an der sich ihm die Möglichkeiten, die dem Roman in einer gewandelten Welt noch offen stehen, paradigmatisch verdeutlichen. Zögern wir an dieser Stelle einen Augenblick, und fragen wir uns erstaunt: wie kann ein Werk der Literatur Erfahrungsquelle für einen Dichter sein? Hat es der Dichter nicht zuerst und vor allem mit der ihn umgebenden und ihm begegnenden Welt der inneren und äußeren Erfahrung zu tun? Wir stoßen hier auf ein fundamentales Problem, das nicht nur für die moderne Dichtung, sondern für die moderne Kunst überhaupt große Bedeutung gewonnen hat. Die Frage, um die es hier geht, hat nur sehr entfernt etwas mit dem oft behandelten Problem des Einflusses zu tun, den ein Dichter auf den anderen ausübt, und das uns aus zahlreichen Lehrbuch-Konstellationen aus früheren Epochen bekannt ist. Hier handelt es sich um etwas anderes, nämlich um die erstaunliche Tatsache, daß einem modernen Dichter der originäre und spontane Zugang zur Realität verstellt ist durch ein künstliches, von der natürlichen Welt bereits abstrahiertes Abbild eben dieser Realität, das jetzt als gleichgewichtiger Ausgangspunkt des schöpferischen Prozesses neben die elementare Erfahrung der tatsächlichen Wirklichkeit tritt. Beispielhaft läßt sich

[18] Schlafwandler. S. 590.

dieser Vorgang an der modernen Malerei aufzeigen. In dem Maße nämlich, in dem die schöpferische Umsetzung der Wirklichkeit den Bereich des Anschaulichen zugunsten des Abstrakten verläßt, in dem Maße wird der Blick des Malers von der natürlichen Welt weg und hin zu den vorangegangenen oder gleichzeitigen Werken anderer Maler gelenkt. Der Raum der modernen Kunst ist von den Vexierspiegeln einer doppelten Fiktion umstellt. Daher die besondere Gefahr des Epigonalen, der jeder moderne Künstler ausgesetzt ist. Ihr ist auch Broch nicht ganz entgangen, wennschon die „Schlafwandler", die unter dem unmittelbaren Eindruck des „Ulysses" entstanden sind, auf den ersten Blick hin nur wenig Gemeinsames mit dem Werk von Joyce zu haben scheinen.

Blicken wir zusammenfassend auf diese erste Phase von Brochs Entwicklung, die mit der Vollendung seines ersten Romans ihren Abschluß findet, zurück, so lassen sich deutlich zwei Grundformen seines Denkens, Erfahrens und Erlebens unterscheiden, die auch über die Stufe der „Schlafwandler" hinaus für Brochs Welt- und Lebensanschauung bestimmend geblieben sind: die Grundform rationaler Welterkenntnis und Weltbewältigung und die Grundform irrationaler Welterfahrung. In diesem Spannungsfeld von Rationalität und Irrationalität steht der 1931/32 erschienene Roman „Die Schlafwandler". Mit ihm hat Broch den Versuch unternommen, die auseinanderstrebenden Pole des Rationalen und des Irrationalen, der Philosophie und der Dichtung, der Wissenschaft und des Traums, des Bewußten und des Unbewußten in einer übergreifenden Synthese zu vereinen. Es war zugleich der Versuch einer Befreiung von der eigenen Lebensproblematik durch ihre schöpferische Umsetzung in die objektive Kunstgestalt. Wie die gleichzeitig erschienenen Romane „Der Mann ohne Eigenschaften" von Robert Musil (1930/33) und „Radetzkymarsch" von Joseph Roth (1932) hat auch die Schlafwandlertrilogie das Ende und den Untergang einer Zeit- und Kulturepoche zum Thema. Für alle drei Werke bedeutet der erste Weltkrieg den Abschluß der alten und den Übergang zu einer neuen Zeit; er ist sowohl geschichtliches Ereignis, mit dem die Romanhandlung abschließt, als auch Symbol für einen inneren, unter der Oberfläche des äußeren Geschehens sich vollziehenden Auflösungs- und Umschichtungsprozeß.

Es verdient besondere Beachtung, daß die drei von uns genannten Romane zu einem Zeitpunkt erschienen sind, der selber wiederum in einem gewissen Sinne als Abschluß und Ende einer Epoche bezeichnet werden kann, so daß ihre Thematik, dargestellt an einem bereits historisch gewordenen Zeitraum, mit dem Jahre 1933 plötzlich bedrängende Aktualität gewann. Zugleich aber darf der Umstand, daß diese Werke an der Schwelle zweier Epochen erschienen sind, dafür verantwortlich gemacht werden, daß ihnen die Wirkung versagt blieb, die ihnen von ihrem literarischen Rang her hätte zukommen müssen. Während Musils „Der Mann ohne Eigenschaften" inzwischen seinen festen Platz in der Geschichte der modernen deutschen Literatur innehat und die Wirkung dieses Werkes auch in breitere Leserkreise auszustrahlen beginnt, ist dieser Platz den „Schlafwandlern" bis heute versagt geblieben. Dieser für die Entwicklung der literarischen Form vielleicht wichtigste, künstlerisch bedeutendste Roman Brochs ist noch immer ein vergleichsweise unbekanntes Werk, dessen wissenschaftliche

Erforschung und literaturgeschichtliche Situierung ein dringliches Erfordernis gewesen ist. So liegt der Schwerpunkt unserer Untersuchung in einer – hier zum erstenmal versuchten – umfassenderen Strukturanalyse der Schlafwandlertrilogie, lassen sich doch gerade an diesem Werk in paradigmatischer Weise diejenigen Tendenzen ablesen, die für den modernen Roman in dem oben von uns beschriebenen Sinne charakteristisch sind und auf die Schaffung einer neuen Kunstform des Romans in deutlicher Abgrenzung gegen traditionelle Bestrebungen hinzielen.

Der nun folgende Abschnitt in Brochs Leben, der begrenzt wird durch die Emigration des Dichters nach Amerika im Jahre 1938, ist gekennzeichnet durch das Gefühl der Erschöpfung, der Resignation und das Wissen um die ständig wachsende Isolierung und Einsamkeit, der ein Dichter in dichtungsfremder Zeit notwendig ausgesetzt ist. Der Schaffensrausch der Entstehungsjahre der „Schlafwandler" hatte Broch vorerst über die grundsätzlich veränderte Lebenssituation, der er nach Aufgabe seiner gesicherten bürgerlichen Stellung als Industrieller gegenüberstand, hinweggetäuscht. Die Wirtschaftskrise der 30er Jahre hatte den Dichter um einen Teil seines Vermögens gebracht, und er war gezwungen, von den bescheidenen Einkünften, die seine nur schwer absetzbaren literarischen Arbeiten einbrachten, zu leben. So taucht am Horizont dieser selbstgewählten Schriftstellerexistenz bereits das „schreckliche Beispiel Musils", wie es in einem Briefe von 1934 heißt, auf, „zu dessen Rettung sich jetzt eine eigene Musil-Gesellschaft gebildet hat, damit er den dritten Band herausbringen kann ..."[19] Doch diese finanzielle Seite war nur ein Teil des viel grundsätzlicheren Problems, mit dem sich Broch nach der Wahl des Dichterberufs auseinandersetzen mußte. Es war die Frage, die er sich bereits unmittelbar nach dem Abschluß seines ersten Romans stellte und die fortan in fast jedem seiner Briefe aus dieser Zeit anklingt: hat die Dichtung und hat der Dichter noch eine Daseinsberechtigung in einer Zeit, die dem Dichterwort kein Gehör mehr zu schenken bereit ist, in einer Welt, die in zunehmendem Maße sich dem gestaltenden Zugriff des Künstlers entzieht? Diese Situation, vor die der Dichter sich gestellt sah und die durch seinen leidenschaftlichen Willen, in diese Welt gestaltend und verändernd einzugreifen[20], noch verschärft wurde, findet ihren Ausdruck in einem Brief an die Frau seines Verlegers Daniel Brody:

> Und immer wieder taucht es beängstigend auf, daß alles Literarische, alles Dichterische völlig interesselos geworden ist, daß es keine Daseinsberechtigung mehr hat. Selbst Joyce nicht u. s. f. Bitte sagen Sie mir, daß es nicht so ist!!!, denn ich muß doch weiter arbeiten[21].

[19] Briefe. S. 97.

[20] In einem Brief an seinen Verleger aus dem Jahre 1935 heißt es: „Man kann dazu natürlich sagen, daß der Mensch immer das tun soll, was er gerne tut, man kann auch sagen, daß meine lächerliche Überzeugung, der Welt noch etwas sagen zu müssen, einfach die Furcht vor dem Sterbenwollen darstellt, eine sehr überflüssige und rein dekorative Verbrämung meiner Feigheit, ja, daß die Welt ganz gut weiterbestehen wird, ohne mit den künftigen Früchten meiner Harmonie bekannt gemacht worden zu sein, aber all dies zugegeben und vorausgesetzt, bin ich von einem brennenden Ehrgeiz besessen, in diese Welt noch eingreifen zu können, gerade weil die Welt so scheußlich geworden ist, ..." Briefe. S. 126/127.

[21] Briefe. S. 71.

Trotz dieser grundsätzlichen Vorbehalte, Einschränkungen, Zweifel, die den einmal eingeschlagenen Weg immer wieder als fragwürdig erscheinen ließen, nahm Broch mit der Beharrlichkeit und Besessenheit eines von seinen Fragen und Problemen Gejagten sogleich wieder eine Reihe neuer dichterischer Vorhaben in Angriff. Auf die „Schlafwandler“ folgte zunächst ein kleinerer Roman: „Die unbekannte Größe“, der noch 1933 bei S. Fischer in Berlin erscheinen konnte. In ihm hat Broch noch einmal das schon für die „Schlafwandler“ konstitutive Problem der Polarität von Rationalität und Irrationalität aufgenommen und an der Geschichte des jungen Physikers und Mathematikers Richard Hieck, dessen nach allen Seiten hin rational abgesichertes Lebensgebäude durch den Einbruch irrationaler Mächte wie der Liebe zu einer Studentin und dem Tod seines Bruders ins Wanken gerät, exemplifiziert. Auch hier wird die Lösung des Problems in einer Synthese der beiden Pole gesucht, indem der Held des Romans in einer Art Läuterungsprozeß den Anspruch des Lebens in seiner dunklen und unberechenbaren Irrationalität anerkennt und als „unbekannte Größe“ in das rationale System seiner auf Erkenntnis und Exaktheit gerichteten Existenz einbezieht. Als Kunstwerk betrachtet bleibt der Roman hinter den „Schlafwandlern“ zurück. Ihm fehlt das revolutionäre Pathos eines auf die Gewinnung neuer Realitätsschichten durch eine neue Form gerichteten Gestaltungswillens, das Brochs ersten Roman auszeichnet. Die Entfaltung der Handlung wirkt gewollt und konstruiert, die Sprachgebung bleibt häufig in konventionellen Bildern und Wendungen befangen, ja, gleitet bisweilen ins ausgesprochen Kitschige ab. Diese Tatsache ist um so erstaunlicher, wenn wir dieses Werk mit Brochs gleichzeitiger hochgespannter und äußerst anspruchsvoller Romantheorie, wie er sie vor allem am Werk von Joyce entwickelt und in den „Schlafwandlern“ zu verwirklichen gesucht hat, vergleichen. Trotz aller künstlerischen Schwächen, die die „Unbekannte Größe“ zu einem Werk der Erschöpfung und des Übergangs stempeln, ist der Roman, wie Erich Kahler mit Recht hervorhebt[22], für die innere Entwicklung Brochs bedeutsam. Der Konflikt zwischen einer auf wissenschaftliche Durchdringung der Welt gerichteten und dabei gleichsam abstrakt gewordenen Existenz und dem Anspruch des Lebens in der Fülle seiner irrationalen Aspekte hat hier bekenntnishafte, autobiographische Züge kaum verhüllende Gestalt angenommen.

Das Hauptgeschäft dieser Jahre jedoch war die Arbeit an einem religiösen Roman, der dem ursprünglichen Plan nach den ersten Teil einer Trilogie bilden sollte. Begonnen schon 1933 in Wien, wurde das Werk vor allem in der Abgeschiedenheit der Tiroler (Mösern) und Steiermärker (Aussee) Alpen, wohin der Dichter sich seit 1935 zurückgezogen hatte, gefördert, um mit der plötzlichen Emigration vorerst als Fragment liegenzubleiben. Es handelt sich um die ersten beiden Fassungen des postum (1953) unter dem Titel „Der Versucher“ herausgegebenen sogenannten Berg- oder Demeter Romans, wie er von Broch in Briefen und Freunden gegenüber bezeichnet worden war. Der Herausgeber Felix Stössinger hat aus den insgesamt drei vorhandenen Fassungen, die sämtlich Fragment

[22] Gedichte. S. 33. Vgl. Brochs Selbstinterpretation der „Unbekannte Größe“. In: Die unbekannte Größe. S. 168–171.

geblieben sind, ein lesbares Ganzes zu bilden versucht, indem er die einzelnen Teile durch Aneinanderreihung, Kontamination und Überblendung miteinander verband[23]. Der „Versucher", auf den wir in unserer Arbeit in bewußter Beschränkung auf diejenigen Werke Brochs, die die Formensprache des modernen Romans entscheidend bereichert haben und repräsentativ für seine Gedichte sind[24], nicht näher eingehen werden, zeigt eine deutliche Rückkehr zur traditionellen Romanform. In der Form einer Ich-Erzählung berichtet ein Landarzt von seinen Erlebnissen, Erfahrungen und den Vorgängen in einem kleinen Dorf inmitten der Alpen. Handlungsmittelpunkt ist das Auftreten des Wanderpredigers, „Schauspielers", Scharlatans" und „Menschenfängers"[25] Marius Ratti, der als Fremder in die Dorfgemeinde einbricht und ein neues Leben der Erd- und Naturnähe verkündet. Die „Sehnsucht nach dem Führer", dem „Heilsbringer", „der das Haus neu erbauen wird, damit aus Totem wieder das Lebendige werde"[26], war das letzte Wort der „Schlafwandler" gewesen, der trost- und verheißungsvolle Abschluß eines trostlosen und hoffnungslosen Buches. Die Zeit hatte diese „Sehnsucht nach dem Führer" inzwischen in wahrhaft tödlich ironischer Weise erfüllt und mit der Errichtung eines neuen Mythos den leergebliebenen Platz der Hoffnung auf eine Erneuerung und Neuschöpfung des Lebens besetzt. In der Gestalt des Marius Ratti, der mit virtuoser Einfühlungsgabe den tieferen Bedürfnissen, Hoffnungen und Sehnsüchten seiner Zeit entgegenkommt und mit seiner verworrenen Pseudoreligion die Menschen fasziniert und verführt, hat Broch das Problem des falschen Heilsbringers dichterisch zu veranschaulichen gesucht. Hinter dem scheinbar abseitigen Geschehen, das bewußt auf den engen Kreis einer kleinen Dorfgemeinde beschränkt bleibt und dem jeder Bezug zur aktuellen politischen Entwicklung fehlt, öffnet sich der zeitkritische und zeitpolemische Horizont, der den „Versucher" zu einem politischen Roman macht, in dem das Auftreten des Massenwahns, wie ihn der Dichter zur gleichen Zeit im benachbarten Deutschland sich verbreiten sah, an einem Modellfall vorgeführt wird. Doch dies ist nur der eine Aspekt des Werkes, dessen geistiger Raum weit über die zeitkritische Tendenz hinausgreift. Broch hat mit ihm zugleich eine Darstellung der Gegenkräfte geben wollen, die dem Vordringen und der Verbreitung des Pseudomythos Einhalt gebieten können. Ähnlich wie Thomas Mann, der zur gleichen Zeit, als Broch an der ersten Fassung des „Versuchers" schrieb, an der Fortsetzung seines Joseph-Romans arbeitete (der erste Band: „Die Geschichten Jaakobs", war bereits 1933 erschienen), sucht auch Broch die heilenden Gegenkräfte gegen den Pseudomythos in dem Versuch einer dichterischen Neubelebung und Neugestaltung des echten Mythos. In der Gestalt der Mutter Gisson als der Inkarnation der Großen Mutter erwächst dem falschen Propheten die Gegenspielerin, die sein

[23] Vgl. das „Nachwort des Herausgebers". Versucher. S. 555ff.

[24] Mit dieser Entscheidung befinden wir uns in Übereinstimmung mit Richard Brinkmann, der ebenfalls die „Schlafwandler" und den „Tod des Vergil" für „die Kernstücke des ganzen Prosawerkes" hält. Brinkmann. Romanform und Werttheorie bei Hermann Broch. a. a. O. S. 170.

[25] Versucher. S. 35.

[26] Schlafwandler. S. 685.

bodenloses Treiben entlarvt und den ruhenden Pol inmitten einer schwankend und wankend gewordenen Gemeinschaft darstellt. Der Landarzt als der Erzähler, der aus der Rückschau des Alternden die erregenden Begebnisse während seiner Amtszeit in dem Dorfe berichtet, steht dem Geschehen als unparteiischer Zuschauer gegenüber, wenngleich auch er sich der Verzauberung und der Verführung durch Marius Ratti nicht ganz entziehen kann. Im Unterschied zu den „Schlafwandlern" und zum „Tod des Vergil", deren Erzählform in einer später noch zu erörternden Weise die Einverwandlung des Lesers in das Erzählte intendiert, hat Broch im „Versucher" mit der Einschaltung eines Erzählers jene Distanz zwischen dem Leser und dem Romangeschehen wieder hergestellt, die ein entscheidendes Charakteristikum traditioneller Erzählhaltung ist. Der „Versucher" unterscheidet sich ferner von den anderen Romanen Brochs vor allem dadurch, daß in ihm das Element der Landschaft, das in den „Schlafwandlern", im „Tod des Vergil" und in den „Schuldlosen" zumeist nur die Rolle einer symbolischen Kulisse innehat, beherrschend in den Vordergrund tritt. Die Landschaft seiner österreichischen Heimat in ihrer Verbindung von Schroffheit und Lieblichkeit, Erhabenheit und Vertrautheit, Ferne und Nähe, hat Broch in diesem Werk mit dem überscharfen Sensorium einer noch die feinsten Schwingungen, Abschattungen und Spiegelungen des Lichts, der Farben und Töne in ihrem synästhetischen Wechselspiel registrierenden Sinnlichkeit dargestellt und zum aktiven Partner in einem Mensch und Natur in gleicher Weise umspannenden Erzählganzen gemacht. Mit dem „Versucher" reiht sich Broch in die Überlieferungskette der großen deutschen Landschaftsdichter ein, doch unterscheidet sich sein Bild der Landschaft grundlegend von dem, das etwa Adalbert Stifter, Jeremias Gotthelf und Gottfried Keller in ihren Romanen und Erzählungen gegeben haben. Während bei Stifter und den Realisten die Landschaft dem Menschen in der Geschlossenheit ihres gegenständlichen Seins gegenübertritt, wird sie bei Broch visionär entgrenzt und in ein Beziehungsnetz deutender Begrifflichkeit eingespannt. Sie wird zum unmittelbaren Spiegel einer vibrierenden, ekstatisch sich ins Grenzenlose aufschwingenden Innerlichkeit, und ihre Konturen verschwimmen immer wieder ins Unanschauliche einer abstrakten Gedanklichkeit.

Während der „Versucher" vorläufig unvollendet liegenblieb und von Broch erst kurz vor seinem Tode wieder hervorgeholt und überarbeitet wurde, erschien 1936 als einzige selbständige Publikation dieser Jahre nach der „Unbekannten Größe" der Essay: „James Joyce und die Gegenwart". Diese dem Umfang nach schmale, ihrem Inhalt und ihrer Bedeutung für Brochs poetische Ästhetik nach jedoch um so wichtigere Schrift erfüllt für den hier in Frage kommenden Zeitraum eine ähnliche Funktion wie der fünfzehn Jahre später erschienene Aufsatz über Hofmannsthal und darf neben diesem als das aufschlußreichste Dokument für die Erkenntnis des dichterischen Wollens und der künstlerischen Intentionen des Romanciers Broch betrachtet werden. In der Form einer tief in das Wesen von Joyces Hauptwerk eindringenden Analyse des „Ulysses" gibt der Dichter Rechenschaft von seiner eigenen Romantheorie und stellt zugleich die entscheidende Frage nach der Möglichkeit und Legitimität der Dichtung überhaupt in einer der Dichtung abgewandten, ja, dichtungsfeindlichen Zeit. Die hochgespannte Esoterik des Werkes von Joyce, das auf den Leser keinerlei Rücksicht mehr nimmt und die Dichtung zu einem Rätselspiel macht, mit dem der Dichter sich in die Isolation seines Elfenbeinturms zurückzieht, ist für Broch der Ausdruck einer grundsätzlich gewandelten, „zeitgerechten" Kunstauffassung, der eine neue Bestimmung des Verhältnisses von Kunst und Wirklichkeit zugrundeliegt. Sie schließt folgerichtig auch eine neue Bestimmung des Verhältnisses von Autor und Leser ein. Es scheint Broch, als hätte Joyce mit seinem esoterischen Romanwerk „den Beweis erbringen wollen" dafür:

> daß gerade die hypertrophische Über-Ausdrucksfähigkeit, zu der der Dichter gezwungen ist, die Ausdrucksunfähigkeit einer zur Stummheit verdammten Welt zum Ausdruck bringe, und es ist, als hätte er, aufs äußerste hiervon erschüttert, einen überdimensionalen Schwanengesang anstimmen wollen, und[27] mit einer letzten und grandiosesten Dichtung ein für allemal das Dichterische ad absurdum und zu Grabe führen wollen[28].

So steht der Dichter im Angesicht der Abbildungsfeindschaft der Welt beständig im „Zwiespalt zwischen Gestaltungswille und Gestaltungsvernichtung"[29], ein Zwiespalt, der dem gesamten Werk von Broch sein Signum aufgeprägt hat und im „Tod des Vergil" zum Kernthema schlechthin erhoben wurde.

Der Joyce-Aufsatz steht nicht nur zeitlich in der Mitte zwischen den „Schlafwandlern" und dem „Tod des Vergil", er bildet auch inhaltlich und thematisch die Brücke, die von dem ersten großen Roman Brochs zu seinem eigentlichen Hauptwerk hinüberführt. Die Analyse des „Ulysses", die zugleich als eine verkappte Selbstinterpretation der „Schlafwandler" angesehen werden muß, ist bereits mitgeprägt von der grundsätzlichen Skepsis gegen ein Kunstwollen, das in seiner Tendenz zur Verwissenschaftlichung und Theoretisierung des dichterischen Ausdrucks, in seinem konstruktiven Symbolismus und seiner Hinwendung zum Abstrakten, immer mehr in den Bereich eines lebensfremden Ästhetizismus abgedrängt wird und damit in der Gefahr steht, jeden Anspruch auf Lebensberechtigung einzubüßen. Die unverlierbare Forderung jedoch, die Broch mit dem Werk von Joyce, trotz aller Vorbehalte gegen seinen ihm von der Zeit aufgezwungenen Weg der esoterischen Überspannung der künstlerischen Ausdrucksmittel, an die zeitgenössische Dichtung stellt, ist die „Pflicht ... zur Absolutheit der Erkenntnis schlechthin"[30], und so beschließt er den Aufsatz mit dem verheißungsvollen Ausblick auf ein künftiges Werk, in dem das goethesche Erbe einer die Totalität der Welt umspannenden Erkenntnis in der Form eines neuen Mythos wieder lebendig werde:

> ..., die Erkenntnis als solche ist nicht anzutasten, und die Erkenntnis ist es, die immer wieder, zumindest potentiell, in jeden Wertzerfall und Wertverfall, erscheine dieser noch so hoffnungslos, die Kraft zur Umbildung in neue Ordnungen legt, den Keim zu einer neuen religiösen Ordnung des Menschen, und eben weil dem so ist, ist es der Dichtung verwehrt, sich ihrer Aufgabe zu entziehen, die Kräfte der Zeit zu erschauen und sie zu versinnbildlichen, ethische

[27] Im Text „um"; eigene Verbesserung in „und".
[28] Essays. Bd. 1. S. 188.
[29] Ebd. S. 188.
[30] Ebd. S. 204.

> Aufgabe der Erkenntnis, die umso größer wird, je mehr der in der Dunkelheit der Wertvernichtung befangene Mensch sich ihr verschließen will, denn an ihrem Ende ist der neue Mythos sichtbar, der aus einer neu sich ordnenden Welt erwächst[31].

Diese bekenntnishaften theoretischen Überlegungen des Joyce-Aufsatzes, in dem Broch Rechenschaft ablegt von seinem bisherigen Weg als Dichter und der den Übergang bildet zu der zweiten Stufe seiner Entwicklung, dürfen wir als die gedankliche Keimzelle seines eigentlichen Hauptwerkes, des „Tod des Vergil", betrachten. Der Plan zu diesem Werk reicht unmittelbar in die krisenhafte Zeit der Besinnung auf die ästhetischen Grundlagen der neuen Kunst, vor allem des neuen Romans, der auch der Joyce-Aufsatz seine Entstehung verdankt, zurück.

In einem Brief vom 6. 3. 1936 schreibt Broch, daß einer Zeit des allgemeinen Wert- und Wirklichkeitszerfalls gegenüber „nur ein übergewaltiges Kunstwerk bestehen" kann,

> also eines, das kaum mehr dieser Zeit angehört, sondern auch schon den künftigen Wertzusammenschluß wieder vorbereitet, also eigentlich schon der künftigen Zeit, zumindest religiös, angehört – ein Kunstwerk, das nur aus der Wildbewegtheit des Zeitenumbruchs entstehen kann, also ein mythisches, vide Homer[32].

Es muß offen bleiben, ob wir dieses briefliche Zeugnis als eine direkte Anspielung auf das Vergil-Projekt, das zu diesem Zeitpunkt bereits das Stadium des bloßen Planens überschritten und eine erste ansatzhafte Gestalt angenommen hatte, auffassen dürfen. Das Ziel jedoch, das Broch sich mit der dichterischen Behandlung des Vergil-Stoffes gesteckt hat, ist hier schon klar ausgesprochen: das zeitüberdauernde, „mythische" Epos zu schaffen, das, selber der „Wildbewegtheit des Zeitenumbruchs" entstammend, Sinnbild der Zeitenwende und zugleich Wegweiser in eine „künftige Zeit" hinein ist.

Das Problem der Stellung des Dichters und der Dichtung an der Wende zweier Epochen, das Broch seit Abschluß der „Schlafwandler" beschäftigte und bedrängte, führte ihn zu der Gestalt des römischen Dichters Vergil, in der er seine eigene Situation, Dichter am Ende einer Kulturepoche zu sein, als historisches Modell wiederfand. Bei seiner näheren Beschäftigung mit dem Leben Vergils stieß Broch auf den mittelalterlichen Legendenstoff, nach dem der römische Dichter am Ende seines Lebens die „Aeneis" verbrennen wollte, und verband mit diesem vorgegebenen Handlungsschema sein Problem: die Frage nach der Möglichkeit und Berechtigung der Dichtung in einer dichtungsfeindlichen Zeit. Dies ist der Grundriß der ersten Entstehungsstufe des Vergil-Romans, der „Kurzgeschichte": „Die Heimkehr des Vergil", mit deren Lesung der Dichter im Jahre 1935 das Pfingstfestprogramm des Wiener Rundfunks eröffnete[33]. Im Mittelpunkt dieser ersten skizzenhaften Fassung des „Tod des Vergil" steht das Wort Vergils an Maecenas:

[31] Ebd. S. 210.
[32] Briefe. S. 148/149.
[33] Vgl. den Brief an Hermann Weigand vom 12. 2. 1946. Briefe. S. 242ff.

> Ich werde nicht mehr dichten, Maecenas, und selbst wenn mir dazu Zeit vergönnt wäre, ich möchte es nicht mehr ...[34]

Das Dichtungsverbot, das Vergil sich hier selber auferlegt, wird in der vollendeten Fassung zum Gedanken des Werkopfers vertieft und findet erst dort seine ausführliche Begründung. Der Grundkonflikt jedoch, der allem späteren Geschehen im „Tod des Vergil" zugrundeliegt, der Zusammenstoß des gestaltungsohnmächtigen Dichters mit einer ungestaltbaren Welt, ist bereits in der „Heimkehr des Vergil" angelegt. Im Angesicht des Grauens eines von Vergil prophetisch vorausgeschauten und vorausgewußten Untergangs der glorreichen Epoche des Augusteischen Kaiserreichs versinkt seine eigene Vergangenheit als Dichter und mit ihr das von ihm geschaffene Werk ins Bedeutungslose:

> Nichts von den Bucolica, noch weniger von den Georgica, und wenn überhaupt etwas verharrte, so war es die Aeneis, doch auch diese nicht, wie er sie gedichtet hatte, sondern als ein Geschehen, das von ihm geschaut und nur sehr mangelhaft eingefangen worden war. Warum war dies so? für wen hatte er gearbeitet? für welche Menschen, für welche Zukunft? stand nicht das Ende aller Dinge vor der Türe? war die Vergessenswürdigkeit des Geschaffenen nicht ein Beweis für den Zeitenabgrund, der sich nunmehr auftun wollte, die Ewigkeit zu verschlingen? Betrunkene Horden im Palast und auf der Gasse; noch trinken sie Wein, doch bald werden sie Blut saufen, noch leuchten sie mit Fackeln, doch bald werden ihre Dächer brennen und flammen, brennen, brennen, brennen. Und desgleichen werden die Bücher mit in dem Rauch aufgehen. Mit Recht, mit Recht, mit Recht. In der Brust des Kranken brannte es, allein die Lippen des Schriftstellers lächelten ein wenig, denn der Brand würde auch die Bücher Horazens und Ovids kaum verschonen, und man mußte sagen, ebenfalls mit Recht. Keiner wird bestehen bleiben. Was aber dann? was vermöchte die Menschen noch zu retten, auf daß sie weiterlebten[35]?

Die apokalyptische Vision, mit der Broch hier Vergil das Ende des römischen Weltreiches voraussahnen läßt, sollte wenige Jahre später für ihn selbst und seine Zeit grausame Wirklichkeit werden. Die Besetzung Österreichs durch Hitler im Jahre 1938 traf den Dichter in Alt Aussee. In dem letzten vorhandenen Brief vor seiner Verhaftung durch die Gestapo, der an Frank Thiess gerichtet ist, heißt es:

> ich führe ein ausgesprochen grauenhaftes Leben, ein Leben, für das die absolute Einsamkeit noch die optimale Situation bedeutet, wie ich ja auch jetzt aufatme, der Wiener Qual entronnen zu sein[36].

Im Angesicht des eigenen Todes, dem er nicht mehr glaubte entrinnen zu können, erweiterte und vertiefte sich für Broch das Vergil-Thema zur Darstellung eines das eigene Sterben vorwegnehmenden Todeserlebnisses. Neben das Thema der Absage an die Dichtung tritt damit als entscheidendes werkbestimmendes Element das Motiv des Todes, das bereits in den „Schlafwandlern" eine wichtige Rolle gespielt hatte. Broch sah sich plötzlich aus der Distanzhaltung des philosophischen und dichterischen Beobachters seiner Zeit herausgerissen, indem diese Zeit, deren „Geist" er noch wenige Jahre zuvor als geschichtsphilosophischer

[34] Die Heimkehr des Vergil. In: Die unbekannte Größe. S. 209.
[35] Ebd. S. 207.
[36] Briefe. S. 162/163.

Kommentator seiner eigenen Romangestalten so tiefdringend analysiert hatte, ihm das erbarmungslose „Tua res agitur“ entgegenwarf. Er beantwortete diese Herausforderung des Zeitschicksals mit dem „übergewaltigen Kunstwerk“, von dem er bereits 1936 ein prophetisches Leitbild entworfen hatte, dem jetzt, in der Gefängniszelle der Gestapo, aus dem persönlichen Todeserlebnis heraus neue Substanz zuwuchs, und das in den ersten Jahren der Emigration der innerste Halt wurde, an dem der wurzel- und heimatlos gewordene Dichter sich wieder aufrichten konnte.

Durch die Vermittlung ausländischer Freunde, darunter auch James Joyces, gelang Broch die Emigration nach Amerika. Die ersten Jahre seines amerikanischen Exils, in denen eine Reihe neuer bedeutender menschlicher Begegnungen wie mit Erich Kahler, Albert Einstein, Professor H. S. Canby u. a. den Dichter in einen Kreis Gleichgesinnter hineinzog und ihm über den Schmerz um die verlorene Heimat hinweghalf, gehörten ganz der Arbeit an der Vollendung des Vergil-Romans. 1945 erschien bei Pantheon Books in New York der „Tod des Vergil“. Damit trat nach fast zwölfjährigem Schweigen der Dichter der „Schlafwandler“, die besonders im Ausland seither große Beachtung gefunden hatten, erneut vor die Öffentlichkeit. Der „Tod des Vergil“ begründete nun auch in Deutschland den Ruf Brochs als einen der großen Romanciers des 20. Jahrhunderts im deutschsprachigen Raum. Dieses an bisherigen Maßstäben gemessen so fremdartige und ungewöhnliche Experiment ließ die 1933 gewaltsam abgebrochene Diskussion um das Werk Hermann Brochs erneut wieder aufleben, dieses Mal jedoch mit einer Leidenschaftlichkeit und Intensität, deren Pole höchste Bewunderung wie energische Abwehr einschlossen. Broch wurde für dieses Werk durch eine Guggenheim-Fellowship und den Preis der America-Academy of Arts and Letters ausgezeichnet, Freunde schlugen ihn für den Nobel-Preis vor, doch wurde ihm diese Ehrung nicht zuteil.

Die letzten ihm noch verbliebenen sechs Jahre seines Lebens, die Broch bis 1949 in Princeton, New Jersey, wo er seit 1942 lebte, und seitdem in New Haven, Connecticut, verbrachte, sind von einer geradezu übermenschlich zu nennenden Arbeitslast erfüllt gewesen. Seine Briefe aus dieser Zeit legen ein erschütterndes Zeugnis ab für ein gejagtes und von den verschiedensten Arbeitsvorhaben gehetztes Leben, dessen beständige Begleitmelodie die „Panik des Nicht-fertig-Werdens“ wurde[37]. Die Absage an die Dichtung, zu der sich Brochs Vergil im Angesicht des eigenen Todes durchgerungen hatte, war nur die eigene, ins dichterische Sinnbild transponierte Lebensentscheidung gewesen, die Broch nach Abschluß des „Tod des Vergil“ jede weitere dichterische Betätigung als einen moralischen Verstoß gegen das Gesetz der Zeit erscheinen ließ. Vergil hatte an die Stelle der Dichtung die auf „Erkenntnis“ beruhende hilfebringende Tat gesetzt, deren er selber nicht mehr fähig war, die er jedoch als die Aufgabe einer kommenden Epoche prophetisch verkündigt hatte. Erkenntnis und Tat, beide auf Hilfe für eine im weitesten Sinne genommen hilflos und hilfsbedürftig gewordene Welt gerichtet, sind so auch die Leitbegriffe, die über den weiteren Schaf-

[37] Briefe. S. 259; vgl. auch: S. 223, 235, 266, 269, 392.

fensjahren Brochs stehen. Er versuchte sie zu vereinen in einer großangelegten Arbeit über massenpsychologische Probleme, die in gewissem Sinne eine ins Politische gewandte Fortsetzung seiner Geschichtsphilosophie, wie er sie in den „Schlafwandlern" gegeben hatte, darstellt. Mit diesem Vorhaben, das ihn zu seinem geistigen Ursprungsort, den rationalen Wissenschaften, zurückführte, glaubte Broch der Isolation des Elfenbeinturms zu entgehen und sein leidenschaftliches Bedürfnis nach aktivem Eingreifen in diese Welt befriedigen zu können. In einem Brief aus dem Jahre 1946 gibt Broch Rechenschaft über die Gründe seiner Hinwendung zur politischen Philosophie:

> Ob man will oder nicht, man wird zur Politik genötigt. Ich z. B. – wenn ich mir gestatten darf, einen Augenblick von mir zu reden – hatte mir vorgenommen, mit meinem 60. Jahr zur mathematischen Logik zurückzukehren, da ich mir stets eingebildet hatte, da etwas leisten zu können; doch statt dessen bin ich in die Massenpsychologie geraten, um wohl bis zu meinem Lebensende darin zu bleiben: denn es schien und scheint dies einer der wenigen Wege zu sein, auf denen ein theorieverhafteter Mensch zu politischer Wirksamkeit zu gelangen vermag[38].

Die wissenschaftliche Arbeit Brochs fand finanzielle Unterstützung durch die Rockefeller Foundation, die dem Dichter eine bescheidene Existenzgrundlage sicherte. Der Versuch, mit der massenpsychologischen Untersuchung eine feste akademische Stellung in Amerika zu erlangen, schlug fehl, da Broch infolge anderweitiger Arbeitsvorhaben am Abschluß seiner wissenschaftlichen Studien, die auch staatspolitische und erkenntnistheoretische Problembereiche miteinschließen, gehindert wurde. Lediglich in einer Ehrenstellung ohne Gehalt wurde er 1949 Fakultätsmitglied an der Yale-University.

Im Jahre 1950, kurz vor dem plötzlichen Tod des Dichters, erschien im Willi Weismann Verlag in München ein neues, im Untertitel als „Roman in elf Erzählungen" bezeichnetes Werk von Broch: „Die Schuldlosen". Mit ihm war der Dichter trotz des Dichtungsverbots, das ihn aus dem Bereich der Literatur in den der Wissenschaft geführt hatte, zur Dichtung zurückgekehrt. Die „Schuldlosen", deren kaum zu definierende Zwischenstellung zwischen einem Roman und einer Sammlung von einzelnen Erzählstücken schon im Untertitel zum Ausdruck kommt, dürfen als das eigenartigste und in vielem Betracht fragwürdigste Werk Brochs bezeichnet werden. Der Versuch, in ihm eine Reihe von bereits veröffentlichten Erzählungen, deren Entstehungszeit bis zum Jahre 1917 zurückreicht, mit einer Anzahl neu konzipierter Stücke zu einem einheitlichen Ganzen zu verschmelzen, war ein gewagtes Unternehmen, dessen Durchführung schon im Ansatz den Stempel einer gewollten Konstruktion trug. Sowohl inhaltlich als auch formal schließen die „Schuldlosen" an die Schlafwandlertrilogie an. Auch in ihnen soll in drei zeitlich fixierten und voneinander getrennten Erzählgruppen (1913; 1923; 1933) ein zeitsymptomatischer Entwicklungsprozeß dichterisch veranschaulicht werden. In beiden Romanen geht es um die Darstellung eines kollektiven Schicksals, das in den „Schuldlosen" in der Figur des Holländers A., des „Helden" der Erzählung, am einzelnen Beispiel aufgezeigt wird. Ähnlich wie in

[38] Briefe. S. 248.

den „Schlafwandlern" das Einzelschicksal individuell gesehener und sich entfaltender Gestalten zurücktritt hinter einem überindividuellem Vorgang, der sich den zu Marionetten eines übergreifenden Prozesses gewordenen Menschen in der Form abstrakter und metapsychologischer Erlebnisse und Erfahrungen offenbart, so bleibt auch in den „Schuldlosen" der Held A. passiver Schnittpunkt im Koordinatennetz eines überpersönlichen Geschehens. Die formelhafte Namengebung, die an Kafka erinnert, ist nur der folgerichtige Ausdruck der Tendenz zur Entindividualisierung, die A. zum anonymen Träger transsubjektiver Denk- und Erlebnisinhalte macht. Infolge dieser grundsätzlichen Erzählintention wurde es dem Dichter möglich, die so unterschiedlichen und schon ihrer weit auseinanderliegenden Entstehungszeiten wegen nur schwer zu einem „Roman" zu vereinigenden Erzählstücke um die Figur des einen Helden zu versammeln und perspektivisch auf sie hin zu konzentrieren. Der einheitsstiftende Mittelpunkt der „Schuldlosen" liegt also nicht in der erzählerischen Entfaltung einer Roman„handlung" begründet, die einzelnen Erzählteile sind nicht in einer logischen Folge aufeinander bezogen und miteinander verknüpft, sondern vielmehr wie Varianten eines Sinnzusammenhangs kontrapunktisch aneinandergefügt[39].

Das Thema des Werkes ist die „Schuld" der den geschichtlichen und politischen Ereignissen der Zeit vor 1933 in der Haltung der Indifferenz gegenüberstehenden „Schuldlosen", die nicht eigentlich moralisch sich schuldig machen, in einem tieferen Sinne jedoch die Hauptschuldigen an einer Entwicklung sind, die mit der Errichtung des Hitler-Deutschland ihren Höhepunkt gefunden hat. Mit dieser auf die Entfaltung eines ethischen Problems gerichteten Thematik schließen sich die „Schuldlosen" enger noch als die „Schlafwandler" an das politische Zeitgeschehen an, obschon der Handlungsraum des Werkes selber, ähnlich wie im „Versucher", kaum einen direkten Bezug zur politischen Welt aufweist. Auch in den „Schuldlosen" also steht wiederum die eine entscheidende Frage, die in allen Werken Brochs wiederkehrt, im Mittelpunkt: die Frage nach der Verantwortung des Menschen für das Schicksal seiner Zeit. Ihr gegenüber wird jede Distanzierung von der geschichtlichen Wirklichkeit, jeder Rückzug in die private Sphäre oder in den Bereich einer egoistischen Innerlichkeit zur ethischen Schuld. Diese Frage war zugleich die Kernfrage von Brochs eigenem Leben. In ihr dürfen wir die tiefste und vielleicht persönlichste Wurzel seiner Entscheidung zur Dichtung sehen, einer Dichtung, die, ohne je Tendenzdichtung zu werden, aus dem Pathos eines geschichtlich-politischen Auftrags geschaffen wurde und auf die Erweckung und Läuterung des in Trägheit und Gleichgültigkeit befangenen Menschen gerichtet ist. Während in den „Schlafwandlern" das Problem der den Forderungen der Zeit gegenüber schuldig gewordenen Existenz an der Gestalt Bertrands, des überlegenen, geistigen und philosophischen Menschen aufgezeigt wird, steht im Mittelpunkt des „Tod des Vergil" die tragische Situation des Dichters, der vor

[39] „All diese Erzählungen", heißt es in einem Brief Brochs an seinen Verleger Daniel Brody, sind „nichts anderes als Konkretisierung einer einzigen Traumsituation ..., die mich mein ganzes Leben und auch heute noch begleitet; eben darum wird sich das Ganze zu einem zusammenhängenden, romanartigen Gebilde artig zusammenreihen ..." Briefe. S. 344. Vgl. auch Hermann Weigand in seiner „Einführung" zu den „Schuldlosen". S. 8.

der unlösbaren Aufgabe steht, die Forderung, die das Werk stellt, mit dem schicksalhaften Auftrag des Lebens und der Wirklichkeit zu vereinen. Zu den Gestalten des Philosophen und des Dichters tritt in den „Schuldlosen" der durch keine besondere Bestimmung gebundene und ausgezeichnete „Neutrale", der Typ des internationalen Globetrotters, der dank geschickter Ausnutzung der Konjunktur nach 1918 bald die Rolle eines saturierten und wohlhabenden Bürgers einnimmt. Die Handlung der um die Gestalt des Helden A. sich gruppierenden Erzählstücke weist einen deutlichen Bezug zum Don Juan-Thema auf. A., der durch seine Indifferenz am Tod seiner ihn liebenden Geliebten schuldig wird, ist eine Art introvertierter Don Juan. Er nennt sich selbst „entscheidungsschüchtern und schicksalsschüchtern"[40], Wesenszüge, die, zusammen mit seiner Flucht vor der Verantwortung und seiner Gleichgültigkeit „gegen das eigene Menschtum" und „vor dem Leid des Nebenmenschen"[41], ihn zum Repräsentanten einer „ästhetischen" Lebensform im Sinne Kierkegaards machen. Der Hinweis auf Kierkegaard steht hier nicht ohne inneren Bezug zu dem Werk Brochs, hat doch der dänische Philosoph und Theologe in seiner berühmten Interpretation der Mozartschen Oper in „Entweder-Oder" gerade am Beispiel des Don Juan die Analyse einer Haltung entwickelt, die, unter Abzug der spezifisch musikalisch-künstlerischen Komponente, sich unmittelbar auf den Helden der „Schuldlosen" übertragen läßt.

Die etwas gewaltsame Lösung der in dem Werk aufgeworfenen ethischen Problematik, die Läuterung und Sühne des schuldlos schuldigen Helden, wird herbeigeführt durch das Auftreten des „Steinernen Gastes", des Großvaters seiner toten Geliebten, der A. auf seinem Jagdhaus, wo dieser ein ins Groteske überzeichnetes Leben fettleibiger Stagnation führt, aufsucht. Der „Steinerne Gast", hinter dessen Maske sich der Tod verbirgt, fordert Rechenschaft von A. und stellt ihn vor die Wahl, im freien Entschluß seine Schuld zu bekennen und sie durch den Freitod zu sühnen oder das schuldbeladene Leben eines „Schuldlosen" weiterzuführen. A. wählt den Weg des symbolischen Sühnopfers und legt in einer stark rhetorisch wirkenden Beichte ein generelles Schuldbekenntnis ab. Die innere Wandlung des namenlosen Helden – der vom „Steinernen Gast" jetzt zum erstenmal mit seinem vollen Vornamen Andreas angesprochen wird – vom verantwortungslosen und indifferenten Neutralen zum schuldbewußten und die Sühne für seine Schuld freiwillig auf sich nehmenden Büßer bleibt gedankliche Konstruktion, sie wirkt nicht überzeugend und durchbricht und verletzt alle Gesetze dichterischer Wahrscheinlichkeit. Die poetische Gestaltung ist hier aufgegeben zugunsten einer direkten, an den Leser appellierenden Ansprache des Dichters, deren Wirkung durch die nur flüchtig umgeworfene Hülle einer fiktiven Einkleidung als Beichte des Helden abgeschwächt wird, und deren Überzeugungskraft mangels innerer Glaubwürdigkeit fragwürdig bleiben muß. Die Spannung zwischen Rationalität und Irrationalität, zwischen Reflexion und Gestaltung, die allen Werken Brochs ihren Stempel aufgeprägt hat und die den Reichtum und die architektonische Vielfalt ihrer auf „Totalität" zielenden Aus-

[40] Schuldlosen. S. 273.
[41] Ebd. S. 328.

drucksmittel ausmacht, barg immer auch die Gefahr des Zerbrechens dieser coincidentia oppositorum zugunsten eines nur noch reflektierenden, rationalen und traktathaften Sprechens in sich. Dafür ist die Beichte des Andreas in den „Schuldlosen“ das vielleicht deutlichste Beispiel, das die Grenze dieser beständig die Sphäre des „nur“ Dichterischen überschreitenden Romankunst sichtbar werden läßt.

Nach der Vollendung der „Schuldlosen“, in derem „Entstehungsbericht“, der dem Werk angefügt ist, Broch noch einmal die Ziele und Aufgaben der neuen, auf Darstellung der „Welttotalität“[42] ausgerichteten Romankunst umrissen hat, setzte er sogleich die Arbeit an der endgültigen Fassung des „Versuchers“ fort, die er etwa gleichzeitig mit der Konzeption der „Schuldlosen“ begonnen hatte. Inmitten dieses Vorhabens, am 30. Mai 1951, traf ihn der Tod und bereitete diesem spannungsgeladenen, so überaus reichen und doch auch wieder einfachen Leben, dessen bestimmende Grundform der Widerspruch und die Paradoxie gewesen war, ein Ende. Der Tod, den der Dichter, das eigene Sterben vorwegnehmend, in vielfältiger Gestalt dichterisch beschworen hatte und dessen Einbeziehung und Eingestaltung in das irdische Leben das eigentliche Movens seines auf Überwindung des Todes und der Zeit gerichteten philosophischen und dichterischen Schaffens gewesen war, kam für Broch zu früh. Sein mit zunehmendem Alter anwachsender unersättlicher Wissenshunger hatte ihn in den letzten Jahren seines Lebens in immer neue Arbeitsgebiete getrieben und einen beständigen Kampf mit der Zeit führen lassen. So bedauert er in einem Brief aus dem Jahre 1949, daß er „zu spät zu schreiben begonnen“[43] hätte, und wünschte sich „dringendst eine Lebensverlängerung von etwa 50 Jahren ...“[44]

Trotz dieser ungeheuren Überspannung der geistigen und physischen Kräfte, die in einem fast hybriden Arbeitsrausch den Dichter während der Zeit seines amerikanischen Exils bis zu achtzehn Stunden täglich an die Schreibmaschine fesselte, trotz dieses sowohl von Innen wie von Außen gehetzten und gejagten Lebens, dem eine Insel „verpflichtungsloser Ruhe“[45] nur durch einen erzwungenen Krankenhausaufenthalt vergönnt war, ist das Grundgefühl dieser letzten Jahre Dankbarkeit gewesen. Dankbarkeit für den Reichtum eines erfüllten Lebens, dem die Gnade der schöpferischen Befreiung von der Problematik einer zutiefst zwiespältigen Existenz im dichterischen und gedanklichen Werk verliehen war, einem Werk, das für Broch in zunehmendem Maße Selbstbestätigung eines wachen und täuschungsbefreiten Daseins wurde[46].

Das geistige Bild Hermann Brochs bliebe unvollständig, wollten wir ein Werk unerwähnt lassen, das keinen literarischen Ausdruck gefunden hat, das dem Dichter jedoch ebenso wichtig gewesen ist wie seine Romane, das Werk der persönlichen Hilfe, das er Freunden, Bekannten oder auch ihm fernstehenden Menschen angedeihen ließ in einer Zeit des Leides und der Not, in einer Zeit der

[42] Schuldlosen. S. 360.
[43] Briefe. S. 353.
[44] Ebd. S. 337.
[45] Ebd. S. 294.
[46] Ebd. S. 354; vgl. S. 346, 347, 353.

Erschütterung und des Zerfalls aller geistigen und materiellen Lebensformen, die wie bei kaum einem anderen Dichter unserer Epoche Grundvoraussetzung und Ausgangsposition seines Denkens und Dichtens gewesen ist. Erich Kahler, der nächste Vertraute des Dichters während der Zeit der Emigration in Amerika und der hervorragendste Interpret seines Werkes, nennt ihn in seiner „Rede über Hermann Broch" den „Prototyp des brüderlichen Menschen":

> Nicht nur war er der Bruder seiner Freunde, sondern der Bruder aller Menschen, aller Kreatur. Und was uns von ihm am innigsten nachbleibt, im Gedächtnis des Herzens, jenseits alles Gedachten, ist diese beharrliche Bruderschaft, dieses unfehlbare, unermüdliche, unumschränkte Bereitsein zur Brüderlichkeit und zur brüderlichen Handlung in jedem Augenblick seines zugrundegehetzten Lebens[47].

Das Werk Hermann Brochs nimmt innerhalb unserer Epoche einen einzigartigen Platz ein. Wennschon mit zahlreichen Fäden hineinverwoben in die gleichzeitige Entwicklung der Kunst, der Wissenschaft und nicht zuletzt auch in die geschichtlich-politischen Vorgänge der letzten Jahrzehnte, ist es doch der unverwechselbare Ausdruck einer höchst individuellen und eigenwilligen Begegnung mit der Wirklichkeit, einer Wirklichkeit, die für Broch von vornherein in einem problematischen Spannungsverhältnis zur künstlerischen und dichterischen Tätigkeit stand. Die Grunderfahrung des Zerfalls und der Auflösung einer statisch geglaubten Wert- und Wirklichkeitsordnung, von der das Dichten bei Broch seinen Ausgang nahm, machte ihn zu einem „Dichter wider Willen"[48], wie Hannah Arendt ihn treffend genannt hat, der die Herausforderung durch eine unerzählerisch und undichterisch gewordene Zeit mit einem Werk beantwortete, das diesem seinem paradoxen Ursprung verhaftet blieb. So erwächst die Dichtung bei Broch angesichts der Abbildungsfeindschaft der Welt als ein Akt des „Trotzdem". Dem entspricht das Forcierte, das aufs höchste Angespannte seines Begriffs vom Dichter und der Dichtung. Aus dem verzweifelten „Dennoch", das der Paradoxie von Gestaltungswillen und Abbildungsunfähigkeit der Welt entgegengestellt wird, erwachsen der Dichtung Aufgaben, die jede dichterische Möglichkeit zu sprengen drohen. Broch beschwert die Dichtung mit einem Erkenntnisernst und einer ethischen Verantwortung, die nur aus dem schlechten Gewissen heraus erklärt werden können, dem schlechten Gewissen darum, daß überhaupt noch „gedichtet" wird.

Wenn Erich Kahler von den großen epischen Büchern des 20. Jahrhunderts, den „Endbüchern" sagt: „Ein letzter Ernst durchwaltet sie alle, ein Ernst, den das allgegenwärtige Medium der Ironie nicht mindert, sondern im Gegenteil steigert",[49] so gilt das im Besonderen für Hermann Broch. Seine hochgespannte Esoterik, seine das Menschliche verzerrende Abstraktheit, die für alle seine Werke charakteristisch sind: sie waren für ihn aus Qual und Verzweiflung geborene Notwendigkeit. Das Problem der abstrakten Kunst, geboren aus dem er-

[47] Erich Kahler. Rede über Hermann Broch. a. a. O. S. 243.

[48] Essays. Bd. 1. S. 5.

[49] Erich Kahler. Säkularisierung des Teufels. Thomas Manns Faust. In: Kahler. Die Verantwortung des Geistes. Gesammelte Aufsätze. Frankf. a. M. 1952. S. 143.

schrockenen Innewerden, daß unsere Welt sich in zunehmendem Maße dem gestaltenden Zugriff der Kunst entzieht: hier, bei Hermann Broch, können wir es in allen seinen Konsequenzen studieren. Der auf „Totalität" gerichtete dichterische Erkenntnistrieb führt, das gilt besonders für den „Tod des Vergil", in Bereiche, in denen wir dem Dichter nur mehr durch eine aufs äußerste gespannte „Anstrengung des Begriffs", um uns eines Ausdrucks Hegels zu bedienen, folgen können. Es ist, wie Hannah Arendt in ihrem Aufsatz: „Hermann Broch und der moderne Roman" schreibt, „gleichsam mit einem Schlage die bisher verständlichste, dem Publikum zugänglichste Kunstform (gemeint ist der Roman) zu der schwierigsten und esoterischsten geworden"[50]. Gilt uns seit der Dichtung der Goethezeit der Begriff des Erlebens als der den schöpferischen Akt im Dichter wie auch die Wirkung des Kunstwerks auf das empfangende Subjekt am treffendsten umschreibende Ausdruck, so tritt hier ein entscheidender Wandel ein. An die Stelle des Erlebens tritt das Erkennen. Dichtung als Erkenntnis: das wird eines der Hauptprobleme sein, mit denen wir uns in unserer Arbeit beschäftigen müssen.

Wie wenig Broch sein eigenes esoterisches Dichten verabsolutiert hat, zeigt seine Sehnsucht nach einer neuen Schlichtheit, einer Schlichtheit, von der er wußte, daß er sie zu seinen Lebzeiten nicht mehr teilen würde, von der er jedoch annahm, sie werde das Signum zukünftigen Dichtens sein. So heißt es in einem Brief aus dem Jahre 1947:

> Im letzten kommt es auf die Wiedergewinnung von „Schlichtheit" an; doch es wird eine neue Schlichtheit sein müssen, also eine, in welche die neue Realität einverarbeitet sein wird. Man kann Schlichtheit nicht einfach dekretieren; sie wird sonst unweigerlich Romantizismus und Kitsch. Der Mensch, der neue Mensch wird nicht auf der Ebene eines Picasso oder Kafka leben, weil niemand auf einer solchen Ebene leben kann . . ., aber seine Lebensebene wird über dieser liegen, so daß sie ihm zur natürlichen Sicht geworden sein wird[51].

[50] Hannah Arendt. Hermann Broch und der moderne Roman. a. a. O. S. 147.
[51] Briefe. S. 267.

A. Die literaturgeschichtliche Stellung von Hermann Brochs Romantrilogie „Die Schlafwandler“ innerhalb der Situation des europäischen Romans der zwanziger Jahre

Schon in der Einleitung haben wir auf die Notwendigkeit hingewiesen, das Werk Hermann Brochs auf dem Hintergrund einer europäischen Entwicklung zu sehen, einer Entwicklung, die sich gerade in Bezug aus den Roman in dem Jahrzehnt von 1920–1930 mit besonders einprägsamer Deutlichkeit wirksam zeigt. Der historische Abstand, der uns von diesem Zeitraum trennt, erlaubt es uns bereits, von einem entscheidenden Strukturwandel innerhalb der Gattung des Romans, der sich hier vollzogen hat, zu sprechen. In dieser Zeit tritt das, was wir als „modernen“ Roman zu bezeichnen gewohnt sind, in Erscheinung, zugleich aber auch beginnt hier die leidenschaftliche – und bis heute nicht abgerissene – Erörterung und Diskussion über die Krisenhaftigkeit dessen, was sich jetzt mit dem Mut zum Experiment anschickt, neue Form zu gewinnen. Denn die Suche nach einer neuen Kunstform des Romans ist es, was die so unterschiedlichen Bestrebungen der einzelnen Romanciers seit etwa 1920 innerlich verbindet. Von diesem Gesichtspunkt aus erweist es sich als unverzeihlicher Irrtum, dort von „Krise“ im negativen Sinne zu sprechen, von Abfall oder Verfall, wo gerade mit einem unvergleichlichen Ernst und einer aufs äußerste gespannten intellektuellen Intensität um die Überwindung traditioneller Klischees gerungen worden ist, mit dem Ziel, die bedrängende Erfahrung des Zerfalls der abendländischen Kultur, das Erlebnis der inneren und äußeren Existenzbedrohung des Menschen, die Tatsache der Auflösung der überlieferten Gesellschaftsformen, in einem dieser neuen Welterfahrung adäquaten Kunstgebilde, dem Roman, zu spiegeln und gleichzeitig in einem bis ins Konstruktivische vorgetriebenen Formbewußtsein diesem Zerfall einen inneren Halt entgegenzusetzen. Überwindung des Chaos durch die Form: diese alte Erfahrung dichterischer Weltbewältigung, wie sie immer in Zeiten der Krise und des Umbruchs geübt wurde und lebendig war, sie könnte als Motto auch einer Betrachtung über den modernen Roman voranstehen.

Wenn wir im Folgenden eine Reihe von Tendenzen, die charakteristisch für die „modernen“ epischen Bestrebungen sind, herausstellen und erörtern werden, so geschieht dies weder mit der Absicht, durch normative Abstraktionen einen Idealtypus des „modernen“ Romans herauszukristallisieren, noch auch, das Werk Hermann Brochs in ein Koordinatennetz etwaiger „Abhängigkeiten“ zu zwingen. Dabei haben wir die Auswahl der hier in Frage stehenden Werke bewußt auf einige wenige, die besonders geeignet sind, als Beispiel zu dienen, beschränkt. Den Vorwurf der Einseitigkeit, dem wir angesichts dieses Verfahrens ausgesetzt sind, möchten wir durch den Hinweis darauf entkräften, daß es nicht unsere Aufgabe sein kann, ein vollständiges Bild der Romanliteratur der zwanziger Jahre zu geben. In unserem Zusammenhang soll diese Übersicht nur dazu dienen, die revolutionierenden Aspekte und Möglichkeiten neuer Formfindung, wie sie das Romanschaffen der zwanziger Jahre zeigt und wie sie bei Broch in seinen „Schlafwandlern“ innerhalb der deutschsprachigen Dichtung zum erstenmal mit extremer Konsequenz deutlich werden, aufzuzeigen. Diese Fragen dürfen unser Interesse hier nur insoweit beanspruchen, als ihre Behandlung uns instand setzen soll, das Wesen des Brochschen Werkes schärfer zu erfassen, als es eine von den historischen Bedingtheiten abstrahierende, isolierte Betrachtung vermöchte. Zugleich aber wird damit die geradezu paradigmatische Bedeutung von Brochs Romantrilogie innerhalb eines Entwicklungsprozesses deutlich, der heute noch nicht abgeschlossen ist, dessen übergreifende Tendenzen wir jedoch bereits klar überschauen können.

1. Die Infragestellung der „Fabel“

Eines der hervorstechendsten Merkmale in der Entwicklung der modernen Epik ist die Aufgabe und der Verlust dessen, was dem traditionellen Roman des 19. Jahrhunderts noch weithin als unverlierbares Dogma galt, ja, was das eigentlich „Romanhafte“ des Romans ausmacht und als sein elementarstes Baugesetz bezeichnet werden könnte: des auf Spannungserzeugung gerichteten Handlungsgerüsts oder der Fabel. So gerät jede normative Wesensbestimmung des Romans, die in der Fabel das konstituierende Element aller Epik überhaupt festhalten möchte, seinen modernen Erscheinungsformen gegenüber in Schwierigkeiten. Den letzten Versuch in dieser Richtung hat R. Koskimies in seiner 1935 erschienenen „Theorie des Romans“ unternommen. In Anlehnung an die Aristotelische Poetik bezeichnet er die Fabel als „das eigentliche Formelement der erzählenden Dichtung“[1] und muß folgerichtig eingestehen,

> daß er der in den letzten Jahrzehnten zurückgelegten Entwicklung dieser Dichtungsgattung (gemeint ist der Roman) keine besonders günstige Auffassung abgewinnen kann ... Weder möchten wir als Pessimist erscheinen noch als Herabsetzer unserer eigenen Zeit, aber der gegenwärtige Roman scheint – vielleicht mag auch hierin ein Samenkorn der Zukunft verborgen liegen! – in den meisten Fällen die Tatsache vergessen zu haben, daß das Erzählen als solches, nämlich das künstlerisch veredelte Erzählen, sich selbst genug ist[2].

Koskimies weist in diesem Zusammenhang auf Flaubert und Zola hin, bei denen die moderne Entwicklung, die auf die Eliminierung des Romanhaften, die Ausschaltung der Fabel, die Infragestellung des Erzählens um des Erzählens willen hinzielt, sich im Ansatz bereits deutlich abzeichnet. Das Zurücktretenlassen der Fabel lag bei Flaubert und den ihm folgenden Naturalisten vor allem in der Forderung begründet, der Roman solle eine möglichst genaue, der wissenschaftlichen Beobachtung und Beschreibung angenäherte „Studie“ der herrschenden gesellschaftlichen Zustände und der durch sie in ihrem psychologischen Charakter und ihrem Handeln bestimmten Menschen sein. Das Telos des Erzählens liegt in dieser Romantheorie nicht mehr in ihm selbst, sondern das Erzählen wird

[1] R. Koskimies. Theorie des Romans. a. a. O. S. 170.
[2] Ebd. S. 160/161.

vielmehr einer recht eigentlich erzählfremden Intention unterworfen, die sich seiner nur noch als eines Mittels zur Erreichung außerdichterischer Zwecke bedient. Der moderne Roman des 20. Jahrhunderts, der sich von der naturalistischen Romanpraxis weit entfernt hat, bleibt jedoch in wesentlichen Grundzügen der im Naturalismus entwickelten Romantheorie verpflichtet. Wichtig sind hier vor allem die Briefe Flauberts, in denen in geradezu erstaunlicher Weise Entwicklungstendenzen vorausgeahnt sind, die erst im 20. Jahrhundert zum Austrag kommen sollten.

War es im Naturalismus die Konzentration des erzählerischen Interesses auf die Mileustudie, die genaue, durch den Eingriff des Autors nicht beeinträchtigte Reproduktion der äußeren materiellen und der inneren psychologischen Wirklichkeit, die infolge des detaillierten Auffächerns aller kausalen und motivischen Beziehungen und Abhängigkeiten die Entfaltung der Erzählhandlung zurückdrängte, so begegnen wir in der Epik der letzten Jahrzehnte einer Reihe weiterer Ursachen für diesen entscheidenden Strukturwandel des Romans. Der Verlust des eigentlich „Romanhaften“ im Roman resultiert zum Teil aus einem Gefühl für die Verbrauchtheit der Stoffe, ist Ausdruck einer allgemeinen Müdigkeit, einer Schwäche, die sich darin kundgibt, daß man glaubt, auf dem Gebiet der „Erfindung“ kein wesentliches Neuland mehr erobern zu können. So schreibt Ortega y Gasset 1928 in seinen „Gedanken über den Roman“:

> Es ist praktisch unmöglich, neue Motive zu finden. Das ist der erste Faktor der objektiven und nicht persönlichen Schwierigkeit, auf der gegenwärtigen Höhe der Zeiten einen annehmbaren Roman zu komponieren[3].

Zu diesem Bewußtsein der Epigonalität tritt als gewichtigere Ursache eine grundsätzliche Neubesinnung auf das Wesen des Romans unter dem Aspekt einer verwandelten, verwissenschaftlichten und in die Pluralität disparater Dimensionen zersplitterten, „unerzählerisch“ gewordenen Welt und Wirklichkeit hinzu. Angesichts dieser veränderten Wirklichkeit, mit der der Romancier im 20. Jahrhundert sich auseinanderzusetzen hat, erwächst die Forderung nach Integration und Totalität, nach umfassender, alle Aspekte des Lebens umgreifender Weltdarstellung und Welterkenntnis, die an der einlinig-eindimensionalen Handlungsführung kein Genüge mehr findet. Sie wird zum beständig wiederholten Losungswort eines neuen Formwillens. So notiert sich Edouard, der Romanschriftsteller in André Gides „Les Faux-Monnayeurs“, in sein Tagebuch:

> Dépouiller le roman de tous les éléments qui n'appartiennent pas spécifiquement au roman. De même que la photographie, naguère, débarrassa la peinture du souci de certaines exactitudes, le phonographe nettoiera sans doute demain le roman de ses dialogues rapportés, dont le réaliste souvent se fait gloire. Les événements extérieurs, les accidents, les traumatismes, appartiennent au cinéma; il sied que le roman les lui laisse. Même la description des personnages ne me paraît point appartenir proprement au genre. Oui vraiment, il ne me paraît pas que le roman *pur* (et en art, comme partout, la pureté seule m'importe) ait à s'en occuper[4].

[3] Ortega y Gasset. Gedanken über den Roman. In: Ortega y Gasset. Die Aufgabe unserer Zeit. Zürich 1928. S. 167.
[4] André Gide. Les Faux-Monnayeurs. (1926) 61e édition Paris 1929. S. 97.

Die Handlung, „les événements extérieurs, les accidents, les traumatismes", wird dem Bereich des „cinéma" überantwortet. Der Handlungsroman soll durch den „roman pur" ersetzt werden, der an einer anderen Stelle von Gides Roman eine nähere Umschreibung erfährt:

> „Une tranche de vie", disait l'école naturaliste. Le grand défaut de cette école, c'est de couper sa tranche toujours dans le même sens; dans le sens du temps, en longueur. Pourquoi pas en largeur? ou en profondeur? Pour moi, je voudrais ne pas couper du tout. Comprenez-moi: je voudrais tout y faire entrer, dans ce roman. Pas de coup de ciseaux pour arrêter, ici plutôt que là, sa substance[5].

An die Stelle des Längsschnittes, der einlinigen Handlungsführung, tritt der Querschnitt, die kunstvoll konstruierte Verflechtung und Ineinanderschachtelung simultaner Handlungsabläufe, die Überlagerung verschiedener Erzählperspektiven, mit dem anspruchsvollen Ziel, die Pluralität der Weltaspekte in ein Abbild der Welttotalität zu verwandeln. So formuliert es auch der – gleichfalls Tagebuch schreibende – Romanschriftsteller Philip Quarles in Aldous Huxleys 1928 erschienenen Roman: „Point Counter Point":

> Because the essence of the new way of looking is multiplicity. Multiplicity of eyes and multiplicity of aspects seen. For instance, one person interprets events in terms of bishops; another in terms of the price of flannel camisoles; another, like that young lady, ... thinks of it in terms of good times. And then there's the biologist, the chemist, the physicist, the historian. Each sees, professionally, a different aspect of the event, a different layer of reality. What I want to do is to look with all those eyes at once. With religious eyes, scientific eyes, economic eyes, *homme moyen sensuel* eyes ...[6].

Die Leitbegriffe Totalität, Reinheit, Pluralität sind Ausdruck eines Kunstwollens, das den Roman seinem eigentlichen und ursprünglichen Anliegen, eine Geschichte zu erzählen[7], immer mehr entfremdet und ihn zum Vehikel der Welt-„erkenntnis" machen möchte. Das hier von Gide und Huxley entworfene Programm einer neuen Romankunst hat in Broch seinen eifrigsten und konsequentesten Verfechter gefunden[8]. Sein gesamtes Romanwerk ist geboren aus dem

[5] Ebd. S. 238.

[6] Aldous Huxley. Point Counter Point. (Fourth Impression) London 1930. S. 266.

[7] Eine klassische Definition des sog. „traditionellen" Romans gibt Theodor Fontane in seiner Besprechung von Gustav Freytags Roman „Die Ahnen": „Was soll ein Roman? Er soll uns, unter Vermeidung alles Übertriebenen und Häßlichen, eine Geschichte erzählen, an die wir glauben. Er soll zu unserer Phantasie und unserem Herzen sprechen, Anregung geben, ohne aufzuregen; er soll uns eine Welt der Fiktion auf Augenblicke als eine Welt der Wirklichkeit erscheinen, soll uns weinen und lachen, hoffen und fürchten, am Schluß aber empfinden lassen, teils unter Lieben und angenehmen, teils unter charaktervollen und interessanten Menschen gelebt zu haben, deren Umgang uns schöne Stunden bereitete, uns förderte, klärte und belehrte". (Theodor Fontane. Schriften zur Literatur. Hg. von Hans-Heinrich Reuter. Berlin 1960. S. 80).

[8] Neben Joyce, Musil, Kafka und Th. Mann hat sich Broch in seinen Essays und Briefen vornehmlich auf Gide und Huxley als die Vertreter einer seinen eigenen Intentionen verwandten Kunstauffassung berufen. „Eine wirkliche Verwandtschaft fühle ich ja bloß zu Joyce und Gide", heißt es in einem Brief von 1930. (S. 35) Vgl. Briefe. S. 60; Essays. S. 237. Zu Huxley vgl. Briefe. S. 60. Huxley wiederum hat dem Werk Brochs

Kampf um die Überwindung des Romans als einer Erzählung von „Geschichten“. Doch auch Broch hat dieses Ziel, trotz aller tiefgreifenden theoretischen Fundierung, – man möchte sagen, glücklicherweise – nicht erreicht, denn die folgerichtige Durchführung dieses Axioms würde die Selbstaufhebung des Romans überhaupt bedeuten. So bleibt das Bestreben, die „Handlung“ aus dem Roman zu eliminieren, mehr theoretisches Programm, als daß es in der Praxis hätte voll verwirklicht werden können. Das zeigen sowohl die Romane von Gide und Huxley als auch diejenigen Brochs. Der Roman kann nicht über seinen eigenen Schatten springen, er bleibt an sein ursprüngliches, und wenn man will, primitives Urgesetz gebunden: der erzählerischen Aufreihung von Geschehnissen in einer – wie auch immer gearteten – zeitlichen Ordnung. Der Widerspruch zwischen dieser elementaren Grundgegebenheit und der Sehnsucht des modernen Dichters, sich von diesem „primitiven“ Gesetz aller Epik zu befreien, dieser Widerspruch, der sich in der Struktur eines überwiegenden Teils der „modernen“ Romane widerspiegelt, ist von E. M. Forster in seinem Buch „Aspect of the Novel“ klar erkannt und zum Ausdruck gebracht worden:

> Yes ... the novel tells a story. That is the fundamental aspect without which it could not exist. That is the highest factor common to all novels, and I wish that it was not so, that it could be something different – melody, or perception of the truth, not this low atavistic form[9].

2. Der Verlust des „Helden“

Wesensmäßig verbunden mit dieser Absage an ein festes Handlungsschema zugunsten einer kontrapunktisch konstruierten Synthese von Handlungsfragmenten ist der Verlust des „Helden“[10], ein weiteres konstituierendes Merkmal der von uns zu betrachtenden Entwicklung. So trägt das 1956 erschienene Buch von Sean O'Faolain über den englisch-amerikanischen Roman der zwanziger Jahre den kennzeichnenden Titel: „The Vanishing Hero“. O'Faolain geht aus von der ihm die Situation des Romans im 20. Jahrhundert am treffendsten markierenden Tatsache,

> that the central assumption of the contemporary novel, the one constant in all the writers before me, is the virtual disappearance from fiction of that focal character of the classic novel, the conceptual Hero[11].

Die Frage, auf die es in unserem Zusammenhang ankommt, der „Verlust des Helden“ im modernen Roman, ist nur ein – wenn auch entscheidender – Teil-

große Beachtung geschenkt; vgl. Die Fähre. Jg. 1. Heft 2. S. 122; und den Briefwechsel zwischen Broch und Huxley in: Briefe. S. 211–218; 218–220.

[9] E. M. Forster. Aspects of the Novel. a. a. O. S. 41.

[10] Vgl. Karl Reinhardt. Die Krise des Helden (zuerst 1953 als Vortrag gehalten). In: Reinhardt. Tradition und Geist. Gesammelte Essays zur Dichtung. Hg. von Carl Becker. Göttingen (1960). S. 420–427. Vgl. auch Wladimir Weidlé. Die Sterblichkeit der Musen. Betrachtungen über Dichtung und Kunst in unserer Zeit. Ins Deutsche übertragen von Karl August Horst. Stuttgart (1958). S. 47–84 („Der Verfall der Romanfiguren“).

[11] Sean O'Faolain. The Vanishing Hero. Studies in Novelists of the Twenties. London 1956. S. 14.

aspekt innerhalb eines größeren Zusammenhangs, der den grundlegenden Wandel des traditionellen Menschenbildes und der traditionellen Menschenauffassung in unserem Jahrhundert zum Inhalt hat. Ein konstitutives Element dieses traditionellen Menschenbildes, wie es sich seit der Renaissance entwickelt hat und bis zum Ende des 19. Jahrhunderts vorherrschend geblieben ist, war die Idee der individuellen Persönlichkeit. Nur auf dem Hintergrund dieser Menschenauffassung, für die Mensch-sein und Individualität-sein zusammenfällt, gewann die Darstellung eines Einzelschicksals repräsentative Bedeutung, enthielt doch das Individuelle immer zugleich auch ein Allgemeines, das in der Besonderung des einzelnen Falles seine symbolische Vertretung fand. Im Goethischen Symbolbegriff hat diese Verhältnisbestimmung des Allgemeinen und des Individuellen, die letzteres zum eigentlichen Ort der Weltbegegnung und der Weltaufschließung macht, ihren gültigsten Ausdruck gefunden. Aus ihr lebt auch der deutsche Bildungsroman des 19. Jahrhunderts. Hier steht das irrende und suchende Individuum im Mittelpunkt des erzählerischen Interesses, scharf in allen Einzelzügen profiliert und gegen die kontrastierende Folie der ihm begegnenden Umwelt und Gesellschaft abgehoben. Doch hinter der Darstellung der Werdegesetzlichkeit einer einzelnen Seele wird im Bildungsroman immer auch ein allgemeines Gesetz sichtbar, und die Irrfahrt eines Einzelnen vermag gleichnishaftes Abbild der Suche des irrenden Menschen überhaupt nach Sinn und Erfüllung des Lebens zu werden.

Seit dem Beginn des 20. Jahrhunderts nun gerät diese Auffassung, die im Spiegel des Individuellen glaubte das Allgemeine erblicken zu können, ins Wanken. Die zunehmende Technisierung und Kollektivierung des öffentlichen und des privaten Lebens, das drohende Heraufkommen der großen Massenbewegungen, ließen die Bedeutung, die der Individualität und der Persönlichkeit an einem Geschehen zukommt, dessen bewegende Ursachen sich immer mehr in die Anonymität unsichtbarer, dem Einzelnen nicht mehr zugänglicher Zusammenhänge verbergen, zurücktreten. An die Stelle des individuellen trat in steigendem Maße das kollektive Schicksal, an die Stelle der Entfaltung einer persönlichen Entelechie der überpersönliche, geschichtliche Prozeß. Die geistesgeschichtliche Entsprechung zu dieser auf der Ebene der geschichtlich-politischen und soziologischen Entwicklung sichtbar werdenden Umschichtung finden wir in einer in der Wissenschaft, in der Philosophie und Theologie fast gleichzeitig einsetzenden Krise des Persönlichkeits- und Individualitätsbegriffs, die ihren augenfälligsten und am stärksten ins allgemeine Bewußtsein übergegangenen Ausdruck in den revolutionären Entdeckungen der Psychoanalyse gefunden hat. Die Psychoanalyse erweiterte das Sein des Menschen nach „unten" hin, in die Schichten des Unbewußten und des transpersonalen, kollektiven „Es", und eroberte damit Bereiche, die dem 19. Jahrhundert noch weitgehend unbekannt geblieben waren. Das vorwiegende Interesse wandte sich von der individuellen Psychologie zur Erforschung der transsubjektiven Grundlagen des Seelenlebens. Der Weg, der von S. Freud zu C. G. Jung führt, darf in vielem als symptomatisch bezeichnet werden für eine Entwicklung, die in ihrer Tendenz einer Rückbindung der menschlichen Existenz an kollektive und archaische Urformen des Erlebens und Denkens auf eine fortschreitende Einengung des bewußten Ich-Bezirks, auf einen fortschreitenden Abbau der Individualzone hinzielt. So ist es kein Zufall, daß die Entdeckung der sogenannten „Archetypen“ durch C. G. Jung zu einer neuen Besinnung auf den Mythos, der adäquaten Denk- und Erlebnisform vorindividuellen Menschseins, geführt hat. Die psychoanalytisch orientierte Mythenforschung wiederum, wie sie vor allem von Karl Kerényi vertreten wird, wirkte zurück auf die gleichzeitigen Bestrebungen des modernen Romans, im Rückgriff auf die mythischen Ursprünge zu den durch individuelle Besonderung noch nicht berührten Grundformen menschlichen Seins vorzustoßen. Als Beispiel sei hier nur die geistige Begegnung zwischen Thomas Mann und Karl Kerényi genannt[12].

Der Psychoanalyse, die in der gesamten Romanliteratur des 20. Jahrhunderts eine kaum zu überschätzende Wirkung ausgeübt hat, ließen sich noch eine Reihe weiterer geistiger Erscheinungen zur Seite stellen, die alle auf die Überwindung eines an der Idee der Individualität orientierten Menschenbildes hinarbeiten. Im Lichte dieser Entwicklung, die sowohl als Flucht aus der unerträglich gewordenen Isolation des einsamen und bindungslosen Einzel-Ich in den Schoß kollektiver Sicherungen wie auch als schöpferische Erneuerung aus den Ursprüngen überpersönlicher Lebenssubstanzen verstanden werden muß, wurde im Bereich der modernen Epik der Begriff und die Idee des „Helden“, und mit ihm diejenigen Romanformen, für die er strukturbildender Mittelpunkt gewesen ist, der Bildungsroman und der psychologische Roman, fragwürdig. Gottfried Benn hat in seinem 1944 geschriebenen „Roman des Phänotyp“ das abschließende Fazit dieses Vorgangs gezogen:

> *Existentiell* – das neue Wort, das seit einigen Jahren da ist und entschieden der bemerkenswerteste Ausdruck einer inneren Verwandlung ist. Er zieht das Schwergewicht des Ichs vom Psychologisch-Kasuistischen ins Arthafte, Dunkle Geschlossene, in den Stamm. Er verringert das Individuum um seine Peripheres, und gewinnt ihm Gewicht, Schwere, Eindringlichkeit hinzu. Existentiell – das ist der Todesstoß für den Roman. Warum Gedanken in jemanden hineinkneten, in eine Figur, in Gestalten, wenn es Gestalten nicht mehr gibt? Personen, Namen, Beziehungen erfinden, wenn sie gerade unerheblich werden?[13]

[12] Vgl. Karl Kerényi. Romandichtung und Mythologie. Ein Briefwechsel mit Thomas Mann. Herausg. zum 70. Geburtstag des Dichters, 6. Juni 1945. Zürich 1945. Albae Vigiliae, Neue Folge, Heft II. – Dazu: Robert Mühlher. Thomas Mann und die mythische Realität. In: R. Mühlher. Dichtung der Krise. Mythos und Psychologie in der Dichtung des 19. und 20. Jahrhunderts. Wien 1951. S. 231–255.

[13] Gottfried Benn. Gesammelte Werke in vier Bänden. Hg. von Dieter Wellershoff. Bd. 2. Prosa und Szenen. Wiesbaden 1958. S. 154. Vgl. auch: „Schon liegt – existentiell – der psychologische Roman außerhalb des ... Umkreises, der das heutige Phänomen bestimmt. Wenn jemand im Badischen Schwarzwald stirbt, während er in Königsberg geboren ward und nachdem ihm in mehreren Lebensstellungen Ereignisse begegneten und ihm zwei Enkel gestorben waren, so mag das den einen oder den anderen, namtlich Angehörige, nachdenklich machen, aber es enthält noch nicht die Elemente jenes Traumes ... Wenn jemand von Ruth über Nigge zu Gisela gelangt, so mag er mit jeder eine gewisse Zeit verbracht haben, aber die Zerlösung der Dinge ist nicht betrieben.“ (a. a. O. S. 162) Ähnlich in „Der Ptolemäer. Berliner Novelle, 1947“: „Lesen Sie in einem modernen Roman Vatersnamen, Burckhardt oder Hallström, so wird jedem übel, es sind ja doch alles nur Müllers und Schulzes, und was ihnen passiert, ist allgemein. Der in-

Aufschlußreich für die Entwicklung einer Abkehr vom Individuellen zugunsten einer ins Archetypisch-Modellhafte ausgreifenden Abstraktion ist das Werk von James Joyce. Im Rahmen unserer Untersuchung erhält der Hinweis auf Joyce, der für Broch die Situation der modernen Dichtung beispielhaft verkörpert hat, ein besonderes Gewicht, zumal wir hier in der geradezu einzigartigen Lage sind, unser Problem an einer bestimmten Gestalt, der des Stephen Dedalus, verfolgen und exemplifizieren zu können. In dem autobiographisch gefärbten Roman „A Portrait of the Artist as a young man“ (1916) erscheint Stephen Dedalus durchaus noch in dem Sinne als „Held“, unterliegt seine Entfaltung durchaus noch jenem Gestaltungsgesetz, wie es uns vom traditionellen Künstler- und Entwicklungsroman des 19. Jahrhunderts her bekannt ist. In dem sechs Jahre später (1922) erschienenen „Ulysses“ begegnet uns wiederum jener Stephen Dedalus aus dem „Portrait“ und der Faden seiner Entwicklung wird scheinbar an genau dem Punkte wieder aufgenommen, wo ihn der Autor sechs Jahre zuvor hatte enden lassen. Dennoch haben wir es nicht mit derselben Person zu tun, es hat sich vielmehr ein entscheidender Umwandlungsprozeß vollzogen, ein Prozeß, der über die interne Problematik des Werkes von Joyce hinaus von paradigmatischer Wichtigkeit für uns ist. An die Stelle einer mit großer Einfühlungskraft geschilderten und individuell profilierten „Gestalt“ ist die in ein subtil ausgeklügeltes Netz mythischer Anspielungen und psychoanalytisch beeinflußter Symbolik hineinkonstruierte „Figur“ geworden, ein Stein nur im Schachbrett eines das bloß Individuelle transzendierenden, eine grundsätzliche Verschiebung des erzählerischen Schwerpunktes verratenden Interesses. Dieser entscheidende Wandel der erzählerischen Intention ist – soweit wir sehen – von der Joyce-Forschung nicht immer mit genügender Schärfe ins Auge gefaßt worden, und die wiederholten Versuche, die „Persönlichkeit“ des Stephen Dedalus – oft verbunden mit dem Verlangen, autobiographische Züge zu entdecken – durch eine Zusammenschau der beiden strukturell so unterschiedlichen Werke herauszuarbeiten, dürfen als verfehlt betrachtet werden. Sie klammern sich an traditionelle Begriffe wie Persönlichkeit, Individuum, Entwicklung, Psychologie usw. und sehen in dem von uns beschriebenen Vorgang nur eine – wenn auch umwälzende – raffinierte Verfeinerung der Stilmittel, ohne die fundamentale Umschichtung der darstellerischen Intention in ihrem vollen Umfang zu würdigen[14]. Dennoch dürfen jene

terindividuelle Konflikt ist ausgestorben, ebenso der zentrifugale Ausdruck.“ (a. a. O. S. 233).

[14] Der hier skizzierten Wandlung der darstellerischen Intention widerspricht es nicht, daß die Tendenz zur abstrakten „Figur“ keineswegs die Kunst individueller Charakterisierung ausschließt. Joyces Figuren werden nicht zu blutlosen Schemen, das ursprüngliche Gestaltungsvermögen des Dichters revoltiert – gleichsam hinter seinem Rücken – gegen das auf Konstruktion drängende Experiment. So ist denn auch die Sprache des inneren Monologs von Stephen Dedalus deutlich unterschieden von der Leopold Blooms. Diese Individualisierung des Sprachtons bildet u. a. ein Hauptunterscheidungsmerkmal zu Virginia Woolf.

Zu James Joyce vgl.: Ernst Robert Curtius. James Joyce und sein Ulysses. In: Kritische Essays zur europäischen Literatur. 2. Aufl. Bern 1954. S. 290–314. – Stuart Gilbert. Das Rätsel Ulysses. Zürich 1932. – Seon Givens. (editor) James Joyce. Two Decades of

Betrachter des „Ulysses", die das Werk mit personalen, individuellen und psychologischen Kategorien zu fassen suchen, ein gewisses Recht für sich in Anspruch nehmen, wenn wir Joyce mit jenem Dichter vergleichen, der wie kein zweiter das hier in Frage stehende Problem des Verlusts des individuell gestalteten „Helden" im modernen Roman mit seinem Gesamtwerk beurkundet hat und den bei Joyce bereits weit vorangetriebenen Prozeß bis zur Radikalität nur noch formelhafter Namengebung – die mehr als nur eine Äußerlichkeit bedeutet – gleichsam an sein Ende geführt hat: mit Franz Kafka. Broch hat in einem englisch verfaßten Aufsatz diesen Unterschied in folgender Weise umschrieben:

> In Joyce one may still detect neo-romantic trends, a concern with the complications of the human soul, which derives directly from nineteenth century literature, from Stendhal, and even from Ibsen. Nothing of this kind can be said about Kafka. Here the personal problem no longer exists, and what seems still personal is, in the very moment it is uttered, dissolved in a super-personal atmosphere[15].

Das, was Broch hier mit „super-personal atmosphere" bezeichnet, ist der Raum, in dem auch sein eigenes Werk lokalisiert werden kann. In vollem Umfang gilt dies zwar erst für den „Tod des Vergil", doch sind bereits die „Schlafwandler" vollgültiger Beleg für dieses Transzendieren eines an personale Probleme und Konflikte gebundenen Erzählrahmens. Daß Broch dabei einen durchaus eigenen Weg – gleichsam jenseits von Joyce und Kafka – geht, wird die Einzeluntersuchung zeigen müssen. Die grundsätzliche Verwandtschaft jedoch mit beiden, auf die der Dichter selbst immer wieder hingewiesen hat, findet in seinem gesamten Werk ihre Bestätigung. Joyce, Kafka und Broch, diese trotz aller Unterschiedlichkeit der dichterischen Aussageform atmosphärisch miteinander zur Einheit eines gemeinsamen Anliegens verbundene Trias innerhalb der Geschichte des modernen Romans: sie sind die vielleicht markantesten Vertreter einer Entwicklung, die von Broch in dem schon zitierten Aufsatz auf ihre letzte Ursache hin zurückgeführt wird, indem er schreibt:

> Man as such is our time's problem; the problems of men are fading away and are even forbidden, morally forbidden. The personal problem of the individual has become a subject of laughter for the gods, and they are right in their lack of pity. The individual is reduced to nothing, but humanity can stand against the gods and even against Fate[16].

3. Die Aufhebung der Zeit

Immer wieder ist in den Erörterungen über die Struktur des modernen Romans auf die zentrale Stellung des Zeitproblems hingewiesen worden, ja, einige Betrachter sind geneigt, in der Frage der Zeitbehandlung das eigentliche Kriterium zu sehen, auf Grund dessen sich traditionelle und moderne epische Be-

Criticism. New York, Vanguard, 1948. – Harry Levin. James Joyce. A Critical Introduction. New Directions, Norfolk, Conn. 1941.

[15] Essays. Bd. 1. S. 262.

[16] Ebd. S. 263.

strebungen am auffälligsten unterscheiden lassen[17]. So schreibt Walter Jens in seinem schon durch den Titel „Uhren ohne Zeiger" auf das Zeitphänomen verweisenden Aufsatz über „Die Struktur des modernen Romans":

> Zeigermaß und Uhr sind die Fixpunkte des klassischen Romans: im gleichen Augenblick, da der Erzähler Marcel Proust, wie Qentin in Faulkners „The Sound and the Fury" seine Uhr zertrümmert, um sich auf die Suche nach einer neuen, mit Chronometern nicht mehr meßbaren Zeit zu begeben, beginnt die moderne Prosa[18].

Das Zertrümmern der Uhr, die Außerkraftsetzung der mathematischen Zeit zugunsten einer inneren, chronologisch nicht meßbaren „erlebten" Zeit, wurde von Marcel Proust in seinem monumentalen Romanwerk „A la recherche du temps perdu" (1913–1927) zum erstenmal in der Geschichte des modernen Romans zum Angelpunkt einer neuen Erzählweise gemacht, in deren Wirkungsbereich nicht nur ein großer Teil der Romanliteratur der zwanziger Jahre, sondern noch eine so junge, bereits einem wesentlich anderen Kunstwollen verpflichtete Erscheinung wie Heimito von Doderer steht. Das Zeitproblem, das mit und seit dem Werk Marcel Prousts so beherrschend in den Mittelpunkt der Untersuchungen über die moderne Epik getreten ist, darf als ein Kernproblem unseres Jahrhunderts überhaupt angesprochen werden, bemühen sich doch in auffälliger Gemeinsamkeit sowohl die Wissenschaft als auch die Philosophie seit geraumer Zeit um die Lösung seines Geheimnisses.

„Die Zeit, die ist ein sonderbares Ding": dieser Satz aus Hofmannsthals „Rosenkavalier"[18a] spiegelt eine Bewußtseinslage wieder, die in dem so selbstverständlich scheinenden Phänomen der Zeit plötzlich etwas Abgründiges, Fremdartiges und der zergliedernden Beobachtung dringend Bedürftiges erblickt. So stellte in der Philosophie Bergson neben den seit Kant allein maßgeblichen und im Blickfeld der wissenschaftlichen Überlegungen stehenden mathematischen einen neuen, der gelebten Zeit„erfahrung" adäquaten Zeitbegriff, die „durée réelle", und erweiterte damit die Dimension des menschlichen Erlebnis- und Erfahrungsbereichs in ähnlicher Weise, wie die gleichzeitige Psychoanalyse mit ihrer Vertiefung des menschlichen Seins nach „unten" hin. Von naturwissenschaftlicher Seite wurde der „absolute", mathematische Begriff der Zeit durch Einsteins Relativitätstheorie in Frage gestellt. Wie Bergson die „durée réelle" in Relation setzte zum intuitiv erfahrenen Lebensvollzug, so Einstein die meßbare, chronologische Zeit zu einem jeweiligen Bezugssystem, außerhalb dessen es keine vergleichbaren absoluten Zeitmessungen geben kann. Die Zeit wird zur „vierten" Dimension in einem raumzeitlichen Kontinuum und verliert damit, ebenso wie

[17] „Gerade am Verhalten zur Zeit", schreibt Hans Schwerte, „entscheidet sich ausdrücklich der neue Roman". In: Hofmannsthal und der deutsche Roman der Gegenwart. Wirkendes Wort 3 (1952/53), S. 145.

[18] Walter Jens. Statt einer Literaturgeschichte. a. a. O. S. 27. In einer Anmerkung zum obigen Zitat heißt es: „Das Zeitproblem ist d a s Problem des modernen Romans, und es dürfte kaum einen Romancier von Rang geben, der sich nicht mit ihm auseinandergesetzt hätte". (S. 200).

[18a] H. v. Hofmannsthal. Lustspiele I. Stockholm 1947. S. 335. Gesammelte Werke in Einzelausgaben.

der Raum, den Charakter einer selbständigen, abtrennbaren, absoluten Größe. In beiden Fällen also wird die Zeit relativiert in Hinblick auf einen Maßstab, der ihre Erscheinungsweise allererst bedingt und sie des starren Schematismus einer beziehungslosen und abstrakten Ordnung entkleidet. In der Existenzphilosophie Martin Heideggers endlich rückt die Zeit in den Mittelpunkt philosophischer Spekulationen. Zeit ist auch für Heidegger „erlebte" Zeit im Sinne Bergsons, sie wird jedoch noch enger als bei Bergson mit der innersten Wesensverfassung des Menschen und in letzter Instanz mit dem Sein selbst in Zusammenhang gebracht. Die Frage nach dem menschlichen Dasein, der fundamentalontologische Ausgangspunkt Heideggers, erschließt sich nur auf dem Horizont seiner „Zeitlichkeit", das heißt, das Problem der menschlichen Existenz ist unlösbar gebunden an das Problem der Zeit, das wiederum, gemäß der anthropologischen Orientierung dieses Denkens, in die Mitte der Seinsfrage selbst führt. Diese an drei Beispielen nur skizzierte auffallende Konzentration modernen Denkens auf das Zeitproblem hat auch in der Literaturwissenschaft der letzten Jahre ihre Entsprechung gefunden, indem hier der Versuch unternommen wurde, die Zeitfrage methodologisch fruchtbar zu machen für die Erkenntnis des dichterischen Kunstwerks. So untersucht Günther Müller das „Zeitgerüst des Erzählens", dem er durch die Unterscheidung von Erzählzeit und erzählter Zeit näher zu kommen sucht, während Emil Staiger durch „temporale" Interpretation die zeitliche Gestimmtheit eines Werkes oder Dichters aufweisen will. Staiger geht sogar so weit, daß er glaubt, mit Hilfe dieser Interpretationsmethode, die er gedanklich in bewußtem Anschluß an Heideggers Zeitmetaphysik entwickelt hat, eine neue wissenschaftstheoretische Begründung der Literaturwissenschaft geben zu können[19].

Dies alles muß man im Auge zu behalten suchen, um die wichtige Stellung des Zeitproblems innerhalb der modernen Epik in ihrer vollen Bedeutung zu würdigen. Während im Werk Marcel Prousts die Zeit kraft der souverän über eine als unwirklich erfahrene Gegenwart sich hinausschwingenden und in die Tiefen des „temps perdu" sich verlierenden „Erinnerung" gleichsam aufgehoben wird[20], ist es im Werk von Joyce die minutiöse Auslotung der einzelnen Lebenssekunde, die an die Stelle des extensiven Zeitbegriffs des traditionellen Romans, der ständig mit perspektivischen Zeitverkürzungen arbeiten muß, einen intensiven Zeitbegriff setzt. Ansätze zu einer dieser Zeiterfahrung gemäßen Darstellungstechnik finden wir bereits im deutschen Naturalismus, etwa in dem von Arno Holz propagierten „Sekundenstil" oder in der Anwendung des „inneren Monologs" bei Arthur Schnitzler (Leutnant Gustl, 1901) und Richard Beer-Hofmann (Der Tod Georgs, 1900). Nicht zu Unrecht ist daher auch der innere Monolog Joyces als „ein nach innen gekehrter ‚Sekundenstil'" bezeichnet worden[21].

[19] Emil Staiger. Die Zeit als Einbildungskraft des Dichters. Untersuchungen zu Gedichten von Brentano, Goethe und Keller. 2. Aufl. Zürich 1953 (1. Aufl. 1939).

[20] Vgl. Ernst Robert Curtius. Marcel Proust. In: Französischer Geist im neuen Europa. Bln. u. Lpz. 1925. S. 9–145. – Erich Köhler. Marcel Proust. Göttingen (1958) = Kleine Vandenhoeck-Reihe 66.

[21] H. M. Waidson. Der moderne Roman in England und Deutschland. In: Wirkendes Wort 7 (1957), S. 153.

Innerhalb der deutschen Literatur war es Thomas Mann, der in seinem „Zauberberg" (1924) das Geheimnis der Zeit zum Kernthema erhob. In der hermetischen Abgeschlossenheit des Davoser Sanatoriums kommt den Menschen die Zeit abhanden, sie wird vergessen, und für Hans Castorp rücken die sieben Jahre seines dortigen Aufenthalts in einer eigentümlichen Gleichzeitigkeit zusammen. Auch bei Thomas Mann also geht es, ähnlich wie bei Marcel Proust, um die Aufhebung und Außerkraftsetzung der Zeit. In einem „Exkurs über Zeitsinn" wird ausdrücklich über dieses wie in einem Treibhaus gezüchtete Zeiterlebnis der Sanatoriumspatienten reflektiert. Das Problem der Zeit durchzieht seit dem „Zauberberg" wie ein roter Faden das weitere Werk Thomas Manns. Im Joseph-Roman gibt die Darstellung der „mythischen" Daseinsform erneut Gelegenheit, dem Zeitproblem nachzuspüren. Die Grunderfahrung des „Zauberbergs", daß „die Zeit ... ungleiches Maß"[22] hat, sie wird hier, in ironischer Brechung durch den bibelgelehrten Kommentator, auf die mythischen Rollenträger übertragen. „Die träumerische Ungenauigkeit ihres Denkens"[23] läßt in ihnen die Fesseln einer mathematischen Zeitordnung noch nicht wirksam werden, und so verschränken und verkürzen sich in ihrem Bewußtsein die Zeitläufe zu einem mythischen Kontinuum, in dem an die Stelle einer genau berechenbaren Genealogie die zeitaufhebende Imitation und Identifizierung tritt. Im „Doktor Faustus" endlich wird die Zeit zum Bestandteil der Darstellungstechnik selber. Der besondere Reiz der Montagetechnik im „Doktor Faustus", der Überblendung und Verschränkung zweier zeitlich voneinander getrennter Erzählebenen, besteht darin, daß die persönliche Zeit des Erzählens und die sachliche der Erzählung in einer geheimen prästabilierten Harmonie auf einen gemeinsamen, die Sinnmitte des Werkes markierenden Punkt zulaufen. Mit Hilfe dieser Zeitenschichtung wird die innere Einheit der Erzählung und ihrer ironischen Brechung im Erzähler hergestellt, und beide Ebenen werden so in den Modus der Gleichzeitigkeit gebracht.

Auch im Werk Hermann Brochs nimmt das Zeitproblem einen überragenden Platz ein. Während die Bedeutung der Zeitfrage für den „Tod des Vergil", der das Joycesche Experiment einer intensiven Erweiterung der Erzählzeit durch die Reduktion des Geschehens auf den Zeitraum von achtzehn Stunden wiederholt, unmittelbar einleuchtet, scheint dies für die „Schlafwandler", deren Erzählstruktur den Gesetzen einer mit perspektivischen Verkürzungen arbeitenden Reproduktion von Geschehnissen in einer intakten zeitlichen Ordnung unterworfen ist, noch nicht der Fall zu sein. Weder werden hier wie in dem kurz zuvor erschienenen Roman „The Sound and the Fury" (1929) von William Faulkner die Uhren zerschlagen und die Zeitordnung auf den Kopf gestellt, noch auch führt die Technik des inneren Monologs in diesem Roman zu einer ungewöhnlichen Aufschwellung der „inneren" Zeit der sich selbst darstellenden Romanfiguren. Innen und Außen, seelische Innenteleskopie und realistische Gegenständlichkeit halten sich durchaus die Waage und geben den „Schlafwandlern" unter dem

[22] Thomas Mann. Joseph und seine Brüder. Stockholmer Gesamtausgabe. Stockholm 1956. Bd. 1. S. 16.

[23] Ebd. S. 54.

Aspekt der Zeitbehandlung auf den ersten Blick ein scheinbar traditionelles Gepräge. Bei genauerem Zusehen jedoch wird man auch in diesem Roman schon die für das spätere Werk so wichtige Zeitproblematik entdecken können. So ist einer der Leitgedanken der „Schlafwandler" die „Aufhebung der Zeit", geboren aus der Sehnsucht nach einem zeitenthobenen „Stand der Unschuld", dem Gegenthema zur bedrängenden und bestürzenden Erfahrung des Wirklichkeitszerfalls. Doch es bleibt in den „Schlafwandlern" nicht beim gedanklichen Postulat, bei der nur gedanklichen Formulierung und Erörterung des Zeitproblems; die Reflexionsebene des Werkes geht vielmehr unmittelbar in die Darstellungsebene über, indem in der erzählerischen Technik selbst Elemente enthalten sind, die auf die Überwindung der Zeit hinzielen. Durch ein überaus kompliziertes Gewebe leitmotivischer Wiederholungen ist hier versucht worden – in Analogie zur Musik – das zeitliche Nacheinander des Geschehens in ein simultanes Nebeneinander zu verwandeln. Der Simultaneitätsbegriff, wie ihn Broch vor allem am Werk von Joyce entwickelt und im „Tod des Vergil" für die Darstellung eines Zeiten und Räume, Innen und Außen, Vergangenheit und Zukunft umgreifenden Einheitserlebnisses fruchtbar gemacht hat, er ist bereits in den „Schlafwandlern" entscheidender Bestandteil eines Kunstwollens, das die Dichtung zum fast magischen Instrument der Aufhebung der mit unerbittlicher Konsequenz auf den Tod zulaufenden Zeit machen möchte.

Elisabeth Langgässers Wunsch: „... alles g l e i c h z e i t i g auszusagen"[24], war auch der Wunsch Brochs, der zwar die Uhr nicht zerschlug, ihr jedoch ein doppelbödiges Zifferblatt gab, das abzulesen bereits einige Vertrautheit mit dem verborgen bleibenden Uhrwerk und seinen Funktionen voraussetzt.

4. Die Überfremdung des Romans durch Reflexion

> Die ganze Geschichte der modernen Poetik ist ein fortlaufender Kommentar zu dem kurzen Text der Philosophie: Alle Kunst soll Wissenschaft und alle Wissenschaft soll Kunst werden; Poesie und Philosophie sollen vereinigt seyn[25].

Dieses Axiom romantischer Dichtungstheorie liegt aller modernen Kunst in unserem Jahrhundert zugrunde. Vor allem jedoch für den modernen Roman gilt, was Walter Jens treffend formuliert hat:

> Die moderne Dichtung ist niemals nur Poesie, sondern immer zugleich Wissenschaft und Philosophie[26].

Das Lyceumsfragment Friedrich Schlegels von 1797:

> Die Romane sind die sokratischen Dialoge unserer Zeit. In diese liberale Form hat sich die Lebensweisheit vor der Schulweisheit geflüchtet[27].

[24] Brief an Hermann Broch vom 21. 11. 1948. In: Hermann Broch. Briefe. S. 314.
[25] Friedrich Schlegel. 1794–1802. Seine prosaischen Jugendschriften. Hg. v. J. Minor. Zweite (Titel-)Auflage. Wien 1906. Zweiter Band. S. 200.
[26] Walter Jens. Statt einer Literaturgeschichte. a. a. O. S. 14.
[27] A. a. O. S. 186.

erscheint im Hinblick auf die modernen epischen Bestrebungen, den Roman zum „totalen“ Abbild, zur Enzyklopädie und Summe der gegenwärtigen Welt zu machen, als eine geniale, prophetisch in die Zukunft weisende Antizipation der beherrschenden Stellung, die dem Roman als einem Instrument der Lebensdeutung in einer säkularisierten Welt zukommt. Mit dieser Aufgabe aber erhält zugleich das Element der Reflexion, die theoretisch-gedankliche Fundierung des Erzählens[28] wie auch des Erzählten, ein besonderes Gewicht. Die in der romantischen Theorie intendierte Verbindung von dichterischer Gestaltung und philosophischer Reflexion – urbildhaft vorgezeichnet im Werk Platons – hat in charakteristischer Weise die Physiognomie des Romans im 20. Jahrhundert mitgeprägt. Ein bestimmendes Merkmal seines Gestaltwandels in der Moderne ist die Tendenz zur Reflexion, sei es in der Form weitausgreifender problembeladener Dialoge, der monologischen Selbstbetrachtung, des Tagebucheintrags oder des Einschubs wissenschaftlicher Abhandlungen. Eine derartige Befrachtung des Romans mit Elementen, die dem eigentlich Erzählerischen, dem „Romanhaften“, entgegenstehen und im Fluß des Handlungsablaufs zumindest als retardierende Momente wirksam werden, ist dem Roman an sich nicht fremd. Ja, der Roman ist geradezu von jeher das Sammelbecken philosophischer, politischer, soziologischer oder anderer theoretischer Diskussionen und Erörterungen gewesen. Zeit-

[28] Auch die Forderung nach der „Verwissenschaftlichung“ des künstlerischen Prozesses finden wir bereits in der romantischen Dichtungstheorie ausgesprochen: „Je mehr die Poesie Wissenschaft wird, je mehr wird sie auch Kunst. Soll die Poesie Kunst werden, soll der Künstler von seinen Mitteln und seinen Zwecken, ihren Hindernissen und ihren Gegenständen gründliche Einsicht und Wissenschaft haben, so muss der Dichter über seine Kunst philosophiren. Soll er nicht bloss Erfinder und Arbeiter sondern auch Kenner in seinem Fache seyn, und seine Mitbürger im Reiche der Kunst verstehen können, so muss er auch Philolog werden“. (Friedrich Schlegel. a. a. O. S. 246). Der hier vorgezeichnete Weg führt über Gustave Flaubert („Le temps est passé du Beau. L'humanité, quitte à y revenir, n'en a que faire pour le quart d'heure. Plus il ira, plus l'Art sera scientifique, de même que la science deviendra artistique. Tous deux se rejoindront au sommet après s'être séparés à la base. Aucune pensée humaine ne peut prévoir maintenant à quels éblouissants soleils psychiques écloreront les oeuvres de l'avenir“. Brief an Louise Colet, 24. 4. 1852. Correspondance. Bd. 2. Paris 1926. S. 395/396), die Naturalisten, Edgar Allan Poe (Philosophy of Composition, 1846) und die Symbolisten (vgl. vor allem: Paul Valéry: „La soirée avec Monsieur Teste“, zuerst 1896 in der Zeitschrift „Le Centaure“) ins 20. Jahrhundert, wo der Typus des „poeta doctus“ zum vorherrschenden Dichtertyp wird. Nur ein besonders aufschlußreiches Zitat stehe hier stellvertretend für die Reihe der beliebig zu vermehrenden Belege für die wissenschaftsgebundene Haltung des Dichters im 20. Jahrhundert. Über den „denkenden Lyriker“ schreibt Elisabeth Langgässer: „Nicht ‚Gedankenlyrik‘, da sei Gott ferne!, doch denkender Lyriker samt sämtlichen Prämissen: samt dem Unsicherheitskoeffizienten von Heisenberg, dem Umriß der Atomlehre, der Leibnizschen Mathesis universalis und der Philosophie von ‚Sein und Zeit‘, der dialektischen Denkübung und der Umwelttheorie von Üxkuell, der Sakramentenlehre moderner Pastoraltheologie und der Soziologie von Max Scheler – er ist es, den wir fordern müssen, soll sich nicht der kosmologische Umkreis der Lyrik zu einem Weideplatz frommer Schäfer verengen, zu einer sanften Insel in ultrablauen Meeren und einer Weltraumrakete, die nach dem Leeren zielt.“ (Lyrik in der Krise. In: Berliner Hefte für geistiges Leben. 1947. Heft 7. S. 503).

kritik und Zeitsatire haben ebenso ihren Platz in ihm gefunden wie kunsttheoretische und kunstkritische Überlegungen. In besonderem Maße gilt das für den deutschen Roman, der den im wesentlichen mehr von rein erzählerischen Intentionen getragenen Werken des englischen und französischen Romans gegenüber seine philosophisch-metaphysische Position nie ganz verleugnet hat. Doch auch einem von so elementaren Erzählkräften bestimmten Werk wie dem von Balzac ist die Reflexion nicht fremd. „Ich weiß nicht", schreibt Hofmannsthal in seinem Aufsatz über Balzac,

> ob man es schon unternommen hat (aber man könnte es jeden Tag unternehmen), ein Lexikon zusammenzustellen, dessen ganzer Inhalt aus Balzac geschöpft wäre. Es würde fast alle materiellen und alle geistigen Realitäten unseres Daseins enthalten. Es würden darin Küchenrezepte ebensowenig fehlen wie chemische Theorien; die Details über das Geld- und Warengeschäft, die präzisesten, brauchbarsten Details würden Spalten füllen; man würde über Handel und Verkehr vieles erfahren, was veraltet, und mehreres, was ewig wahr und höchst sachgemäß ist, und daneben wären unter beliebige Schlagworte die kühnsten Ahnungen und Antizipationen von naturwissenschaftlichen Feststellungen späterer Jahrzehnte aufzunehmen; die Artikel, die unter dem Schlagwort „Ehe" oder „Gesellschaft" oder „Politik" zusammenzufassen wären, wären jeder ein Buch für sich und jeder ein Buch, das unter den Publikationen der Weltweisheit des neunzehnten Jahrhunderts seinesgleichen nicht hätte[29].

Der Joyceschen Totalitätsforderung: „Work in all you know. Make them accomplices"[30], fühlte sich, wie das obige Zitat höchst eindrucksvoll zeigt, auch der traditionelle Roman verpflichtet, und es hieße die Grenzen falsch bestimmen, wollte man den modernen Roman als Reflexionsroman, den traditionellen Roman hingegen als reinen Handlungsroman bezeichnen. Wir gewinnen für dieses Problem erst dann die richtige Einstellung, wenn wir auch hier nach dem Schwerpunkt der erzählerischen Intention fragen, nach dem Platz, den die reflexiven Elemente innerhalb der Gesamtstruktur der hier in Frage stehenden Werke einnehmen. Und da wird es nun deutlich, daß, in innerem Zusammenhang stehend mit der bereits erwähnten Wandlung hinsichtlich der „Handlung" und des „Helden", die Reflexion einen anderen Stellenwert bekommen hat, der ihrer Funktion im modernen Roman ein anderes Gepräge gibt als im traditionellen Roman. Sie tritt hier, wenn sie nicht überhaupt prävalierenden Charakter erhält, als gleichberechtigter Partner neben die erzählerischen Teile des Werkes, sie löst sich aus ihrer organischen Verbundenheit mit dem Erzählstoff und wird autonom. Ernst Robert Curtius hat in einer Besprechung der „Faux-Monnayeurs" von André Gide innerhalb dieses Werkes zwischen einem „Aktionsroman", der die erzählerischen Elemente, die auch in diesem Roman nicht fehlen, in sich versammelt, und einem „Überroman", der den Anteil der Ideen und Reflexionen umfaßt, unterschieden. Das Verhältnis zwischen Aktionsroman und Überroman wird dabei folgendermaßen bestimmt: der Aktionsroman

[29] H. v. Hofmannsthal. Prosa II. Frankf. a. M. 1951. S. 386. Gesammelte Werke in Einzelausgaben.

[30] James Joyce. Ulysses. The Odyssey Press. Hamburg – Paris – Bologna. Fourth Impression 1939. Vol. I, S. 194.

> rückt an die zweite Stelle. Er ist nicht mehr um seiner selbst willen da, sondern als Anhaltspunkt für die Reflexionen des Überromans. Das Interesse, das dieser Aktionsroman noch beanspruchen kann, liegt nicht mehr in ihm selber, sondern in der unvorhersehbaren Entwicklung, die er als Kristallisationskern des Überromans gewinnt[31].

Dieser extreme Fall einer Abwertung des „Aktionsromans“ gegenüber dem „Überroman“, diese Verlagerung des Interesses zugunsten eines das bloße Aktionsfeld mit seinen Handlungen, Konflikten und Lebensentfaltungen nur als Material benutzenden und ihm übergeordneten Reflexionsschemas, führt uns unmittelbar zum Kern unserer Untersuchung, zu Brochs Schlafwandlertrilogie. Hier hat sich gleichsam die Wendung vom Roman zum Überroman innerhalb eines Werkes vollzogen, Schritt für Schritt läßt sie sich in der Abfolge der drei Romanteile ablesen, eine Entwicklung markierend, die in letzter Konsequenz zur Auflösung des Romans als einer „Dichtungs“gattung überhaupt führen muß. Jedoch auch dort, wo wir eine derartig extreme Schwerpunktsverlagerung nicht feststellen können, bei Autoren, die an eine ursprüngliche Leidenschaft des Erzählens gebunden bleiben wie Thomas Mann, durchdringt die Reflexion in zunehmendem Maße die rein erzählerische Werkgestalt. Der Weg Thomas Manns vom „Zauberberg“, wo der problementfaltende Dialog die romanhafte Handlung verdrängt, über die Josef-Tetralogie mit ihrer doppelbödigen Verknüpfung von erzählerischer Vergegenwärtigung mythischer Stoffe und ihrer gelehrt-exegisierenden wie ironisch-psychologisierenden Interpretation, bis zum „Doktor Faustus“, jener vielstimmig orchestrierten, bis zur Grenze parodistischer Auflösung vorangetriebenen intellektuellen Apokalypse, ist der Weg einer ständig fortschreitenden Abstraktion durch das Medium einer den Erzählstoff ironisch spiegelnden Reflexion gewesen. Bei Robert Musil endlich bildet die Romanhandlung, der „Aktionsroman“, lediglich noch den verknüpfenden Rahmen für die essayistische Entfaltung und Erörterung der verschiedenen Denkstile und -möglichkeiten, die Ulrich im „Mann ohne Eigenschaften“ experimentell erprobt und auf ihre Tragfähigkeit hin prüft[32]. Nur Franz Kafka macht in diesem Punkt, wie noch zu erörtern sein wird, eine Ausnahme.

Was sich hier ausspricht, ist ein tiefgreifender Zweifel an der Repräsentationskraft des erzählerischen Romans innerhalb der modernen Welt. Die erzählerische Vergegenwärtigung menschlichen Handelns und Leidens im epischen Werk, auch dort, wo sie sich zur Höhe des dichterischen Sinnbilds erhebt, genügt dem

[31] Ernst Robert Curtius. Les Faux Monnayeurs. In: Die Neue Rundschau 37 (1926), S. 655.

[32] Der Kampf des Dichters mit dem Denker durchzieht – ähnlich wie bei Broch – leitmotivisch auch die Tagebücher von Robert Musil. Musil muß sich ständig aus der Sphäre des Gedankens in die der dichterischen Anschauung zurückrufen. Einem Eintrag wie: „In den Roman alle unausgeführten philosophischen und literarischen Pläne hineinarbeiten. Die Sprache ohne Interpunktionen, die Ethik, Erkenntnistheorie usw.“ (S. 179) steht ein anderer gegenüber: „Gefahr für mich: in der Theorie steckenzubleiben. Dringe immer wieder zurück zu dem, was dich auf diese theoretischen Hilfsuntersuchungen geführt hat!“ (S. 380). – Robert Musil. Tagebücher, Aphorismen, Essays und Reden. Hg. v. Adolf Frisé. Hamburg 1955.

modernen Dichter nicht mehr. Er hat gleichsam das Vertrauen zur in sich geschlossenen, fiktiven Welt der Einbildungskraft verloren und greift zur kommentierenden, eine direkte und unmißverständliche Verbindung mit dem Leser herstellende Deutung. „Der Dichter heute", notiert Robert Musil in sein Tagebuch, „erzählt den Leuten Geschichten, die er ihnen erst erklären muß. Das ist (wenigstens dem Grad nach) ein Unterschied gegen früher. Und ist eine Abweichung vom Ursinn des Erzählens"[33].

5. *Das Suchen nach einer neuen Kunstform des Romans*

Die von uns im Vorangegangenen aufgezeigten Bestrebungen, die auf eine Revolutionierung und Destruierung der traditionsverhafteten Romanform hinzielen, erfahren ihr Korrelat in der Suche nach einer neuen Kunstform des Romans. Mit der Auflösung eines festen Handlungsgefüges, das zugunsten von einzelnen, jeweils einen bestimmten Aspekt der Welt spiegelnden Handlungsfragmenten aufgegeben wird, erwuchs dem modernen Roman die schwierige Aufgabe, die sonst in der Hauptgestalt oder der dramatischen Kulmination der Ereignisabläufe begründete Einheit eines Werkes durch neue Kunstmittel der Gestaltung herzustellen. So weist R. Koskimies in seiner schon erwähnten „Theorie des Romans" auf die für den modernen Roman charakteristische Verschiebung des erzählerischen Interesses von der „Fabel" auf die bewußte Kompositionstechnik hin:

> ... Je mehr jenes Form schaffende Element (die Fabel) beiseite gedrängt wird, umso wichtiger wird natürlich die Stellung der bewußten „Technik". Das Kompositionselement ... ist ein immer mehr in den Vordergrund rückender Faktor. Der impressionistische und der expressionistische Romanstil sind gute Beweise hierfür: ein Kompositionsfaktor wie die Zusammensetzung eines einzelnen Satzes begann sich immer mehr zu einem Problem an sich herauszubilden, vor allem aber sank die Fabel, jenes sozusagen intuitiv erlebte Kerngebilde, zu immer geringerer Bedeutung herab[34].

Diese Feststellung eines Theoretikers des Romans finden wir überall dort, wo in der modernen Romanliteratur um eine neue Form gerungen wird, in den Äußerungen der Romanautoren über ihr künstlerisches Wollen und ihre künstlerischen Ziele bestätigt. Am präzisesten hat wiederum Robert Musil diesen Sachverhalt formuliert, wenn er in seinem Notizbuch (1932) bemerkt:

> es kommt auf die Struktur einer Dichtung heute mehr an als auf ihren Gang. Man muß die Seite wieder verstehen lernen, dann wird man Bücher haben[35].

Einer der bewußtesten Formkünstler des Romans im 19. Jahrhundert, Gustave Flaubert, bei dem, blicken wir historisch zurück, sich dieser Umschichtungsprozeß im Werk und in der Theorie zuerst ablesen läßt, hat in einem Brief das Bild eines Romans ohne Gegenstand, ohne eigentliche erzählerische Substanz entworfen, eines Romans, „qui se tiendrait de lui-même par la force interne de son

[33] A. a. O. S. 399.
[34] R. Koskimies. Theorie des Romans. a. a. O. S. 170.
[35] Robert Musil. Der Mann ohne Eigenschaften. a. a. O. S. 1640.

style ..."[36] Hinter diesem Wunschbild liegt die Forderung nach einer „reinen" Kunst, hier bezogen auf den Roman, verborgen[37]. Das ist Ausdruck der Haltung des l'art pour l'art und findet seine Entsprechung in den gleichzeitigen Bemühungen der Symbolisten um die Erneuerung der Lyrik. So ist auch die von Flaubert intendierte restlose Verwandlung des Weltstoffs in Sprache, die Ersetzung des sujets durch den Stil eine der Lyrik wesensgemäße und in ihr immer wieder verwirklichte Forderung. Sie auf die Epik, auf den Roman zu übertragen, muß notwendigerweise zu einer revolutionierenden Umbesinnung auf das Wesen dieser Gattung überhaupt führen. In dem Brief Flauberts heißt es weiterhin:

> Les oeuvres les plus belles sont celles où il y a le moins de matière; plus l'expression se rapproche de la pensée, plus le mot colle dessus et disparaît, plus c'est beau. Je crois que l'avenir de l'art est dans ces voies; ...[38]

Auch Koskimies, für den „die größte Krise des Romans, seine entscheidenste Wendung ... mit Flaubert in die Geschichte dieser Kunstgattung" eintritt[39], führt diese Briefstelle an und gibt ihr folgende Deutung:

> Zweifellos hat ihm als eine Art Fata morgana eine Dichtung vorgeschwebt, deren stilistische Freiheit und stilistisches Ausdrucksvermögen so weit entwickelt sind, daß selbst der am freiesten gestaltete künstlerische Prosastil ihr gegenüber „gebunden" und schematisch erscheint. In der Wirklichkeit mögen ihr vielleicht die dadaistischen und futuristischen Dichtungen am besten entsprochen haben, Dichtungen, deren Unabhängigkeit von der Logik des Wortes bis auf eine ideale Vollkommenheit und vollkommene Unmöglichkeit geführt hat. Flauberts Traum von einem freien Dichtungsstil der Zukunft war eine platonische Idee, die in dem genialen Gehirn eines großen Künstlers entstanden war, und die keinerlei realistische Verwirklichungsmöglichkeiten hat, weil die Dichtung grundsätzlich und unbedingt an das Wort und seine immanente Logik gebunden ist[40].

Was Koskimies hier in den Bereich einer nicht zu verwirklichenden Utopie verweist, ist von James Joyce in seinem „Ulysses" versucht worden: nämlich den Gegenstand (matière) des Romans in Sprache, ins Wort (mot) zu verwandeln[41].

[36] Brief an Louise Colet vom 16. 1. 1852. Correspondance. Bd. 2. Paris 1926. S. 345.
[37] Vgl. das Zitat aus André Gides „Les Faux-Monnayeurs" auf S. 37 unserer Arbeit.
[38] a. a. O. S. 345.
[39] R. Koskimies. Theorie des Romans. a. a. O. S. 147.
[40] R. Koskimies. a. a. O. S. 150.
[41] Eine Bestätigung der von uns behaupteten inneren Verwandtschaft der Romantheorie Flauberts mit dem Werk von Joyce finden wir in dem Buch von Günter Blöcker: „Die neuen Wirklichkeiten. Linien und Profile der modernen Literatur". Berlin 1957. In dem Abschnitt, der Flaubert gewidmet ist, heißt es: „... die Poetik, die Stephan Dädalus im ‚Jugendbildnis' entwickelt ... wandelt auf Flauberts Spuren, und das wüste Szenarium der Circe-Episode im ‚Ulyssess' ist unverkennbar von Flauberts ‚Versuchung des heiligen Antonius' (1874) inspiriert. Wesentlicher aber ist, daß Joyce, wie Pound sagt, die ‚Kunst des Schreibens' gleichsam aus der Hand Flauberts empfangen habe. Als Flaubert sich entschloß, jedes Wort bis an die Grenze seiner Tragfähigkeit mit Farbe und Ausdruck, mit Klang und Bedeutung, mit Wirklichkeit zu befrachten, tat er etwas, was bis dahin in solcher Intensität dem Gedicht vorbehalten gewesen war. Er brach in die Reservate der Lyrik ein und reklamierte die Poesie für den Roman. Damit hat er dem modernen Roman den Weg zum ‚Gesamtkunstwerk' gewiesen, zu einer totalen Form der Poesie, die alle dichterischen Sehweisen umschließt." (S. 45).

Darin, und nicht in der Aufdeckung bisher verborgen gebliebener Schichten des Bewußtseins und Unterbewußtseins – das hatte die Psychoanalyse bereits weitgehend getan – liegt seine epochale Bedeutung als Erneuerer der Romanform. In der Sprachgebung, die bei Joyce weitgehend der Mitteilungsfunktion enthoben und zum reinen Träger unmittelbaren Ausdrucks geworden ist, im Stil, der sich nicht mehr dem darzustellenden Gegenstand anpaßt, sondern ihn allererst souverän erschafft, liegt für den „Ulysses" der gesuchte neue Einheitspunkt beschlossen, der die so komplexen und disparaten Inhalte, diese zusammengewürfelte und assoziativ aufgeschichtete Enzyklopädie eines Zeitalters innerlich zusammenhält[42].

Die Kompositionsform des „Ulysses" ist oft mit musikalischen Begriffen umschrieben worden. Das war teilweise der Ausdruck einer Verlegenheit und Ratlosigkeit dieser neuen Kunstform gegenüber, lag jedoch auch in ihrem Wesen selbst begründet. So erinnert der jeweilige Wechsel der Stillage in den einzelnen Kapiteln an die Transponierung eines Themas in eine andere Tonart, und die höchst verwickelte Durchführung einzelner Motivreihen kann nur verstanden werden in Analogie zur Technik des musikalischen Leitmotivs. Diese musikalische Bauform erstreckt sich nicht nur auf das Werk als Ganzes, sie spiegelt sich im einzelnen Satz, im einzelnen Wort wider, in dem überaus häufigen Gebrauch der Alliteration, der Assonanz und den von rhythmischen oder klanglichen Gesetzen diktierten Wortkonglomeraten und Satzinversionen. Diese Übertragung musikalischer Prinzipien und Gestaltungsformen auf ein Prosawerk ist ein verräterisches Indiz, das uns eine der Quellen aufschließen hilft, aus denen die im modernen Roman wirksam werdende neue Kunstgesinnung fließt. So fällt es auf, daß dort, wo der Wille zum Experiment auf dem Gebiet des Romans zu neuen Gestaltungsmöglichkeiten hindrängt, häufig der Vergleich mit musikalischen Formen auftritt. Ob es sich nun um den Versuch einer direkten Übertragung musikalischer Prinzipien auf ein Prosawerk wie bei Joyce oder bei Broch im „Tod des Vergil" handelt, oder ob der Wunsch oder die Forderung nach Formbindung in Analogie zur Musik in die Betrachtungen über die Theorien des Romans, mit denen fast alle modernen Romanciers Rechenschaft von ihrem Tun abgeben, eingeht, ist hier, wo uns dieser Vorgang nur als Symptom interessiert, gleichgültig. In der letzteren Form begegnen wir diesen Überlegungen wiederum bei Aldous Huxley und bei André Gide. So heißt es in dem Notebook Philip Quarle's in Huxleys „Point Counter Point":

> The musicalization of Fiction. Not in the symbolist way, by subordinating sense to sound ... But on a large scale, in the construction. Meditate on Beethoven. The changes of moods, the abrupt transitions. (Majesty alternating with a joke, for example, in the first movement of the B flat major quartet. Comedy suddenly hinting at prodigious and tragic solemnities in the scherzo of the C sharp minor quartet.) More interesting still the modulations, not merely from one key to another, but from mood to mood. A theme is stated, then developed, pushed out of shape, imperceptibly deformed, until, though still recognizably the same, it has become quite different. In sets of variations the

[42] Das wird in seinem vollen Umfang erst deutlich, wenn wir die Entwicklung von Joyce über den „Ulysses" hinaus bis zu „Finnegans Wake" hin verfolgen.

> process is carried a step further. Those incredible Diabelli variations, for example. The whole range of thought and feeling, yet all in organic relation to a ridiculous little waltz tune. Get this into a novel. How? The abrupt transitions are easy enough. All you need is a sufficiency of characters and parallel, contrapuntal plots[43].

In den „Faux-Monnayeurs“ von André Gide finden wir eine ähnliche Stelle:

> – Ce que je voudrais faire, comprenez-moi, c'est quelque chose qui serait comme l'Art de la fugue. Et je ne vois pas pourquoi ce qui fut possible en musique, serait impossible en littérature ...[44].

Während uns bei Joyce eine musikalische Durchkomponierung des gesamten Werkes bis hinein ins einzelne Wort begegnet – ein Verfahren, dessen Fragwürdigkeit wir hier nicht zu untersuchen haben – geht es Huxley, wie schon der Titel seines Romans andeutet, um die kontrapunktische Gruppierung selbständig und unabhängig voneinander bestehender Handlungsteile, ein Formprinzip, das wir auch bei Broch wiederfinden werden[45]. Die Sehnsucht nach einer noch strengeren Formbindung liegt in dem Wunsch Edouards, des Romanautors aus Gides „Faux-Monnayeurs“, beschlossen, der die strengste Form des mehrstimmigen Satzes, die Fuge, auf die Literatur übertragen will, Ausdruck des Bestrebens, eine Vielzahl von Themen, die erst in ihrem Zusammenklang ein integrales Abbild der Wirklichkeit bilden, in die Einheit einer strenggegliederten Kunstform zu bannen[46].

[43] Aldous Huxley. Point Counter Point. a. a. O. S. 408.

[44] André Gide. Les Faux-Monnayeurs. a. a. O. S. 243.

[45] Für ein kontrapunktisches Kompositionsverfahren bietet vor allem der dritte Band der Schlafwandlertrilogie ein hervorragendes Beispiel. Vgl. Brochs Brief an Willa Muir vom 19. 7. 1931. In: Die unbekannte Größe. S. 318. Die Begriffe Kontrapunkt und Kontrapunktik sind ständig wiederkehrende Leitbegriffe von Brochs Ästhetik.

[46] Es lassen sich ohne Mühe eine Reihe weiterer Zeugnisse für die die modernen epischen Formbestrebungen in auffälliger Übereinstimmung charakterisierende „Musikalisierung“ der Romanform anführen. Dabei geht es uns an dieser Stelle, das sei mit Nachdruck betont, nicht um die Frage, inwieweit diese musikalischen Prinzipen in den einzelnen Werken selbst verwirklicht worden sind und sich in den jeweiligen erzählerischen Strukturen nachweisen lassen. Uns interessiert die programmatische Tendenz zur musikalischen Kompositionsform nur als Hinweis auf ein Kunstwollen, das den inneren Verlust der Romaneinheit, wie er durch die Aufgabe eines festen Handlungsgefüges zugunsten einer komplexen vieldimensionalen und totalen Welterfassung gegeben ist, durch ein aufs höchste angestrengstes Formbewußtsein kompensieren möchte. Das bekannteste Beispiel für diese Tendenz innerhalb der deutschen Literatur bietet Thomas Mann, der wiederholt auf die innere Verwandtschaft seiner Romankunst mit der Musik hingewiesen hat. So heißt es in der „Einführung in den Zauberberg“, die der Dichter 1939 vor Studenten der Universität Princeton gehalten hat: „Nicht zufällig gebrauchte ich das Wort Komposition, das man gewöhnlich der Musik vorbehält. Die Musik hat von jeher stark stilbildend in meine Arbeit hineingewirkt. Dichter sind meistens ‚eigentlich‘ etwas anderes, sie sind versetzte Maler oder Graphiker oder Bildhauer oder Architekten oder was weiß ich. Was mich betrifft, muß ich mich zu den Musikern unter den Dichtern rechnen. Der Roman war mir immer eine Symphonie, ein Werk der Kontrapunktik, ein Themengewebe, worin die Ideen die Rolle musikalischer Motive spielen.“ (Thomas Mann. Zeit und Werk. Tagebücher, Reden und Schriften zum Zeitgeschehen. Aufbau-Verlag. Berlin 1956. S. 440) Wie André Gide in den „Faux-Monnayeurs“ beruft sich auch Hans Henny Jahnn auf die Fuge als ein Analogon für die dem „Fluß ohne Ufer“ (1949ff.) zugrunde-

An dieser Stelle mag die beunruhigende Frage auftreten, ob wir diese neuartigen Gebilde, die alle gewohnten Formen und Dimensionen sprengen, noch als Roman bezeichnen sollten. Das ist zum Beispiel im Hinblick auf Joyce verneint worden. Einer der besten Kenner seines Werkes, Harry Levin, nimmt zu diesem Problem Stellung, indem er feststellt: „neither the ‚Portrait of the Artist' nor ‚Finnegans Wake' is a novel, strictly speaking, and ‚Ulysses' is a novel to end all novels."[47] Thomas Mann, der diese Stelle aus Levins Buch in der „Entstehung des Doktor Faustus" zitiert, fügt ihr folgenden Kommentar hinzu:

> Das trifft wohl auf den „Zauberberg", den „Joseph" und „Doktor Faustus" nicht weniger zu, und T. S. Eliots Frage „whether the novel had not outlived its function since Flaubert and James, and whether ‚Ulysses' should not be considered an epic" korrespondiert genau mit meiner eigenen Frage, ob es nicht aussähe, als käme auf dem Gebiet des Romans heute nur noch das in Betracht, was kein Roman mehr sei[48].

Diese Einsicht in das Unzeitgemäße einer Romanform, wie sie vor allem der traditionelle erzählerische Roman des 19. Jahrhunderts hervorgebracht und zur Höhe entwickelt hat und wie sie überall dort, wo nicht um die Erneuerung und Revolutionierung überkommener Formen gerungen wird, noch fortlebt, nämlich in der gehobenen Unterhaltungsliteratur, verbindet zwei so verschiedene Schriftsteller wie Thomas Mann und Hermann Broch[49]. In einem Brief an George Saiko schreibt der letztere:

liegende Kompositionstechnik: „... Ich habe im ‚Fluß' versucht, musikalische Formen, die ursprünglich der Dichtkunst entstammen, durchzuführen. Ich bin selbst vor Imitationen und Engführungen nicht zurückgeschreckt. Die Strophe Gewitter kommt an einer Stelle in drei Zeiten unmittelbar hintereinander wie die Stimmen einer Fuge. Aber das ist nichts Äußerliches, und am liebsten möchte ich davon schweigen, weil ich nicht selbst den Vorwurf des Gekünstelten vorbereiten möchte." (Brief an Werner Helwig 29. 4. 1946. In: Werner Helwig – Hans Henny Jahnn. Briefe um ein Werk. Frankfurt a. M. 1959, S. 17). Alfred Döblin endlich beschließt seinen Aufsatz „Der Bau des epischen Werkes" mit dem Hinweis auf den „symphonischen" Charakter seines Werkes: „Ich spreche hier von einem sich entwickelnden Typ moderner epischer Kunstwerke, die ganz bestimmte Formgesetze in sich tragen. Ich habe leicht analysierbare Beispiele in meinen eigenen Büchern gegeben. Fragt man, wem dann diese Werke, Werke mit diesen Formgsetzen ähneln, so hat die bisherige Zergliederung es schon gezeigt: symphonischen Werken. Es ist ja auch begreiflich, daß die beiden Zeitkünste, Musik und Dichtung, wenn sie sich auf ihren Kunstcharakter besinnen, eine Anzahl gemeinsamer Punkte haben werden." (Alfred Döblin. Der Bau des epischen Werkes. In: Neue Deutsche Rundschau 40 (1929), Bd. 1, S. 547).

[47] Harry Levin. James Joyce. A Critical Introduction. New Directions. Norfolk, Conn. 1941. S. 207.

[48] Thomas Mann. Die Entstehung des Doktor Faustus. Roman eines Romans. Berlin und Frankf. a. M. 1949. S. 83.

[49] Ein Zeugnis aus den Reihen der jüngeren Generation für den Ruf nach einer neuen, dem Romanhaft-Erzählerischen nicht mehr verpflichteten Form der Epik, finden wir in den Briefen des zu früh verstorbenen Eugen Gottlob Winkler: „Es ist fast unmöglich, im Roman den Unterschied zwischen Sprechstil und Kunststil aufzuheben. Es scheint in seinem Wesen als der vulgärsten literarischen Gattung zu liegen, daß er es nicht vermag, ein reiner Spiegel der Kunst zu sein. Soll also die Prosa zu einem dem Vers ebenbürtigen Ausdrucksmittel der Dichtkunst werden, so muß sich dadurch notwendig das Wesen des Romanes ändern. Alle Definierungen wie Entwicklungsroman, Weltanschauungsroman, sozialer Roman werden hinfällig, das was wir gemeinhin als romanesk bezeichnen, die

> Dichterisch sind die Möglichkeiten der Romanform durch Joyce erschöpft, ja überschritten worden – und soziologisch ist das „gute" Buch eine Sommerfrischen Angelegenheit der bürgerlichen Frau gewesen, hat also keine Funktion mehr[50].

Die Überwindung desjenigen Romans, der dem nur Erzählerisch-Romanhaften verhaftet bleibt – und jeder echte Erzähler unterliegt der Versuchung zum „Geschichtel-Erzählen", wie Broch es nennt und von sich selbst bekannt hat[51] – durch den Roman als Kunstform: das ist das Gesetz, unter dem sich seit jeher, und nicht erst im modernen Bereich, die Erneuerung und Verjüung derjenigen Dichtungsgattung vollzogen hat, die der ihr angeborenen Formlosigkeit wegen sich den Rang, sprachliches Kunstwerk zu sein, schwerer erkämpfen muß als etwa die Lyrik oder das Drama. In diesem Sinne stimmen wir der Behauptung Karl Vosslers zu, wenn er sagt:

> Es ist kein Paradox, wenn man behauptet, daß der Roman als Dichtung von der Polemik, vom bewußten Gegensatz, von der Feindschaft gegen den Roman als Unterhaltungsliteratur lebt und groß wird. Ja, man kann eine wirlich haltbare Kunstgeschichte des Romans wohl kaum anders konzipieren und durchführen, denn als dialektischen Widerstreit, in dem diese Gattung mit sich selbst liegt; man muß sie als eine Selbstüberwindung, als eine Abtötung des Romanhaften im Roman, durch eine höhere Art von Roman, d. h. durch das Epos – oder durch die Ironie – sich denken[52].

Elemente, die einem müßigen Leser die Langeweile vertreiben, müssen verschwinden, damit der Roman zu einer geläuterten Form werden kann, ..." (Eugen Gottlob Winkler. Briefe. 1932–1936. Herausg. v. Walter Warnach. Bad Salzig. 1949. S. 42/43).

[50] Brief an George Saiko vom 20. 5. 1951. In: H. Winter. George Saiko und der moderne Roman nach der Krise. Silberboot. 5. Jg. Heft 2. S. 76.

[51] Briefe. S. 184.

[52] Karl Vossler. Die Dichtungsformen der Romanen. Herausg. v. A. Bauer und K. F. Köhler. Stuttgart o. J. (1951), S. 296/297.

B. Die „Schlafwandler“ als zeitkritischer Epochenroman

Unternehmen wir es, in einem ersten Schritt der Annäherung Hermann Brochs 1931/1932 erschienene Romantrilogie „Die Schlafwandler“ terminologisch zu umreißen, so werden wir sie am ehesten noch als zeitkritischen Epochenroman bezeichnen dürfen. Der Typus des zeitkritischen oder zeitanalytischen Gesellschafts- oder Epochenromans trat innerhalb der Entwicklung der neueren deutschen Literatur zum erstenmal in Erscheinung mit Immermanns „Epigonen“ (1836). Bereits in dieser ersten Ausprägung eines bis dahin in der Geschichte des deutschen Romans recht eigentlich fremden Typus, der seither in zahlreichen Variationen bis zur Gegenwart fortlebt, lassen sich gestaltbestimmende Züge ablesen, denen wir in ähnlicher Form auch bei Broch wiederbegegnen werden. Schon das Fehlen eines individuellen Handlungsträgers im Titel beider Romane („Die Epigonen“, „Die Schlafwandler“) ist aufschlußreich und weist in die Richtung eines die beiden historisch so weit auseinanderliegenden Werke verbindenden erzählerischen Interesses. Zwar steht bei Immermann noch der Entwicklungsweg eines suchenden und irrenden Individuums im Mittelpunkt der Handlung. Darin folgt er dem Schema des Bildungsromans, wie er als Muster und seine Generation beherrschend in Goethes „Wilhelm Meister“ vorgebildet war. Dennoch werden bei Immermann Ichschicksal und Zeitschicksal in einer Weise verknüpft und identifiziert, die den idealen, geschichtslosen Raum des Bildungsromans klassischer und romantischer (Novalis) Prägung sprengt und als eigentliches Movens des Handlungsgeschehens überindividuelle Mächte und Kräfte wirksam werden läßt[1]. Die Autonomie individueller Entwicklung wird überschattet von einem Schicksal, das den Menschen schonungslos in eine bestimmte zeit- und geschichtsverhaftete Situation hineinzwingt, ihn weitgehend der handelnden Initiative beraubt und zum passiven Mitspieler in einer übergreifenden Entwicklung macht. Diese Entwicklung aber steht unter einem negativen Vorzeichen. Es ist die Krankheitsgeschichte einer am Epochenrand der klassisch-romantischen Bewegung zum Bewußtsein erwachenden Generation, die, vom Fluch des Epigonentums gezeichnet, nicht mehr die Kraft findet, das Erbe der Väter sich einzuverwandeln und geschichtsmächtig weiterzuentwickeln.

Zeitanalyse und Zeitkritik aus der Perspektive einer das Individuum und seine Probleme übergreifenden, einen soziologischen oder geschichtlichen Raum deutend erhellenden Gesetzlichkeit: dieses elementarste Baugesetz ist konstitutiv für den sogenannten Epochen- oder Zeitroman. Er hat seit Immermann seinen

[1] Vgl. Benno von Wiese. Zeitkrisis und Biedermeier in Laubes „Das junge Europa“ und Immermanns „Epigonen“. In: Dichtung und Volkstum 36 (1935), S. 163–197.

festen Platz in der deutschen Literatur, wennschon sein eigentlicher Entfaltungsraum nicht in Deutschland – hier blieb der Bildungs- und Entwicklungsroman dominierend – sondern in Frankreich und den angelsächsischen Ländern liegt[2].

Am Beginn unseres Jahrhunderts steht ein „Epochenroman", dessen weitausholender Erzählraum genau in demselben Jahre beginnt, mit dem Immermanns „Epigonen" schließen und der die Geschichte dessen zum Inhalt hat, was sich in Immermanns Roman gerade im gärenden Prozeß der Zeitenwende zur jahrhundertbeherrschenden Eigenform heranbildet: des Bürgertums. Auch diese Geschichte ist – und nicht nur sinnbildlich, sondern realiter – eine Krankheitsgeschichte. Thomas Manns „Buddenbrooks" stehen dabei nicht wie die „Epigonen" an einem Epochenrand, ihr Erscheinungsjahr (1901) kennzeichnet sie gleichsam als vorschwellige Prophetie, die jedoch noch ganz vom Denk- und Erlebnisraum des 19. Jahrhunderts her gespeist ist. Man mag zögern, die „Buddenbrooks" in dem von uns oben bezeichneten Sinn als Epochen- oder Zeitroman zu klassifizieren, sind doch in dieses Werk Elemente eingeflossen, die die dominierende Stellung des Zeitanalytischen zumindest in Frage stellen. Hinter der autonom sich entfaltenden und mit den Stilmitteln des Naturalismus exakt geschilderten Welt der Gestalten und Ereignisse, die sich zum bunt bewegten Bild einer Generationenabfolge fügt, wird jedoch auch hier ein tieferes Gesetz aufgedeckt, das dem Ganzen erst seine innere Notwendigkeit aufprägt. War es bei Immermann die drohende Erfahrung des Ausgeliefertseins des Menschen an die Geschichte, seine Verurteilung zur geschichtlichen Existenz, so ist es bei Thomas Mann die unausweichliche Dialektik von Geist und Leben, die sich mit fast tragischer Folgerichtigkeit zugunsten des Geistes und der Kunst und zuungunsten des Lebens stufenweise auflöst. Einer ähnlichen Gesetzlichkeit, als einem Rahmen,

[2] Die Ursachen für das Fehlen des repräsentativen deutschen Epochen- oder Gesellschaftsromans im 19. Jahrhundert, wie ihn England in den Werken von Dickens und Thackeray, Frankreich vor allem im Werk von Balzac besitzt, können hier nicht untersucht werden. So bleibt etwa der französische Roman des 19. Jahrhunderts, auch dort, wo das Interesse scheinbar ganz auf die Darstellung eines individuellen Schicksalsweges gerichtet ist, wie in Stendhals „Le Rouge et le Noir", in stärkstem Maße an die jeweiligen gesellschaftlichen, soziologischen und geschichtlichen Voraussetzungen und Grundlagen der Zeit gebunden, während diese im gleichzeitigen deutschen Roman mehr in den Hintergrund treten, mehr nur die Kulisse bilden für die Entfaltung seines eigentlichen Themas: der Darstellung einer „inneren" seelischen und geistigen Entwicklung. Aufschlußreich für die Grundhaltung des deutschen Romans im 19. Jahrhundert ist ein Zitat aus Schopenhauers „Parerga und Paralipomena", das Thomas Mann wiederum in seinem Vortrag „Die Kunst des Romans" heranzieht und in den Dienst seiner eigenen Auffassung vom Roman als der Kunst der „Verinnerlichung" stellt: „Ein Roman wird desto höherer und edlerer Art seyn, je mehr inneres und je weniger äußeres Leben er darstellt; ... Die Kunst besteht darin, daß man mit dem möglichst geringsten Aufwand von äußerem Leben das innere in die stärkste Bewegung bringe; denn das innere ist eigentlich der Gegenstand unseres Interesses. – Die Aufgabe des Romanschreibers ist nicht, große Vorfälle zu erzählen, sondern kleine interessant zu machen." Vgl. Thomas Mann. Altes und Neues. Kleine Prosa aus fünf Jahrzehnten. Frankf. a. M. 1953. S. 395/396. Zum französischen Roman des 19. Jahrhunderts vgl. Hugo Friedrich. Die Klassiker des französischen Romans. Stendhal, Balzac, Flaubert. Leipzig 1939.

der allem Romangeschehen zugrundeliegt und seinen Ablauf ursächlich bestimmt, werden wir auch in Brochs „Schlafwandlern" wiederbegegnen.

In unserem Zusammenhang erhalten die „Buddenbrooks" dadurch noch eine besondere Bedeutung, daß mit ihnen der deutsche Roman sich zum erstenmal der eigenen erzählerischen Tradition zu entfremden beginnt. Der deutsche Roman des 19. Jahrhunderts, wie er sich von Goethe bis hin zu den Realisten ausgebildet hatte, war zumeist Bildungs- und Entwicklungsroman gewesen, war gerichtet auf die einfühlende Durchbringung der Werdegesetzlichkeit einer Seele, die auf dem Weg über die Welt oder das eigene Innere zu sich selbst zu gelangen suchte. Die innige geistige und seelische Identifikation des Lesers mit dem „Helden"[3] war nur die notwendige Folge einer die Konzeption des Werkes begleitenden sympathetischen Verbundenheit des Dichters mit seinem Gegenstand, wie sie für die Erzählhaltung Jean Pauls, Gottfried Kellers, Wilhelm Raabes und noch – wenn auch in schwächerem Maße – Theodor Fontanes charakteristisch ist. An die Stelle der „poetischen" Identifikation tritt nun ein grundsätzlich neues Verhältnis von Autor und Gegenstand: dasjenige der kritischen Distanz, das innerhalb des Werkes von Thomas Mann mit dem vielschichtigen Begriff der Ironie umrissen zu werden pflegt. Damit wurde auch im deutschen Roman eine Kunstgesinnung wirksam, die in Flaubert und dem ihm folgenden Naturalismus (die Brüder Goncourt, Zola) wie auch im realistischen russischen Roman (Gogol, Gontscharow, Turgenjew) ihre europäischen Ausprägungen gefunden hatte. Mit der Emanzipierung des deutschen Romans aus der ihm angestammten formalen wie inhaltlichen Tradition erscheint jetzt neben der Reihe derjenigen Dichter, die, bewahrend und weiterbildend, einer spezifisch deutschen Überlieferung verhaftet bleiben, wie Ricarda und Friedrich Huch, Emil Strauß, Hermann Stehr, Hermann Hesse, Hans Carossa u. a., eine andere, die – der heraufziehenden Problematik der kollektiven, technisierten Zivilisationswelt des 20. Jahrhunderts näher stehend – einen neuen Typus des europäisch ausgerichteten, den Einflüssen westlicher und östlicher Literatur stärker verpflichteten Schriftstellers bildet. Neben Thomas Mann gehören in diese Reihe sein Bruder Heinrich Mann, Alfred Döblin, Robert Musil und Hermann Broch. Es ist kein Zufall, daß gerade in dieser Gruppe die vorwiegend im außerdeutschen Bereich beheimatete Tradition des Zeit- und Epochenromans aufgenommen wurde und ihre moderne Ausprägung innerhalb des deutschen Sprachraums gefunden hat.

Hier muß vor allem Robert Musils großangelegtes Romanfragment „Der Mann ohne Eigenschaften" genannt werden, ein Werk, das mit den „Schlafwandlern" durch zahlreiche thematische und motivische Übereinstimmungen und Ähnlichkeiten innerlich verbunden ist. Der Vergleich zwischen beiden Werken liegt auf der Hand, er bietet sich schon durch ihr fast gleichzeitiges Erscheinungsdatum an und erfährt seine tiefere Begründung in der Gemeinsamkeit der geistigen und nicht zuletzt auch der räumlichen Herkunft ihrer Autoren[4]. Beide Dichter sind

[3] Vgl. Fontanes Definition des Romans. Anmkg. 7 auf S. 38 unserer Arbeit.

[4] Vgl. Kurt Marko. Robert Musil und das 20. Jahrhundert. Diss. (Masch.) Wien. 1952. S. 22ff. – Ferner: Claude David. Un chef-d'oeuvre autrichien: le roman de Musil. In: Preuves. N. 54, August 1955. S. 13–27.

dem Erbe der Donaumonarchie verpflichtet, der Weg beider führt erst über eine intensive Beschäftigung mit den rationalen Wissenschaften zur Dichtung, vor allem aber stehen sie beide vor der Situation: Dichter in einer vom Zerfall bedrohten Welt zu sein, eine Tatsache, die von Musil sowohl als auch von Broch sehr bewußt erlebt und mit der Skepsis gegen die einmal übernommene Aufgabe, eine unerzählerisch gewordene Welt im Kunstwerk festzuhalten und deutend zu bezwingen, beantwortet wurde. Während sich Musil an den fast übermenschlichen Anforderungen, die das ins Uferlose sich auswachsende Werk an ihn stellte, verzehrte und über dessen Vollendung hinwegstarb, mußte Broch die Form des Romans von innen her zerbrechen, um zu einer zeitgerechten Aussage der ihn bedrängenden Probleme und Gesichte zu gelangen. Dennoch ist das erzählerische Klima in beiden Werken ein grundverschiedenes. Musil begibt sich in der Distanzhaltung des überlegenen Satirikers an die Analyse des Zerfalls der abendländischen Welt und ihrer Werte, und die scharfe Sonde seines Geistes blättert die feinsten Verästelungen moderner Problematik und Pseudoproblematik ironisch auf zum Schwebezustand gegenseitiger Bloßstellung. Bei Broch dagegen begegnet uns der tödliche Ernst des erbarmungslosen Analytikers, der die schonungslose Härte, mit der er den Erzählgegenstand sich unterwirft, auf die Erzählform zurückprallen läßt, Ausdruck einer beinahe wissenschaftlichen Strenge, die keinerlei Rücksicht mehr auf den Leser und sein „poetisches" Illusionsbedürfnis zu nehmen gewillt ist. Musil bleibt, trotz aller Distanz, mit den Fäden einer stark spürbaren Sympathie mit seinem „Helden" verbunden. Brochs erzählerische Welt, die er in den „Schlafwandlern" vor uns aufbaut, gleicht einem Experimentierfeld, das mit dem Kalkül eines Mathematikers erstellt ist, und in dem die handelnden Figuren die Rolle von Versuchsobjekten einnehmen, die, scheinbar nur ihren eigenen Gesetzen unterworfen, in Wahrheit ohnmächtige Marionetten eines mit unerbittlicher Konsequenz sich vollziehenden geschichtlichen Prozesses sind, dessen immanente Logik nur der Autor selbst, als der überlegene Kommentator seiner eigenen Erzählung, zu enträtseln fähig ist.

Mit der feinen Witterung des literarischen Entdeckers hat Franz Blei bereits 1931 auf die epochemachende Bedeutung der beiden gleichzeitig erschienenen Romane, deren Entstehungsgeschichte er als Freund der beiden Autoren zu verfolgen die Gelegenheit hatte[5], hingewiesen:

> Seltsam, daß es zwei Wiener sind, welche die fundamental „andern" Romane geschrieben haben, von denen aus man eine neue Epoche des deutschen Romanes datieren wird[6].

[5] Vgl. Robert Musil. Tagebücher, Aphorismen, Essays und Reden. a. a. O. S. 313. – Franz Blei. Erzählung eines Lebens. Leipzig 1930. S. 494.

[6] Franz Blei. Hermann Broch. Pasenow. In: Der Querschnitt. Hg. v. H. v. Wedderkop. Berlin. Jg. XI. Heft 3. März 1931. S. 213.

C. Die erzählerische Struktur des Werkes

1. Einleitung

Die von uns im vorangegangenen Abschnitt als Zeit- und Epochenroman näher charakterisierte Romantrilogie „Die Schlafwandler“ gliedert sich in drei relativ selbständige und in sich abgeschlossene Handlungsteile von ungleichem Umfang. Die einzelnen Romane: „1888 – Pasenow oder die Romantik“, „1903 – Esch oder die Anarchie“, „1918 – Huguenau oder die Sachlichkeit“ sind handlungsmäßig nur lose miteinander verknüpft, die zeitliche Erstreckung des Erzählraums von 1888 – 1918 bildet kein episches Kontinuum in der Art eines chronologisch fortschreitenden, einheitlichen Handlungsablaufs, vielmehr gibt der Autor, mit einem Abstand von jeweils 15 Jahren, drei Epochenquerschnitte, die sich um die Figur eines Titelhelden gruppieren und mit der Erzähldauer eines Jahres eine genaue Begrenzung erfahren. Dabei werden die einzelnen Romanteile schon im Titel näher umschrieben durch einen zeitsymptomatischen Begriff (Romantik – Anarchie – Sachlichkeit), der sie als Stufen innerhalb eines gedanklichen Prozesses kennzeichnet. Bezeichnenderweise heißt es im Titel nicht: Pasenow und die Romantik usw., sondern Pasenow oder die Romantik usw. Damit wird eine Gleichung aufgestellt, in der die beiden Glieder, die Person und der Begriff, ausgetauscht werden können. Das bedeutet aber, daß die erzählerische und die gedankliche Komponente des Werkes zueinander in ein Verhältnis gegenseitiger Entsprechung treten; die erzählerische Veranschaulichung gedanklicher Inhalte und die philosophische Durchdringung des Erzählstoffs sollen in dem Werk Brochs in einer für den modernen Roman charakteristischen Weise zu einer Erkenntniseinheit verschmolzen werden. Diese Überlegung, die schon durch die Titelgebung nahegelegt und im Werk selbst ihre Bestätigung finden wird, führt uns zu dem grundlegenden Problem, dessen Erörterung am Anfang jeder näheren Beschäftigung mit den Romanen Hermann Brochs stehen sollte, dem Problem der „Erkenntnis“, ihrer Stellung im dichterischen Werk und ihrer Beziehung zum Akt des Dichtens. Wir haben diesen Komplex bereits kurz in der biographischen Einleitung berührt und es gilt nun, das dort nur skizzenhaft Entworfene in der konkreten Einzelanalyse darzustellen und zu erhärten. Es ist, und nicht zu Unrecht, der dreistufige Aufbau der Schlafwandlertrilogie mit der Versuchsreihe eines Naturwissenschaftlers verglichen worden, der sein Versuchsobjekt unter verschiedenen Bedingungen beobachtet, es unter verschiedene Beleuchtungen stellt, um es so auf sein jeweiliges Verhalten und Reagieren hin abzufragen[1]. Das Erzählen als selbständiger Wert, als etwas autonom Eigenständiges tritt zurück

[1] Martin Greiner. Seelenlärm und kalter Traum. Nachtprogrammsendung über Hermann Broch. Bayrischer Rundfunk. 14. November 1956.

hinter die gedankliche, genauer geschichtsphilosophische Intention, die sich des Erzählten als Modell, als exemplum bedient. Der dichterische Akt zielt bei Broch nicht auf die Gestaltung einer eigengesetzlichen Erzählwelt, sondern er wird vielmehr der Sphäre des freischweifenden Fabulierens entnommen und einem an der Mathematik und den Naturwissenschaften orientierten Erkenntnisideal unterworfen[2]. Demgemäß wendet sich die Dichtung Brochs nicht so sehr an die Phantasie, die Einfühlung und den seelisch-erlebnishaften Mitvollzug des Lesers als an dessen intellektuelles Vermögen. „Es ist dem Dichter", so heißt es in Brochs Joyce-Aufsatz,

> endgültig untersagt, frisch drauflos zu dichten, ein Poet und sonst nichts: wo immer, wie immer das Kunstwerk als echtes Kunstwerk auftritt, es trägt das Prinzip der Seinsbildung in sich, es ist noch in seiner letzten Derivation Ausdruck des Erkenntniswillens, der die Forderung des Geistes ist[3].

Durchaus zu Recht beruft sich Broch in seinem Joyce-Aufsatz auf Goethe als den Ahnherrn einer dichterischen Haltung, die sich der Erkenntnisaufgabe der Kunst verpflichtet weiß. Die Berufung auf Goethe bei einem scheinbar so goethefremden, im extremsten Sinne modernen Dichter wie Broch, noch dazu im Zusammenhang einer Joyce-Analyse, mag Befremden erregen. Dennoch ist der Hinweis auf Goethe mehr als eine gefällige und beiläufige, nicht allzu ernst zu nehmende Attitüde, wie wir ihr sonst so oft, und nur zu leicht mit einem gewissen Mißbehagen, begegnen. Was in der Kunsttheorie der deutschen Romantik programmatisch ausgesprochen und prophetisch die moderne Kunstentwicklung vorwegnehmend als Forderung verkündet worden war, die wechselseitige Durchdringung von wissenschaftlichem Erkenntnisstreben und dichterischer Anschauung, diese Symbiose von Wissenschaft und Kunst hat im Werk Goethes zum erstenmal in der Geschichte der deutschen Dichtung beispielhafte Gestalt angenommen. Hier sind die Resultate wissenschaftlicher Erkenntnis nicht mehr bloßer Stoff, der kompendienhaft dem dichterischen Werk einverleibt wird, nicht mehr bloßer Anhang oder Apparat, sondern hier wird die wissenschaftliche Methode – vor allem die naturwissenschaftliche – zum organischen Bestandteil, zum strukturbestimmenden Formelement des dichterischen Schöpfungsaktes selber, wie auch umgekehrt wiederum die dichterische Anschauung die Erkenntnisweise wissenschaftlicher Forschung prägend mitbestimmt. Diese Art der Koordinierung von Wissenschaft und Dichtung, wie wir sie im Werk Goethes vor uns sehen, meint Broch, wenn er vom zeitgerechten Kunstwerk spricht, das vollgültiger Ausdruck des wissenschaftlichen Denkstils unserer Epoche zu sein hat:

> Mit Inhalten ist es bei weitem nicht getan. Wenn zum Beispiel Gide einen Roman als Rahmenerzählung für psychoanalytische oder andere wissenschaftliche Exkurse benützt, so ist damit noch keineswegs eine Modernität erreicht; die wäre erst dann gegeben, wenn der Geist wissenschaftlichen Denkens – wie

[2] Aufschlußreich ist in diesem Zusammenhang eine pointierte Äußerung Brochs seinem Freunde Robert Pick gegenüber, in der er davon spricht, daß für ihn ursprünglicher Antrieb zum Dichten das Problem gewesen sei, für sich herauszufinden, ob zwei mal zwei gleich vier ist. (Michel Habart. Hermann Broch. a. a. O. S. 316).

[3] Essays. Bd. 1. S. 208.

> er in seiner spezifisch rationalen und kausalierenden Prägung sich darbietet – die ganze übrige rein dichterische Darstellung durchdränge[4].

Ohne die grundlegenden Unterschiede, die völlig anders gearteten Voraussetzungen und Möglichkeiten, die modernes Dichten vom Werk Goethes trennen, zu übersehen, können wir die Behauptung Brochs, Goethe habe „den Grundstein der neuen Dichtung, des neuen Romans" gelegt[5], grundsätzlich nicht widersprechen. Wenn sich Broch jedoch dabei auf die „Wanderjahre" beruft, so sind wir geneigt, gerade im Hinblick auf die „Schlafwandler" und den durch sie verkörperten Romantypus, eher ein anderes Werk Goethes hier anzuführen, ein Werk, in dem die Einheit von wissenschaftlicher Erkenntnis und dichterischer Gestaltung vielleicht am deutlichsten zum Ausdruck kommt: „Die Wahlverwandtschaften". Die symbolische Verknüpfung einer naturwissenschaftlichen Experimentalsituation mit der Darstellung menschlichen Schicksals wurde in diesem so überaus kunstvoll konstruierten Roman der Ansatzpunkt zur Schaffung eines neuen Formtypus, der nicht nur in der Dichtung der Goethezeit, sondern weit darüber hinaus im ganzen 19. Jahrhundert isoliert da steht. Paul Hankamer spricht davon, daß Goethe in den „Wahlverwandtschaften"

> mit vollendeter künstlerischer Meisterschaft und mit der wissenschaftlichen Genauigkeit des beobachtenden Naturforschers – hier wurde Wissenschaft und Kunst eine unlösbare Einheit – die sich überkreuzenden Leidenschaften entstehen und sich entfalten läßt[6].

Diesem Ideal der Einheit von „künstlerischer Meisterschaft" und „wissenschaftlicher Genauigkeit" ist auch die moderne Dichtung, insbesondere aber diejenige Hermann Brochs, verpflichtet[7].

Es ist nun bemerkenswert und führt uns sogleich zur Eigenart des Brochschen Werkes, wie im modernen Roman die in Goethes Werk verwirklichte Einheit auseinanderbricht, so daß Dichtung und wissenschaftliche Erkenntnis, Gestaltung und Reflexion trotz aller Versuche, sie organisch im Kunstwerk zu vereinen, letztlich doch getrennte Größen bleiben. Mit aller Eindringlichkeit zeigt dies der Weg Brochs von den „Schlafwandlern" zum „Tod des Vergil". Dieser Prozeß einer bis zur Selbstauflösung des Kunstwerks vorangetriebenen Liquidierung des „nur" Dichterischen wird bereits im Aufbau der „Schlafwandler" selbst sichtbar. In der biographischen Einleitung haben wir ausgeführt, daß die „Schlafwandler" verstanden werden müssen als der erste umfassende Versuch einer Synthese von rationaler Weltbewältigung und irrationaler Welterfahrung, der beiden Grundformen von Brochs Welt- und Lebensanschauung. Ihnen entsprechen zwei spezifische Formen des Erkennens: die Form des rationalen, diskursiven, dialektischen,

[4] Ebd. S. 195/196.

[5] Ebd. S. 206.

[6] Paul Hankamer. Spiel der Mächte. Ein Kapitel aus Goethes Leben und Goethes Welt. Tübingen 1943. S. 238.

[7] Der Bezug und der Hinweis auf Goethe durchzieht leitmotivisch die „Essays" und die „Briefe" Brochs. Vgl. Essays. Bd. 1. S. 140/141; 176; 179; 204/205; 236; 251; 258; Bd. 2. S. 86; Briefe. S. 67; 97; 130; 134; 150; 197; 285; 295; Die unbekannte Größe. S. 284ff.

positivistischen Erkennens, das dem Exaktheitsideal der Mathematik unterworfen ist, und die Form des irrationalen, traumhaft-visionären, dichterischen Erkennens, das für Broch im Lyrischen seine ureigenste und adäquateste Verkörperung findet[8]. Mathematik und Traum, gedankliche Abstraktion und lyrische Intuition sind so auch die beiden weitauseinandergespannten Pole, innerhalb derer die Erzählkunst Brochs sich bewegt. Um die Verhältnisbestimmung, die Abgrenzung und die Frage nach der gemeinsamen Wurzel dieser beiden Erkenntnisweisen hat der Dichter in seinen Aufsätzen und Briefen mit der Hartnäckigkeit und Intensität desjenigen gerungen, dem es dabei um mehr als um die Lösung eines nur theoretischen Problems ging, war diese Frage doch zugleich eine Kernfrage in Bezug auf die selbstgewählte Existenz als Dichter[9]. Die gedankliche Legitimation der Dichtung als einem Instrument der Erkenntnis – und nur als ein solches wollte Broch ihr für seine Zeit Daseinsberechtigung zuerkennen – bedeutete immer zugleich auch die Rechtfertigung des einmal gefaßten Entschlusses, als Dichter zu leben und zu wirken. Eine endgültige Lösung dieses Problems ist Broch nicht gelungen. In den „Schlafwandlern" bietet sich das Nebeneinander und Miteinander von irrationaler und rationaler Erkenntnis, von Gestaltung und Reflexion in der Form einer Montage erzählerischer und gedanklicher Partien dar, ein Bauprinzip freilegend, das mit der Unterscheidung zwischen „Aktionsroman" und „Überroman", die E. R. Curtius auf die „Faux-Monnayeurs" von André Gide angewandt hat[10], treffend umschrieben werden kann. Auch in den „Schlafwandlern" steht neben dem „Aktionsroman", der die im engeren Sinne erzählerischen Teile umfaßt, ein „Überroman", der sich kommentierend und deutend des Rohstoffs der Erzählung bemächtigt und ihn in die Reflexionsform einer subtilen Geschichtsphilosophie hineinzwingt. Es ist kein Zufall, daß die Brochkritik gerade diesen Abschnitten ihre besondere Aufmerksamkeit gewidmet hat, scheint der Autor doch in ihnen ex cathedra zu sprechen und die mühsame Arbeit einer Beschäftigung mit dem nur schwer durchschaubaren Geflecht der Erzählhandlung überflüssig zu machen. Diese Betrachtungsweise findet eine sie stützende Ergänzung durch eine späte briefliche Äußerung Brochs, wo er davon spricht, daß ihn selbst an den „Schlafwandlern" nur noch der philosophische Gehalt interessiere, wie er „nackt" und „aller dichterischen Partien entkleidet" in den philosophischen Exkursen zu fassen sei[11]. In einer literarhistorischen Untersuchung jedoch, wie wir sie zu geben beabsichtigen, haben wir zuerst und vor allem nach der künstlerischen Gestalt des Werkes zu

[8] Vgl. Essays. Bd. 1. S. 159; 265f.; Schuldlosen. S. 360/361; Briefe. S. 179; 221; 406.

[9] Vgl. vor allem die Aufsätze: „Einheit wissenschaftlicher und dichterischer Erkenntnis" (Essays. Bd. 2. S. 83–89) und „Gedanken zum Problem der Erkenntnis in der Musik" (Essays. Bd. 2. S. 91–101). Ferner: Briefe. S. 60; 67; 78; 85; 150; 156.

[10] Vgl. das Kapitel: „Die Überfremdung des Romans durch Reflexion" dieser Arbeit (S. 49ff.).

[11] Brief an Karl Ludwig Schneider vom 21. 2. 1949. a. a. O. Die – sehr fragwürdige – editorische Konsequenz aus dieser Auffassung zog H. Arendt, wenn sie in Bd. 2 der „Essays" die Exkurse des dritten Bandes der „Schlafwandler" noch einmal abdruckt, losgelöst aus dem funktionalen Zusammenhang mit den kontrapunktisch auf die Exkurse bezogenen Handlungsteilen.

fragen, auch wenn diese Fragestellung, wie in unserem Falle, gegen die Auffassung des Werkes von seiten seines Autors verstoßen sollte. Unser Interesse gilt dem Roman als einem Sprachkunstwerk, und die Untersuchung seines gedanklichen Gehalts darf nur insoweit Gegenstand unserer Darstellung werden, als das gedankliche Element selbst integrierender Bestandteil eines Werkganzen ist, dessen Eigenart gerade eine für den modernen Roman spezfische, neuartige Verbindung von Gestaltung und Reflexion bildet.

Die Abwertung des rein Erzählerischen als etwas Eigenständigem, der damit in Zusammenhang stehende Verzicht auf die Befriedigung des Lesers in Bezug auf sein Bedürfnis und sein Verlangen nach Identifikation mit dem Dargestellten[12] kommt deutlich in dem abrupten, fast willkürlich anmutenden Schluß des ersten Bandes zum Ausdruck. Der Autor gibt zu diesem ungewöhnlichen, die Illusion zerstörenden Durchschneiden des Handlungsfadens eine kurze, ironischerweise als viertes Kapitel gekennzeichnete Erklärung:

> IV
>
> Nichtsdestoweniger hatten sie nach etwa achtzehn Monaten ihr erstes Kind. Es geschah eben. Wie sich dies zugetragen hat, muß nicht mehr erzählt werden. Nach den gelieferten Materialien zum Charakteraufbau kann sich der Leser dies auch allein ausdenken. (S. 170).

Wir werden erinnert an den oben angeführten Vergleich des Romans mit einem naturwissenschaftlichen Experiment. Die Darbietung des Erzählten mutet an wie die Bereitstellung von Bedingungen, wie sie ein solches Experiment erfordern. Wie nun sehen, um im Bild des Experiments zu bleiben, jene Bedingungen aus? Das heißt: was ist die spezifische Eigenart des Brochschen Erzählens, wie ist die Welt seiner Personen und ihrer handlungsmäßigen Entfaltung beschaffen und wie wird innerhalb der Erzählung selbst die gedankliche Intention, der dieses Erzählen unterworfen ist, wirksam?

2. Die einzelnen Handlungsteile als „Exempla" der zeitsymtomatischen Entwicklungsreihe: Romantik – Anarchie – Sachlichkeit

Die notwendigen grundlegenden Voraussetzungen zum Verständnis dieses Abschnittes sind in der Einleitung bereits gegeben worden. Es wird unsere Aufgabe sein, zu zeigen, wie die dort thesenhaft aufgestellte Behauptung einer Abwertung des Erzählerischen zugunsten gedanklicher Intentionen in der konkreten Ausgestaltung der erzählerischen Teile des Romans sich realisiert. Diese Umschichtung der Funktion, die das Erzählen innerhalb des Romangebildes bei Broch erfährt und ihm den Charakter eines exemplums verleiht, schließt es nicht aus, daß der moderne Epiker imstande ist, eine Erzählwelt vor uns aufzubauen, die in ihrer Verknüpfung von naturalistischem Detail und sinnbildhafter Verdichtung die Illusion eines eigengesetzlichen Zusammenhangs hervorruft. Diese

[12] Auf diesen Punkt macht H. Arendt in ihrem Aufsatz: „Hermann Broch und der moderne Roman" aufmerksam. a. a. O. S. 148.

Tatsache allererst legitimiert den Rang des Werkes als sprachliches Kunstwerk. Mit Nachdruck hat zuletzt Richard Brinkmann auf den „Erzähler" Broch hingewiesen:

> In einzelnen Partien der „Schlafwandler", des „Versuchers", ja auch der „Schuldlosen" hat Hermann Broch zeigen können, mit welch souveräner Meisterschaft er überlieferte Prosastile, etwa des sogannten „realistischen" Romans zu handhaben versteht. Manche Abschnitte sind dem Besten der großen Prosaiker des 19. Jahrhunderts an die Seite zu stellen[13].

Es widerspricht also unserer Gesamtauffassung der „Schlafwandler" nicht, wenn wir nun dem „Erzähler" Broch folgen werden, es würde jedoch sofort das Bild verfälscht werden, wenn wir die enge Verbindung von Gedanke und Erzählung lockern wollten, die die Eigenart und die Richtung dieses Erzählens bestimmt. Die scheinbar eigenständige Erzählwelt steht unter dem Primat eines gedanklichen Schemas, und erst die Herausarbeitung des Verhältnisses dieser beiden Bereiche vermag uns Einblick zu gewähren in die innersten Strukturzusammenhänge dieses Romanexperiments.

a) Der erste Roman: „1888 – Pasenow oder die Romantik"

Der erste Roman „Pasenow oder die Romantik" spielt in dem schicksalhaft bedeutenden sogenannten „Dreikaiserjahr" 1888. Seine Personen, das Milieu, in das sie hineingestellt sind, und nicht zuletzt auch der Ort der Romanhandlung (Berlin und die Mark Brandenburg) entsprechen scheinbar jener Welt des ausgehenden 19. Jahrhunderts, wie sie uns Fontane in seinen Gesellschaftsromanen so eindrucksvoll beschrieben hat. Die auffallende Ähnlichkeit mit Fontane[14] liegt jedoch nicht nur im Atmosphärischen begründet, sie drängt sich auch bei einer genaueren Betrachtung des äußeren Handlungsablaufs von Brochs Roman auf, folgt dieser doch dem – für diese Zeit fast idealtypisch zu nennenden – Schema: der junge Offizier im Konflikt zwischen einer Liebesaffäre und einer standesgemäß-konventionellen Heirat, das Fontane seinem Roman „Irrungen, Wirrungen" zugrunde gelegt hat. Merkwürdig ist ferner die Tatsache, daß das Jahr 1888 zugleich das Erscheinungsjahr von Fontanes Roman ist. Ob damit der Charakter von Brochs Roman als einer geschichtsphilosophischen Kontrafaktur der Fontane-Welt durch eine bewußte Anspielung auf ein äußerliches Faktum dokumentiert werden sollte, möge hier offen bleiben.

Es fällt auf, daß der Österreicher Broch, auch darin unterscheidet er sich etwa von R. Musil und J. Roth, den Handlungsraum seines Werkes ins reichsdeutsche

[13] Richard Brinkmann. Romanform und Werttheorie bei Hermann Broch. a. a. O. S. 197.

[14] Auf sie ist bereits in den meisten Aufsätzen über Broch hingewiesen worden. Der Dichter selbst wollte davon nichts wissen. Er schreibt am 29. 1. 1931, auf die Schlafwandlerrezension von Paul Fechter in der Deutschen Allgemeinen Zeitung (14. 1. 1931) bezugnehmend, an seinen Verleger: „Ausgesprochen erbaulich ist aber nachgerade schon die Fontane-Walze, denn zu meiner Schande muß ich beschwören, daß ich niemals Fontane gelesen habe; immerhin kann man das Phänomen als Zeichen eines historischen Einfühlungsvermögens werten, das Fechter eben bei mir so sehr vermißt". Briefe. S. 45.

Gebiet verlegt hat. Die Wahl eines Schauplatzes (Berlin; in den späteren Romanen: Köln – Mannheim – Moseltal), der dem Dichter nicht aus dem angestammt-überlieferten, unmittelbaren Erleben, der spontanen Anschauung heraus zugänglich war, darf als ein aufschlußreicher Hinweis auf die erzählerische Grundhaltung der Distanz, mit der der Autor seinem Gegenstand gegenübertritt, gewertet werden. Diese Distanzhaltung des intellektuellen Beobachters, die ein wesentliches Element von Brochs Darstellungstechnik bildet, bringt ihn von vornherein in Gegensatz zu Fontane, der, bei aller kritischen Reserve seiner Zeit gegenüber, dennoch in seinem Werk ein auf Sympathie und Identifikation begründetes „Innen"bild seiner Epoche gegeben hat. Brochs Verfahren unterscheidet sich jedoch auch von dem lieblosen Zugriff des Satirikers, mit dem Heinrich Mann die Welt des wilhelminischen Kaiserreichs in dem Zerrspiegel seiner von politisch-erzieherischen Tendenzen beherrschten Romane aufgefangen hat. Brochs Methode der Darstellung hält gleichsam die Mitte zwischen diesen beiden extremen Polen einer auf Sympathie beruhenden Versenkung in den Gegenstand einerseits und einer ironisch-satirischen Verzerrung anderseits. Seine Gestalten sind mit jenem „liebevollen Haß" gesehen, von dem im ersten Abschnitt des „Pasenow" bei der Einführung von Joachims Vater die Rede ist. (S. 9). Der alte Widerstreit zwischen Österreich und Deutschland, Wien und Berlin, ist im Werk Brochs schöpferisch geworden; der geschärfte Blick des Österreichers für das Phänomen der Auflösung und des Zerfalls und die scheinbar in sich ruhende, sichere, wenn auch spannungsreiche und von starken Gegensätzen erfüllte Welt des deutschen Kaiserreichs bis zu seinem Ende 1918 sind in den „Schlafwandlern" in einer höchst reizvollen Erkenntnissymbiose vereinigt worden.

Im Mittelpunkt des ersten Romans steht der junge preußische Premierleutnant und Landjunker Joachim von Pasenow. In ihm hat Broch das Bild eines typischen Vertreters jenes Zeitgeistes und jener Zeitstimmung geben wollen, die er als „Romantik", in einem später noch genauer zu definierenden Sinne, bezeichnet. Weder von seiner persönlichen Anlage noch auch von der Eigenart seiner psychologischen Struktur her vermag Pasenow unser besonderes Interesse zu erregen. Sein Leben bewegt sich in jenen schablonenhaften Formen, wie sie für den Durchschnitt der damaligen jungen Offiziere als charakteristisch zu gelten haben. Die enge Bindung an Stand und Beruf ist versinnbildlicht in der Uniform, die zum lebenstragenden Gehäuse starrer Konventionen wird und für Joachim Sinn und Inhalt seiner Existenz zu sein scheint. Bei allem ereignislos Schablonenhaften seines äußeren Lebens jedoch „geschieht" etwas in diesem Roman, etwas, das Pasenow zwar unmittelbar betrifft, ohne jedoch recht eigentlich die bewußte Dimension seiner Existenz zu berühren. Er wird zum Schlafwandler und steht damit am Anfang einer Reihe von Gestalten in Brochs Roman, die alle auf ihre Weise von schlafwandlerischen Zuständen heimgesucht werden. Das Phänomen des Schlafwandelns, dem Brochs Roman seinen Titel verdankt und das dessen Hauptthema bildet, ist in der bisher vorliegenden Broch-Literatur noch nicht mit der genügenden Schärfe ins Auge gefaßt worden, so daß eine Klärung dieses für Brochs gesamtes Werk wichtigen Problems noch nicht erreicht worden ist. Wir werden später versuchen, am Beispiel der Gestalt August Eschs aus dem zweiten

Band der Beantwortung dieser Frage auf Grund einer möglichst exakten Einzelinterpretation der entscheidenden Schlafwandlerabschnitte näher zu kommen. An dieser Stelle sei nur auf einige Grundzüge dieses werkbestimmenden Phänomens hingewiesen, insofern dies als unerläßliche Voraussetzung des nun Folgenden notwendig erscheint.

Der Begriff „Schlafwandeln“ kennzeichnet in Brochs Roman eine bestimmte menschliche Erlebnis- und Erfahrensweise, die sich weder mittels logischer noch mittels psychologischer Kategorien zureichend erfassen und umschreiben läßt. Sie steht gleichsam an der Grenze des durch das Wort noch Mitteilbaren und ist die Reaktion auf den plötzlichen und unvermittelten Einbruch des Irrationalen in eine scheinbar rationale, geordnete und sichere Welt. Der Erfahrung dieses Einbruchs sind alle Schlafwandlergestalten in Brochs Roman ausgesetzt. Sie geraten dabei in einen Zustand der Entrückung, einen Zustand, in dem die Dinge ihre alltägliche Vertrautheit einbüßen, in dem sie dem Menschen auf unheimliche Weise nahe rücken und ihn zu überwältigen drohen oder aber ins Unfaßbar-Undeutliche, ins Ungreifbar-Unbestimmte verschwimmen und verdämmern. In einer trancehaften Überhöhung ihres bewußten Selbst erfahren die Schlafwandler die Auflösung und den Zerfall der Wirklichkeit; wie in einer hellseherischen Vision wird die Welt der „Ingenieure“ und „Demagogen“, wie es im zweiten Band heißt (S. 316), für sie transparent, sie enthüllt sich ihnen als regelloses, fremdartiges Ungeheuer und wird ins Gespenstisch-Unwirkliche verzerrt. Die vom Schlafwandeln überfallenen Gestalten dieses Romans geraten in jenen „anderen Zustand“, wie ihn R. Musil im zweiten Buch des „Mann ohne Eigenschaften“ beschrieben und mit den Erlebnissen und Erfahrungen der Mystiker in Zusammenhang gebracht hat[15]. In beiden Fällen, bei der Darstellung des Schlafwandelns in Brochs Roman wie bei der Erörterung des „anderen Zustands“ durch Ulrich und seine Schwester Agathe im „Mann ohne Eigenschaften“, begegnen wir einem Erlebniskomplex, der eine auffällige Verwandtschaft zum Vorgang des „Entwerdens“, wie er bestimmten Arten der Mystik angehört, aufweist[16].

[15] Robert Musil. Der Mann ohne Eigenschaften. a. a. O. S. 783. Vgl. vor allem: Kapitel 11 und 12 (Heilige Gespräche. Beginn; Heilige Gespräche. Wechselvoller Fortgang. a. a. O. S. 762–788; wichtig auch: S. 738–740.

[16] Während bei Musil ausdrücklich auf den mystischen Begriff des „Entwerdens“ hingewiesen wird (a. a. O. S. 769), finden wir in der Beschreibung des Schlafwandelns bei Broch, vor allem in dem entscheidenden Schlafwandlerabschnitt (S. 314–319), deutliche formale Anklänge an mystische Sprechweise und mystische Begriffssprache. So wird der „Beginn des Schlafwandelns“ mit dem Zustand desjenigen verglichen, „dem das Augenlicht zu versagen beginnt“ (S. 319), dem Ursinn des Wortes Mystik entsprechend (griech. μυεῖν: die Augen schließen; das Innewerden ohne sinnliche Erfahrung; in die Mysterien einweihen), der auf die Versenkung, den Abstieg ins eigene Innere bei gleichzeitiger Ablösung und Abkehr von den Dingen und Inhalten der äußeren Erfahrung hinzielt. (Zum „Augenschließen“ vgl. auch die Vision Pasenows während eines Militärgottesdienstes, auf die wir noch ausführlich zurückkommen werden. S. 121–123.) Das Wissen, das dem Schlafwandler in seinen traumhaft-ekstatischen Visionen zufließt, wird an einer anderen Stelle dieses Abschnitts als „das Wissen der Unwissenheit“ (S. 316) bezeichnet, eine das Wort und sein Ausdrucksvermögen übersteigende komplexe Erfahrungsquelle, die an die „docta ignorantia“ des Cusanus erinnert, wennschon der intentionale Bezug in

In gesteigerter Form werden wir diese mystische Erlebnisweise im „Tod des Vergil" wiederfinden. Auch Vergil darf in gewisser Hinsicht als Schlafwandler bezeichnet werden, auch sein Todesweg ist ein Weg des „Entwerdens", so wie auch seine Fieberträume und -visionen in den Trancezuständen der Gestalten aus Brochs erstem Roman bereits vorgebildet sind.

Das formale Äquivalent des von uns näher umschriebenen Schlafwandelns bildet eine eigentümliche, sich vom realistisch-naturalistischen Grundtenor der Darstellungstechnik in den „Schlafwandlern" scharf abhebende hymnisch-ekstatische Steigerung des Sprachtons, die wiederum auf die Stillage des späteren „Tod des Vergil" vorausweist. An den Höhepunkten hellsichtiger Entrücktheit, wo das personale Sein des Menschen auf die Stufe kindhafter Anonymität zurückzusinken scheint, wo die Isolation des Individuellen gesprengt wird und der Einzelne am Kollektiv-Unbewußten teilnimmt, in jenen Augenblicken traumhafter Entgrenzung setzt ein von jeglicher perspektivischen Gebundenheit befreites, entindividualisiertes musikalisches Strömen der Sprache ein, das aus einem Quellpunkt jenseits und über dem Handlungsgeschehen und seinen Trägern hervorbricht[17]. Der Mensch wird zur Maske, aus der ein ihm unfaßlicher, seinen Horizont weit übersteigender lyrisch-gedanklicher Inhalt heraustönt. Das schroffe Nebeneinander dieser hymnischen Schlafwandlerpartien und der eigentlich romanhaften Abschnitte in ihrer realistischen Gegenständlichkeit ist ein wesentlicher Grundzug der Formstruktur der „Schlafwandler". Während im „Tod des Vergil" die realistisch-gegenständliche Welt fast ganz in die monologische Denkbewegung Vergils eingeformt ist, werden die Schlafwandler beständig aus der ihnen vertrauten Wirklichkeit herausgerissen und in eine Traumwelt geführt, der sie vorerst zumeist hilflos und fassungslos gegenüberstehen. Sie leben in zwei Bereichen, dem der natürlichen, „normalen" und dem der visionär-phantastisch überhöhten Wirklichkeit, und alles Romangeschehen pendelt zwischen diesen beiden Ebenen hin und her. Das verleiht dem in Brochs Roman Dargestellten den Charakter einer „unwirkliche(n) Wirklichkeit", einer „wirkliche(n) Unwirklichkeit", wie es im dritten Band der Schreiber der Exkurse, der über das neue schlafwandlerische Wirklichkeitsbewußtsein reflektiert, ausdrückt. (S. 608). Diese Gesamtatmosphäre verbindet den Roman Brochs mit denen Franz Kafkas. Dennoch muß hier sofort auf einen grundlegenden Unterschied zwischen beiden hingewiesen werden. Die phantastisch-überreale Traumwelt Kafkas ist in sich geschlossen, sie folgt als Ganzes einer ihr eigenen, immanenten Logik, während das Kennzeichen der Welt Brochs, wie er sie in den „Schlafwandlern" dargestellt hat,

beiden Fällen ein völlig anderer ist. Endlich sei noch auf die Namenssymbolik hingewiesen. Im Zustand des Schlafwandelns verlieren sowohl die Dinge als auch die Menschen ihren „Namen", sie sinken zurück auf die Stufe der Namenlosigkeit, der undefinierten Anonymität, aus der sie erst durch die „richtige" Namengebung, die an die Stelle der normalen „falschen" tritt, erlöst werden. (S. 318/319). Auch im „Tod des Vergil" spielt diese Namensymbolik eine wichtige Rolle.

[17] Beispiele: S. 314–319; 326–328; 334–340. Vgl. dazu: E. Kahler. Broch. Gedichte. a. a. O. S. 19; R. Brinkmann. Romanform und Werttheorie bei Hermann Broch. a. a. O. S. 178.

gerade die ständige Durchbrechung des einen Wirklichkeitsbereichs zugunsten eines anderen ihn überhöhenden und aufhebenden ist[18]. Frank Thiess hat diese Verwandtschaft Brochs mit Kafka sowie das beide Trennende treffend umschrieben:

> Man hat versucht, Kafkas Kompositionstechnik zu übernehmen, doch was dabei herauskam, war zumeist ausgedachtes und schemenhaftes Zeug ohne jede Plausibilität, denn es ist nichts schwerer, als die Gesetze der Irrealität mit denen der sinnhaften Welt zu verbinden. Hermann Broch ist es gelungen, seine Werke in einem Zwischenreich zwischen naturalistischer Wirklichkeit und Irrealität anzusiedeln, aber weit und breit scheint er mir der einzige zu sein, der es zustande bringt, daß seine Gestalten sich im naturalistischen Rahmen bewegen, obwohl sie in ihren psychologischen Reaktionen nach Gesetzen handeln, die nicht in ihnen, sondern im Kunstwerk verankert sind[19].

Kehren wir zu Joachim von Pasenow und seiner schlafwandlerischen Erfahrung des Irrationalen zurück. Man könnte versucht sein, die Art, in der sich die Spaltung der Pasenowschen Welt vollzieht, mit psychopathologischen Kategorien zu umschreiben. Ichspaltung, Kontaktverlust mit der Außenwelt, Wahnbilder, die in der Form von Zwangsneurosen Joachim überfallen, würden einen eindeutigen klinischen Befund ermöglichen. Wir haben es hier jedoch nicht mit einer psychopathologischen Studie zu tun, wenngleich dies eine weitgehende Entlehnung und Benutzung psychologischer und psychoanalytischer Erkenntnisse von seiten des Autors nicht ausschließt[20]. Die Eigenart des Bildes, das wir von Pasenow erhalten, ist vielmehr durch eine höchst eigentümliche Diskrepanz zwischen seinem psychologischen Charakter und dessen traumhafter Überhöhung gekennzeichnet. Individuelle Psychologie und überindividuelle, metapsychologische Verhaltensweisen stehen einander gegenüber und geben der Gestalt Pasenows jenen Doppelcharakter, von dem bereits oben die Rede war.

[18] Eine Bestätigung dieser Behauptung finden wir in dem Broch-Aufsatz von Walter Jens. Dort heißt es: „Für Kafka war der Alltag selbst von Mystizismus erfüllt, Broch brauchte die Requisiten von Liebe und Tod. Kafkas Paradox lag in der Realität, Broch benötigte Wunder und Träume, Entrückung und Schlafwandeln. Kafka kannte nur eine Welt und eine Perspektive, Broch wechselte die Stile." Statt einer Literaturgeschichte. S. 121.

[19] Frank Thiess. Zum Gestaltwechsel des Romans. In: Die Wirklichkeit des Unwirklichen. Untersuchungen über die Realität der Dichtung. Hamburg 1954. S. 32.

[20] Sehr treffend hat zu diesem Problem R. Brinkmann Stellung genommen: „Man könnte meinen, wenn man das so liest, diese Romane von Broch seien nichts anderes als dargestellte Psychologie, Tiefenpsychologie, Psychoanalyse und dergleichen. Gewiß spielen diese Dinge bei Broch, nicht nur in den ‚Schlafwandlern', eine bedeutende Rolle, und ohne sie sind die Bücher nicht denkbar. Aber man braucht, um den Kern zu verstehen, nicht Tiefenpsychologie zu studieren. Mit Freud, Jung, Kerényi, die Broch freilich kannte, lassen sich viele der Bilder und Zusammenhänge in allen Werken Brochs e r k l ä r e n, aber zum V e r s t e h e n dieser Dichtungen im ganzen reichen solche Erklärungen nicht aus; denn Broch geht es um mehr als Psychologie, um mehr als die Erkenntnis des Unbewußten, des kollektiven Unbewußten auch, im Sinne reiner Psychologie. Die Phänomene der Psychologie, richtiger: der Psyche, sind ihm nur Hinweis auf Wesentlicheres, zutiefst Wirkliches, Ontisches. Broch ist weit entfernt von experimenteller Neugier, wie sie vielleicht manche Werke des überkommenen psychologischen Romans kennzeichnet." Romanform und Werttheorie bei Hermann Broch. a. a. O. S. 180.

Der Roman beginnt mit einer vorwiegend an die erinnernde Rückschau Joachims gebundenen Einführung in die Familienverhältnisse der v. Pasenows. Der alte, etwas senile und lüsterne Vater Joachims, dessen Verhältnis zu ihm, das sich in der für diese Generation besonders typischen Form des Vater-Sohn-Komplexes darstellt, die vom Vater wie vom Pastor zur „Königin Luise" stilisierte Mutter, der militärische Onkel Bernhard, Joachims Bruder Helmuth: das alles fügt sich zum atmosphärisch erfüllten, wenn auch eigenwillig gesehenen Bild einer preußischen Gutsbesitzersfamilie, deren höchstes Emblem das „Eiserne Kreuz" ist, „das im großen Salon unter Glas und Rahmen hing." (S. 10). Die eigentliche Handlung setzt ein mit einem Besuch Joachims mit seinem Vater im „Jägerkasino", wo er mit dem tschechischen Animiermädchen Ruzena bekannt wird. Zwischen beiden entspinnt sich ein freies Liebesverhältnis, in dessen Verlauf dem jungen Leutnant der feste Halt durch Stand, Beruf und Konvention zu entgleiten droht. Der dunklen, regellosen, unkonventionellen und unsicheren Welt, die sich Joachim im Erlebnis mit Ruzena eröffnet, steht die lichte, makellose und reine Welt Elisabeths, seiner zukünftigen Frau, der einzigen Tochter und Erbin eines benachbarten und befreundeten Landbesitzers, gegenüber. Neben der Beziehung Joachims zu diesen beiden Frauen, die ihre natürliche und konfliktlose Lösung in der „konventionellen" Heirat mit Elisabeth findet, steht als weiteres handlungstragendes Element seine Freundschaft mit Eduard v. Bertrand, einem ehemaligen Offizier, der die Uniform mit dem Zivil vertauscht hat und Kaufmann geworden ist.

Es erübrigt sich, den äußeren Handlungsablauf des „Pasenow" im einzelnen nachzuzeichnen. Er entbehrt jeglicher Originalität, folgt einem traditionellen Typus, und der Autor hat fast ganz auf die im eigentlichen Sinne spannungserzeugenden Elemente verzichtet, so daß das spezifisch „Romanhafte" hier ad absurdum geführt zu sein scheint. Stofflich und handlungsmäßig also bietet der Roman nichts, was unsere Aufmerksamkeit im besonderen Maße fesseln könnte, und auch der „naive" Romanleser wird dieses erste Buch der Romantrilogie wohl halb enttäuscht und halb befremdet vorerst aus der Hand legen. Das Befremden, das einen Leser, der vom traditionellen Roman des 19. Jahrhunderts und auch von den bereits ironisch gebrochenen Romanen Thomas Manns herkommt, bei der Lektüre des „Pasenow" von Broch erfüllt[21], ist durchaus berechtigt und führt uns unmittelbar zu der entscheidenden Frage nach der Eigenart des Brochschen Erzählens, wie sie schon im ersten Band, trotz der scheinbaren Anlehnung an einen traditionellen Erzählstoff und Erzählstil, klar in Erscheinung tritt. Das bestürzend Neue, die revolutionäre Andersartigkeit des Brochschen Romans liegt nicht im dargebotenen Stoff begründet, sondern in der Art, wie hier ein bekanntes und vertrautes Sujet behandelt worden ist. Damit aber rückt das Formproblem der „Schlafwandler" in einer Weise in den Vordergrund, wie dies etwa bei der Erörterung traditioneller Romane des 18. und 19. Jahrhunderts nicht unbedingt der Fall zu sein braucht. Der „moderne" Roman des 20. Jahrhunderts ist –

[21] Vgl. R. Brinkmann. Romanform und Werttheorie bei Hermann Broch. a. a. O. S. 172/173.

auch und gerade dort, wo die Zerstörung und Auflösung der Form als das Charakteristikum seines äußeren Erscheinungsbildes bezeichnet werden kann – vor allem Formkunst in einem so extremen Sinne der Unterordnung des Dargebotenen unter die Darbietungsform, wie dies für den traditionellen Typus des Romans undenkbar erscheint.

Die Welt der Fontaneschen Gesellschaft, wie sie Broch im „Pasenow" vor uns aufbaut, ist hier nicht um ihrer selbst willen geschildert, sondern einem Perspektivismus unterworfen, der sie unter eine zeit- und sachfremde Beleuchtung stellt. Vergleichen wir etwa den „Pasenow" mit einem Roman Fontanes, so fällt bei Broch sofort eine, gemessen an dem Fontaneschen Erzählstil, eigenartige Diskrepanz von Form und Inhalt auf; die Kriterien, die diesem modernen Erzählen zugrunde liegen, sind nicht dem Erzählgegenstand selbst entnommen, sondern von außen an ihn herangetragen. Der Gegenstand wird gleichsam überfordert durch die höchst komplizierte, wissenschaftlich verfeinerte, komplexe Optik, mit der er eingefangen worden ist. So entsteht ein vielfältig verzerrtes und verfremdetes Bild der deutschen Gesellschaft um 1888, das Resultat einer Darstellungstechnik, der man nur gerecht wird, wenn man die ihr zugrundeliegende erzählerische Intention ins Auge faßt[22]. Die erzählerische Absicht Brochs aber ist gerichtet auf die Unterordnung des Erzählstoffs unter die Erzählperspektive analog einem naturwissenschaftlichen Experiment, bei dem ja gleichfalls der Gegenstand nur in den Modifikationen der jeweiligen Befragungskonstellation erscheint[23]. Diese auf „Erkenntnis" abzielende erzählerische Grundhaltung der kritischen Distanz, die mit der „ironischen" Erzählhaltung Thomas Manns, dem es ja ebenfalls um „Erkenntnis" geht[24], verglichen werden kann, jedoch noch einen ent-

[22] Das gilt in ähnlicher Weise auch für den „Tod des Vergil". Unter diesem Gesichtspunkt werden alle Vorwürfe, die man den „Schlafwandlern" und dem „Tod des Vergil" hinsichtlich der historischen „Echtheit" der in ihnen dargestellten Zeitepochen gemacht hat, gegenstandslos.

[23] In besonderem Maße gilt das für den Bereich der modernen Physik, die in bewußter Abgrenzung gegen die klassische Physik die Frage nach dem „Beobachter" im physikalischen Experimentierfeld neu gestellt hat und so zu einer grundsätzlich anderen Bestimmung des alten Problems der Beziehung von Subjekt-Objekt gelangt ist. (Vgl. die Heisenbergsche Unsicherheitsrelation) Broch hat sich gerade mit diesem Problem intensiv befaßt. Noch im Jahre 1947 schreibt er an den Mathematiker Hermann Weyl: „Seit etwa dreißig Jahren plage ich mich mit der Frage des ‚Beobachters im Beobachtungsfeld', einer Frage, die mir eben an der Relativitätstheorie aufgegangen ist, und an der ich auch gelernt habe, daß mit positivistischen Mitteln da kein Auslangen zu finden ist." Briefe. S. 369. Vgl. auch: Schlafwandler. S. 597; Essays. Bd. 1. S. 197; Bd. 2. S. 87; Briefe. S. 15; 355/356.

[24] Vgl. F. Martini. Das Wagnis der Sprache. a. a. O. S. 178. Martini weist auf Thomas Manns Aufsatz: „Über die Lehre Spenglers" (1924) hin. In Bezug auf unseren Zusammenhang heißt es dort: „Man liest gierig. Und nicht zu seiner Zerstreuung und Betäubung tut man es, sondern um der Wahrheit willen und um sich geistig zu wappnen. Deutlich tritt die im engeren Sinne ‚schöne' Literatur im öffentlichen Interesse zurück hinter die kritisch-philosophische, den geistgen Versuch. Richtiger gesagt: eine Verschmelzung der kritischen und dichterischen Sphäre, inauguriert schon durch unsere Romantiker, mächtig gefördert durch das Phänomen von Nietzsches Erkenntnislyrik, hat sich weitgehend vollzogen: ein Prozeß, der die Grenze von Wissenschaft und Kunst ver-

scheidenden Schritt über sie hinausgeht, steht in einem eigentümlichen Spannungsverhältnis zur Technik der erzählerischen Vergegenwärtigung selbst, die gerade auf die Aufhebung der Distanz zwischen dem Werk und dem Leser gerichtet ist. Während einerseits der Autor seinem Gegenstand mit der kritischen Distanz des intellektuellen Beobachters gegenübersteht, will er anderseits den Leser in distanzlos unmittelbaren Kontakt mit der dargestellten Welt und ihren Gestalten bringen, ihn – in Analogie zur Relativitätstheorie – als „idealen Beschauer“ in das Beobachtungsfeld selbst introduzieren[25].

R. Koskimies hat in seiner „Theorie des Romans“ drei grundsätzlich voneinander unterschiedene Darstellungsmethoden aufgeführt, die nach seiner Meinung den Umfang des in der Epik technisch Möglichen decken. Er schreibt:

> Die Entscheidung für das einfachste Kompositionsverfahren bedeutet eine Auswahl unter drei „Methoden“. Der Romanschriftsteller kann sozusagen historisch oder episch schreiben, d. h. von seinen Figuren in der dritten Person erzählen. Zweitens kann er in der ersten Person berichten, d. h. einen sogenannten Ichroman abfassen. Drittens steht es ihm frei, seine Erzählung durch „Beweisstücke“, d. h. Briefe, Tagebücher u. a. wiederzugeben[26].

Keine dieser drei von Koskimies unterschiedenen „Methoden“ entspricht der von Broch in den „Schlafwandlern“ angewandten Darstellungstechnik. Broch benutzt vielmehr eine vierte, von Koskimies nicht gesehene Möglichkeit, indem er die Romangestalten sich selbst erzählen läßt. Er folgt damit einem Weg, den vor ihm, wenn wir von vereinzelten früheren Experimenten absehen wollen[27], vor allem James Joyce in seinem „Ulysses“ und Virginia Woolf in ihren Romanen gegangen sind[28]. Erich Auerbach hat in seiner Interpretation von Virginia Woolfs Roman „To the Lighthouse“ (1927) diese Darstellungstechnik näher charakterisiert:

> Der Schriftsteller als Erzähler von objektiven Tatbeständen tritt fast ganz zurück; fast alles, was gesagt wird, erscheint als Spiegelung im Bewußtsein der Personen des Romans. Wenn es sich etwa um das Haus, oder um das Schweizer Dienstmädchen handelt, so wird uns nicht die objektive Kenntnis vermittelt, welche Virginia Woolf von diesen Gegenständen ihrer schöpferischen Einbil-

wischt, den Gedanken erlebnishaft durchblutet, die Gestalt vergeistigt und einen Buchtypus zeitigt, der heute bei uns, wenn ich nicht irre, der herrschende ist und den man den ‚intellektualen Roman‘ nennen könnte.“ Altes und Neues. Kleine Prosa aus fünf Jahrzehnten. Frankf. a. M. 1953. S. 143.

[25] Vgl. die obige Anmerkung. S. 72, Anm. 23.

[26] R. Koskimies. Theorie des Romans. a. a. O. S. 184/185.

[27] Vgl. Erich Kahler. Untergang und Übergang der epischen Kunstform. a. a. O. S. 33f.

[28] Als Vorform dieser Darstellungstechnik darf der sogenannte „Briefroman“ gelten. Auch hier tritt an die Stelle des Erzählers, der zumeist nur noch als Herausgeber fungiert, die sich im Spiegel des Briefes selbst erzählende Romanfigur. Vor allem bei denjenigen Briefromanen, in denen mehrere Briefschreiber sich selbst und ihre Partner bespiegeln, wird ein darstellerischer Effekt erreicht, der demjenigen, auf den der „moderne“ Roman hinzielt, sehr ähnlich ist: die Wiedergabe einer Pluralität von Weltaspekten mittels verschiedener, sich überlagernder Erzählperspektiven. Eine Abart dieser Methode ist die „Dokumentationstechnik“, wie sie in jüngster Zeit Thornton Wilder in seinem Roman „The Ides of March“ (1948) durchgeführt hat. Vgl. hierzu meinen Aufsatz „Der deutsche Briefroman. Zum Problem der Polyperspektive im Epischen. In: Neophilologus 44 (1960), S. 200–207.

> dungskraft besitzt, sondern dasjenige, was Mrs. Ramsay in einem bestimmten Augenblick darüber denkt oder empfindet.

Diese Darstellungstechnik hat zur Folge:

> daß ein Standpunkt außerhalb des Romans, von dem aus die Menschen und Ereignisse innerhalb desselben beobachtet werden, gar nicht zu existieren scheint, ebensowenig wie eine objektive, von dem Bewußtseinsinhalt der Personen des Romans verschiedene Wirklichkeit[29].

Das hier über Virginia Woolf Gesagte gilt, mit gewissen Einschränkungen, über die noch zu sprechen sein wird, auch für Brochs „Schlafwandler". Die Subjektivierung der Wirklichkeit[30] läßt diese als in verschiedene Segmente zerteilt erscheinen, die sich aus den jeweiligen individuellen Assoziationen und Reaktionen aufbauen. So ist gleich zu Beginn des „Pasenow" das aus Erinnerungsfragmenten sich zusammensetzende Bild seiner Familie in eigentümlich-befremdlicher Weise durchsetzt mit Vorstellungen wie Verrätertum, Heuchelei und Verbrechen, die aus dem Textzusammenhang heraus unmotiviert erscheinen und ihren Ursprung in den Wahn- und Zwangsvorstellungen Joachims haben. Die Welt, die Menschen, ihre Beziehungen zueinander: alles scheint einer höchst subjektiven Interpretation unterworfen zu sein, kein objektiver Standpunkt vermag dem Leser epische Distanz und damit Sicherheit zu bieten, er gleitet ab in einen Bereich dunkler und rätselhafter Zusammenhänge, in dem die normale Logik ihre Herrschaft eingebüßt hat. Die schlafwandlerische Grunderfahrung Joachims, die beginnende Auflösung einer festgeglaubten Wirklichkeitsstruktur, sie tritt dem Leser nicht als etwas von außen Beschriebenes, mit epischer Distanz Geschildertes entgegen, sondern der Leser selbst wird in diesen Erfahrungskomplex hineinverwandelt und erlebt ihn schwindelnd aus der Perspektive Joachims heraus mit. Diese Technik der perspektivisch durch das Medium der einzelnen Romanfiguren sich aufbauenden Erzählung hat zur notwendigen Folge, daß die Gestalten nicht nur sich selbst erzählen, sondern auch ihre Partner, ihre Mit- und Gegenspieler, so daß in den wechselseitigen Bewußtseinsspiegelungen die verschiedenen Perspektiven sich überschneiden und überlagern. Keines der so entstehenden Bilder, etwa einer Person, eines Gegenstandes oder einer Landschaft, hat Anspruch auf „Wahrheit". So, wie es für die verschiedenen Romanfiguren keine allgemeinverbindliche, objektive „Wirklichkeit" mehr gibt, so fehlt auch dem Leser ein objektives Kriterium der Beurteilung des Romangeschehens, wie es durch die Anwesenheit eines Erzählers gegeben ist[31]. Das Nichtbeachten dieser auf Pluralität der

[29] Erich Auerbach. Mimesis. Dargestellte Wirklichkeit in der abendländischen Literatur. Bern 1946. S. 475.

[30] Auf sie macht auch H. Arendt in ihrem Aufsatz „Hermann Broch und der moderne Roman" aufmerksam. A. a. O. S. 148.

[31] Das Problem des Verlustes der epischen „Sicherheit" durch das „Verschwinden des eigenwertigen Erzählers" hat Wolfgang Kayser in seiner Schrift „Entstehung und Krise des modernen Romans" aufgeworfen. (2. Aufl. Stuttgart 1957) Kayser beschließt seine Ausführungen mit der normativen Feststellung: „Der Tod des Erzählers ist der Tod des Romans" (S. 34) und verläßt damit den Boden einer historischen Betrachtungsweise, die allein von der jeweiligen zeitbestimmten Gestalt des Kunstwerks her nach dem Wesen einer Dichtungsgattung zu fragen hat und nicht befugt ist, in der Form poetologischer

Aspekte zielende Darstellungsweise kann verhängnisvolle Fehlurteile in Bezug auf die Wertung einzelner Gestalten oder Episoden im Gefolge haben, wie wir sie allenthalben in der bisher vorliegenden Broch-Literatur finden können. Der Perspektivismus der Darstellungstechnik, der es uns zur Aufgabe macht, jeden Satz in den „Schlafwandlern" auf den Textzusammenhang, in dem er steht, zu prüfen, erstreckt sich sogar auf die Exkurse des dritten Bandes, die bisher von sämtlichen Broch-Interpreten, wenn auch mit einem gewissen Recht, als unmittelbares Wort des Dichters aufgefaßt worden sind.

Das formale Korrelat dieser vielperspektivischen Darstellungstechnik ist der überaus häufige Gebrauch der Stilformen der „erlebten Rede" und des „inneren Monologs". Diese Stilmittel, vor allem die „erlebte Rede", finden wir auch bereits in der traditionellen Epik; vor allem der Impressionismus und der von einem erwachenden Interesse an der nuancierten seelischen Innenteleskopie getragene psychologische Roman seit Flaubert hat sich die durch sie ermöglichten darstellerischen Effekte reichlich zunutze gemacht[32]. Doch erst im modernen Roman, vor allem in der Form, wie er durch M. Proust, J. Joyce und V. Woolf repräsentiert wird, tritt die Technik der „erlebten Rede" und des „inneren Monologs" beherrschend in den Vordergrund, ist sie doch das adäquate Mittel zur Erreichung einer auf Vielschichtigkeit und Pluralität der Aspekte gerichteten Darstellungsabsicht. Die durch sie bewirkte Subjektivierung der Wirklichkeit, die Verlagerung der Erzählperspektive in die jeweils sprechende, denkende, fühlende, monologisierende Figur, das Hineinschlüpfen des Autors in seine Gestalten: diese Aufgabe eines überlegenen, allwissenden, allgemeinverbindlichen Standortes, von dem aus erzählt wird, bedeutet zugleich die weitestmögliche Form der epischen Objektivierung und bringt diese Technik in die Nähe zur dramatischen Darstellungsmethode[33]. Indem die Gestalten sich selbst erzählen und der Leser sukzessiv nur soviel von ihnen erfährt, wie sie selber über sich wissen, verselbständigen sie sich und beginnen ein beängstigendes und unkontrolliertes Eigenleben zu führen. Am konsequentesten hat Virginia Woolf diese Technik in ihren Romanen durchgeführt. Sowohl bei Joyce, dessen „Ulysses" keineswegs nur im „inneren Monolog"

Unduldsamkeit das innerhalb einer Gattung Mögliche von sich aus festzusetzen und zu bestimmen. Diese normative Haltung Kaysers in Bezug auf den modernen Roman kommt auch in seinem Werk: „Das sprachliche Kunstwerk" zum Ausdruck. Vgl. W. Kayser. Das sprachliche Kunstwerk. 3. Aufl. Bern 1954. S. 365. – Zur Kritik an W. Kayser vgl. Franz Stanzel. Die typischen Erzählsituationen im Roman. Dargestellt an Tom Jones, Moby-Dick, The Ambassadors, Ulysses u. a. Wien-Stuttgart 1955. S. 95f. = Wiener Beiträge zur Englischen Philologie LXIII. Band.

[32] Vgl. Werner Neuse. „Erlebte Rede" und „Innerer Monolog" in den erzählenden Schriften Arthur Schnitzlers. In: PMLA. Vol. XLIX. No. 1. S. 327–355.

[33] Eine treffende Charakterisierung des Stilmittels der „erlebten Rede" gibt Hugo Friedrich: „Der Erzähler tritt nicht neben seine Gestalten, sondern er schlüpft in sie hinein, derart, daß ihre Weltschau seine Weltschau wird. Eben diese Aufhebung einer Personalzweiheit erzeugt jenes Mittel der „erlebten Rede", das eines der stärksten Mittel der epischen Objektivierung ist, die auf den gekennzeichneten Übergang von der Erzählung zur Rede umso eher verzichtet, als er ein Arrangement wäre und an den arrangierenden Erzähler erinnern würde." (Hugo Friedrich. Die Klassiker des französischen Romans. Lpz. 1939. S. 124).

geschrieben ist, als auch bei Broch ist sie nur ein Element innerhalb eines komplexen erzählerischen Ganzen, das gerade durch die Anwendung einer Vielheit von darstellerischen Methoden, Stilformen, dichterischen Gattungen usw. charakterisiert ist[34]. R. Brinkmann hat diesen Aspekt des Brochschen Erzählstils, der auf die perspektivische Aufspaltung der dargestellten Wirklichkeit in die einzelnen Romanfiguren gerichtet ist, folgendermaßen umschrieben:

> Hermann Broch liefert sich und die Dinge, die Welt, sofort rückhaltslos den Menschen aus, die er darstellt. Er fungiert an kaum einer Stelle der Form nach wirklich als objektiver Erzähler, auch nicht – wenn man die paradoxe, aber der Sache entsprechende Ausdrucksweise richtig verstehen will – auch nicht als der ironisch-subjektiv darstellende oder urteilende objektive Erzähler. Die sogenannte Wirklichkeit, die Welt, erscheint immer nur in der Form des Bewußtseins der Menschen, die ihr begegnen, ja sie k a n n nur so erscheinen. Wenn keine Menschen auf dem Plan sind, so hypostasiert Broch alsobald denkbare Subjekte, und er gibt die Dinge in der Form ihrer möglichen, vorstellbaren Bewußtseinsreaktionen[35].

Wir können dieser Behauptung R. Brinkmanns nur bedingt zustimmen. Sie verabsolutiert e i n e n Aspekt der Brochschen Darstellungstechnik und übersieht die Tatsache, daß daneben in den „Schlafwandlern" völlig andersgeartete, ja entgegengesetzte Techniken und Methoden zur Anwendung gelangen. Ganz allgemein darf gesagt werden, daß in den beiden ersten Romanen der Schlafwandlertrilogie die Technik der perspektivischen Aufsplitterung der Wirklichkeit in einzelne subjektive Segmente dominiert, denn auch dort, wo scheinbar objektiv beschreibend erzählt wird, geschieht dies nicht vom Standpunkt des Autors, sondern – hier können wir uns an die Formulierung R. Brinkmanns anschließen – in der Form „möglicher ... Bewußtseinsreaktionen ... hypostasierter ... denkbarer Subjekte", die als neutrale Beobachter im Unbestimmten und Anonymen verbleiben. Im dritten Band dagegen nimmt der Autor, wenn auch unter der Maske Bertrands, des Schreibers der Exkurse, in zunehmendem Maße die Zügel der Erzählung in die Hand und mischt sich als herrischer Kommentator in das Erzählgeschehen ein. Die „Geschichte des Heilsarmeemädchens in Berlin", in der Ich-Form eines persönlichen Erzählers geschrieben, wird zur perspektivischen Mitte eines vielschichtigen und komplizierten Handlungsaufbaus, der nun einem festen erzählerischen Standort unterworfen ist, indem eine der mithandelnden Personen des Romans aus der epischen Objektivität heraustritt und die Rolle des rückschauenden und gleichzeitigen Interpreten der Erzählung übernimmt.

Die Gestalt Bertrands, die damit beherrschend in den Mittelpunkt tritt, ist bereits im „Pasenow" der geheime Motor der Romanhandlung und der geheime Fluchtpunkt aller divergierenden Perspektiven. Die bisher vorliegende Broch-Literatur hat der Gestalt Bertrands kaum Beachtung geschenkt, und es wird unsere Aufgabe sein, ihre zentrale Bedeutung nicht nur für die „Schlafwandler"[36],

[34] Vgl. die Einleitung zum dritten Band der „Schlafwandler" in unserer Arbeit (S. 130ff.).

[35] R. Brinkmann. Romanform und Werttheorie bei Hermann Broch. a. a. O. S. 173.

[36] Broch selbst weist in einem Brief vom 7. Juni 1930 an seinen Verleger auf die „zentrale Stellung Bertrands für alle drei Teile" hin und wollte nicht ohne Grund „ur-

sondern für das gesamte Werk Brochs herauszuarbeiten. Unsere Interpretation des „Pasenow" wird daher mit der Erörterung des wichtigen Verhältnisses zwischen Joachim von Pasenow und seinem seltsamen Freund, dem ehemaligen Kameraden aus der Kriegsschule und „jetzigen" Kaufmann Eduard von Bertrand beginnen.

Gerade bei der Beurteilung Bertrands, der Schlüsselfigur von Brochs Roman, werden die oben aufgezeigten Bedingungen, Vorbehalte und Möglichkeiten, wie sie aus der Technik der perspektivischen Bewußtseinsspiegelung erwachsen, wirksam. Bertrand ist nicht zuletzt darum die am schwersten deutbare und vielschichtigste Figur innerhalb des so figurenreichen Gesamtromankomplexes der „Schlafwandler", weil er uns in den ersten beiden Bänden vornehmlich nur in den Bewußtseinsreaktionen Pasenows und Eschs entgegentritt, so daß sein Bild sich in Relationen aufbaut, die das „wahre" Wesen dieser Gestalt eigentümlich in der Schwebe belassen oder aber es ins Überlebensgroße und Groteske verzerren. Diese Technik führt im zweiten Band so weit, daß die Situationen, in denen Bertrand auftritt und spricht, sich ins scheinbar nur noch Fiktive einer subjektiven Imagination auflösen. Die entscheidende Begegnung zwischen Esch und Bertrand im zweiten Band steht unter diesem zwielichtigen Modus der Wirklichkeitsauffassung und -darstellung.

Bertrand ist es, der das Erlebnis der Unsicherheit, der Fragwürdigkeit und Brüchigkeit seiner bisherigen Lebensform in Joachim auslöst. Als Zivilist steht er außerhalb jener festumgrenzten Ordnung, in der Pasenow lebt und die ihm Halt und Sicherheit bedeutet. Diese Ordnung ist jedoch nichts Selbstverständliches mehr, an ihr nagen bereits unterirdisch die Kräfte der Auflösung, und Pasenow, der dies alles dunkel spürt und sich gerade diesem unklaren Wissen zum Trotz in die Welt der Uniform geflüchtet hat, sieht in der bloßen Existenz des „Zivilisten" Bertrand eine Bedrohung der eigenen, krampfhaft festgehaltenen „Sicherheit". In fast sklavischer Abhängigkeit kreisen seine Gedanken beständig und wie gebannt um den Komplex „Bertrand":

> ohne äußeren Anlaß hatte er den Dienst quittiert und war in einem fremdartigen Leben verschwunden, im Dunkel der Großstadt verschwunden, wie man so sagt, in einer Dunkelheit, aus der er bloß hin und wieder auftauchte. Traf man ihn auf der Straße, so war man immer ein wenig unsicher, ob man ihn grüßen dürfe, denn[37] in dem Gefühl, einem Verräter gegenüberzustehen, der etwas, das ihrer aller gemeinsamer Besitz gewesen war, hinüber auf die andere Seite des Lebens getragen und es dort preisgegeben hatte, fühlte man sich auch irgendwie schamlos und nackt drüben ausgestellt, während Bertrand selber von seinen Motiven und seinem Leben nichts preisgab und von der stets gleichen freundlichen Verschlossenheit blieb. (S. 21).

Der gleichsam durch alle Konvention ungesicherte, „verschlossene" Freund bedeutet für Joachim Beunruhigung, Verführung und trostvolle Geborgenheit zugleich. Das geheimnisvolle Bild dieses Mannes ist der Fixpunkt, von dem die wirren, sprunghaften und ungeordneten Selbstgespräche Joachims ihren Ausgang

sprünglich ... den Roman auch ‚Bertrand' nennen", hielt dann aber „den jetzigen Titel buchhändlerisch für besser". Briefe. S. 21.

[37] Im Text: „den"; offenbar Druckfehler. Eigene Verbesserung in „denn".

nehmen und zu dem sie immer wieder zurückkehren. Dabei wechseln die Bezeichnungen, mit denen Joachim sich über den ihm so fremdartigen „Freund“ Klarheit zu verschaffen sucht, und bauen in seinem inneren Monolog ein facettenreiches Bild Bertrands vor uns auf. Neben Bertrand dem „Verräter“, der die Welt der Uniform ans „Zivilistische“ verraten hat, steht Bertrand der „Versucher“ (S. 150), der „Verführer“ (S. 130), der „Abenteurer“ (S. 27), der „agent provocateur“ (S. 156), der „Schauspieler“ (S. 72) und der „Mephisto“ (S. 71, 121, 132, 167). Die am häufigsten vorkommende und wichtigste Umschreibung aber, die Bertrand im Bewußtsein Joachims erfährt, ist die des „Arztes“[38]. Diese Bezeichnung ist aufschlußreich, sie hilft uns, eine wichtige Funktion Bertrands zu erkennen. Die dem Arzte eigene Distanzhaltung, sein Wissen um die Krankheit und die damit gegebene relative Überlegenheit ihr gegenüber sind Züge, die, erweitern wir den Begriff der Krankheit zu seinem allgemeinsten Sinne, genau das Verhältnis Bertrands zu Pasenow und darüber hinaus zu seiner Zeit überhaupt charakterisieren. So ist es Bertrand, der das gedankliche Thema des ersten Romans, das Thema der „Romantik“, anschlägt. In der von ihm als Romantik bezeichneten seelischen und geistigen Haltung sieht er das Wesen und die „Krankheit“ seiner Zeit verkörpert, einer Haltung, die er zum Gegenstand von Reflexionen macht, die bereits den Ton der Exkurse aus dem dritten Band tragen und auf die gedankliche Präzision und Unerbittlichkeit des späteren Essayisten vorausweisen[39]. Dabei treten uns diese Überlegungen wiederum nur perspektivisch gebrochen durch das Medium von Joachims abwehrenden Reaktionen entgegen[40], so daß sie hier noch, verglichen mit der definitiven Aussage der Exkurse, in einer

[38] Vgl. „Der Argwohn Joachims, daß die rasch bereite Gefälligkeit Bertrands mit dessen Absichten auf Ruzena zusammenhänge, konnte vor der freundlich-gleichgültigen, *man könnte beinahe sagen ärztlichen Haltung Bertrands nicht bestehen.* (S. 66). „Doch damit er sie in ihrer hilflosen Stimmung nicht zu bald verlassen müsse, schlug er vor, zu Fuß zu gehen. Sie zu beruhigen. – Worte versagten ohnehin, – *hatte er wie ein guter braver Arzt ihre Hand gefaßt; . . .*“ (S. 83) „Bertrand war zwar sein Komplice, hatte aber reinere Hände, und da Joachim dies klar wurde, begriff er auch, warum Bertrand ihn und Ruzena eigentlich stets etwas von oben herab, irgendwie onkelhaft *oder wie ein Arzt behandelt hatte* und ihm die eigenen Geheimnisse verschloß.“ (S. 98) „Später sagte er zu Bertrand: ‚Warum quälen Sie sie?‘ Bertrand antwortete: ‚Man muß doch vorsorgen und man kann nur im Gesunden operieren. Jetzt ist noch Zeit dazu.‘ *Wie ein Arzt* sprach er.“ (S. 119) „Bertrand sagte: ‚Haben Sie irgendeine Vermutung? Wir wollen hoffen, daß sie kurzerhand nach Hause gereist ist. Sie hat doch genügend Geld gehabt?‘ Joachim fühlte sich von dieser Frage beleidigt, *es war etwas von der inquisitorischen Teilnahmslosigkeit eines Arztes darin; . . .*“ (S. 130) „‚Aber ich kann Sie, lieber Bertrand, nicht immerwährend mit meinen Privatangelegenheiten behelligen.‘ Bertrand lächelte, *und es war etwas von ärztlicher oder weiblicher Fürsorge in diesem Lächeln*: ‚Nur zu, Pasenow, so arg ist es nicht; es macht mir Freude, Sie zu hören.‘“ (S. 142)

Auch für Esch, im zweiten Band, ist Bertrand der „Arzt“: „In dem Raume gab es viele Bücher, und Esch saß neben dem Schreibtisch, *als wäre er bei einem Arzte.* Er hörte ihn sprechen, *und die Stimme war teilnehmend wie die eines Arztes*: ‚Was führt Sie zu mir?‘“. (S. 322).

[39] Vgl. S. 88f. unserer Arbeit.

[40] Vgl. die konjunktivische Form der Aussage: „Bertrand könnte zum Thema der Uniform etwa sagen: . . .“ (S. 19), oder „So mochte Bertrand sprechen; . . .“ (S. 19).

eigentümlichen Schwebelage befangen bleiben. Bertrands Arztsein hat diagnostizierenden und therapeutischen Charakter. Dieser doppelten Funktion entsprechen etwa die ambivalenten Reaktionen Joachims auf Bertrands Verhalten, auf seine Meinungen, Ansichten und Vorschläge. Während er sich zumeist durch ihn beunruhigt, aufgeschreckt, aus der Bahn geworfen, verwirrt und unsicher gemacht fühlt[41], weiß er doch wiederum auch von der Sicherheit und Geborgenheit, die von Bertrand ausgeht und sich auf ihn überträgt[42].

Die Tatsache, daß Broch die Schlüsselfigur seines ersten Romans mit dem Beruf und der Funktion eines Arztes in Verbindung gebracht hat, gewinnt noch über die „Schlafwandler" hinaus an Bedeutung, sie deckt tiefere Zusammenhänge innerhalb des Gesamtwerks des Dichters auf und führt zu einem Kernproblem seines Schaffens. Wir brauchen uns nur daran zu erinnern, daß auch im Mittelpunkt des „Versuchers" ein Arzt steht, dessen ganzes Sein und Handeln in einem den engeren Bereich des nur Beruflich-Fachlichen weit übergreifenden Sinne auf „Hilfe" gestellt ist, auf Hilfe, die sowohl auf das Leben der anderen Menschen als auch auf die eigene Existenz bezogen ist[43]. Der Begriff Hilfe wiederum, der das Wesen des Arztseins vielleicht am tiefsten umschreibt, schlägt unmittelbar die Brücke zu Brochs Hauptwerk, zum „Tod des Vergil". Der Angriff, der hier gegen ein Dichtertum geführt wird, das sich nur in der ästhetischen Abgeschlossenheit des reinen Kunstwerks erfüllt, erfährt seine innerste Begründung in der Einsicht, daß der allein dem ästhetischen Spiel hingegebene Dichter sein eigentliches Amt, Hilfebringer zu sein, notwendigerweise verfehlen muß[44]. Dichtung als Hilfe, die hilfestiftende Funktion der Erkenntnis, die Fragwürdigkeit der der

[41] Zentralstelle neben vielen anderen: (Elisabeth) „‚Sie sind von ihm beunruhigt?' – ‚Ja, das ist das richtige Wort ... ich bin immer wieder von ihm beunruhigt.'" (S. 149).

[42] „Und Bertrand antwortete, was er hören wollte: ‚Sie wird nicht nein sagen', sagte dies mit solcher Bestimmtheit und Sicherheit, daß Joachim wieder jenes Gefühl der Geborgenheit empfand, das ihm so oft schon von Bertrand zugeflossen war." (S. 142).

[43] Vgl. Versucher S. 356.

[44] So bereut der angesichts des Pöbels von Brundisium an seiner dichterischen Aufgabe verzweifelnde Vergil, seinem Jugendplan, Arzt zu werden, untreu geworden zu sein: „Hätte er sich ihnen, seinen Jugendplänen gemäß, als Arzt genähert, sie hätten seine Hilfe, und wäre sie noch so kostenlos gewesen, verspottet und verschmäht, um ihr die irgendeiner Kräuterhexe vorzuziehen; so verhielten sie sich, so verhielt es sich, und das dem so war, hatte mit zu den Gründen seines schließlichen Berufswechsels gehört, doch so stichhaltig diese Gründe ihm damals gedünkt hatten, es zeigt sich heute, daß sie bereits seinen eigenen Abstieg zur Pöbelhaftigkeit eingeleitet hatten, daß er die ärztliche Wissenschaft nie hätte verlassen dürfen, daß selbst die von ihr gebotene Nicht-Hilfe ehrenhafter gewesen wäre als die verlogenen Hilfeleistungs-Hoffnungen, mit denen er seitdem sein Dichtertum ausgestattet hatte, wider besseres Wissen hoffend es werde die Macht der Schönheit, es werde des Liedes Zauberkraft den Abgrund der Sprachstummheit zu guter Letzt überbrücken und ihn, den Dichter, zum Erkenntnisbringer in der wiederhergestellten Menschengemeinschaft erhöhen, enthoben der Pöbelhaftigkeit und ebenhiedurch auch die Pöbelhaftigkeit selber aufhebend, Orpheus erkoren zum Führer der Menschen." Tod des Vergil. S. 147/148; vgl. auch S. 158. Im Gespräch mit dem Arzt Charondas spielt Vergil wiederum den Beruf des Arztes gegen den des Dichters aus: „‚Ja, die Dichtkunst ist vergessenswürdig; ich hätte Arzt werden müssen.'" Tod des Vergil. S. 302.

Hilfe abgewandten „ästhetischen“ Existenz, der Dichter und der Erkennende als Arzt: dieser für das gesamte Werk Brochs schlechthin zentrale Problemkreis tritt uns bereits in der Gestalt Bertrands entgegen, die in dieser frühen Phase von Brochs dichterischer Entwicklung eine ähnliche Stellung einnimmt wie später Vergil. Wir müssen diesen Aspekt im Auge zu behalten suchen, wenn wir im Laufe der Untersuchung die weitere Entwicklung Bertrands nachzeichnen werden, eine Entwicklung, die, wie wir noch sehen werden, die später im „Tod des Vergil“ zum Hauptthema erhobene Künstlerproblematik im Keim angelegt enthält.

Joachims Grunderfahrung der Auflösung und des Zerfalls der Wirklichkeit und ihrer Ordnungen und Gesetze hat Ausdruck in einem Bild gefunden, das die Anlage des ersten Romans gleichsam in Abbreviatur widerspiegelt. Wiederum ist es Bertrand, dem die Rolle des auslösenden Moments zufällt als Ausstrahlung seiner diagnostischen „ärztlichen“ Funktion Joachim gegenüber:

> Manches war in den letzten Tagen unsicher geworden und dies hing auf eine unerklärliche Weise mit Bertrand zusammen: es war irgendein Pfeiler des Lebens brüchig geworden, und wenn auch noch alles an seinem alten Platz stand, weil die Teile sich gegenseitig stützten, so war mit dem vagen Wunsche, daß auch das Gewölbe dieses Gleichgewichts noch bersten und die Stürzenden und Gleitenden unter sich begraben möge, zugleich die Furcht aufgekeimt, daß solches sich erfüllen werde, und es wuchs die Sehnsucht nach Festigkeit, Sicherheit und Ruhe. (S. 31).

Die erste Assoziation, die sich uns bei der Betrachtung dieses Textes geradezu aufdrängt, ist das bekannte „Gewölbebild“, das H. v. Kleist während seiner Würzburger Reise sich selbst zum Trost in einem Brief an Wilhelmine v. Zenge entworfen hat[45]. Die Ähnlichkeit beider Bilder ist so auffallend, daß man geneigt ist, auf seiten des vielbelesenen Autors der „Schlafwandler“ eine unbewußte literarische Reminiszenz zu vermuten. Das Verbindende beider Bilder ist die Vorstellung der sich gegenseitig stützenden Teile eines Gewölbes (bei Kleist negativ ausgedrückt: „... weil alle Steine auf einmal einstürzen wollen – ...“), die den Zustand einer im Gleichgewicht begründeten Sicherheit versinnbildlichen soll. Während das konkrete und anschauliche Trostbild Kleists jedoch Ausdruck einer aus bedrängter Situation heraus neu gewonnenen Festigkeit und Selbstbehauptung ist, dient das abstrakte und unanschauliche („... irgendein Pfeiler des Lebens ...“; „... das Gewölbe dieses Gleichgewichts ...“) Bild Brochs der erklärenden Veranschaulichung eines Zustandes beginnender Auflösung, eines Zustandes, in dem unter der Oberfläche einer scheinbar noch intakten Ordnung („... weil die Teile sich gegenseitig stützen ...“) bereits das Chaos gärt und die „Sehnsucht nach Festigkeit, Sicherheit und Ruhe“ wachwerden läßt.

[45] „Da gieng ich, in mich gekehrt, durch das gewölbte Thor sinnend zurück in die Stadt. Warum, dachte ich, sinkt wohl das Gewölbe nicht ein, da es doch keine Stütze hat? Es steht, antwortete ich, weil alle Steine auf einmal einstürzen wollen – und ich zog aus diesem Gedanken einen unbeschreiblich erquickenden Trost, der mir bis zu dem entscheidenden Augenblicke immer mit der Hoffnung zur Seite stand, daß auch ich mich halten würde, wenn Alles mich sinken läßt.“ H. v. Kleists Werke. Im Verein mit Georg Minde-Pouet und Reinhold Steig herausgegeben von Erich Schmidt. Bd. 5. S. 160 (Meyers Klassiker Ausgaben. Leipzig und Wien. Bibliographisches Institut).

Die in diesem abstrakten Gewölbebild einbeschlossenen Motive bilden den schematischen Grundriß, der dem ersten Roman sowohl seiner erzählerischen als auch seiner gedanklichen Intention nach zugrundeliegt. Die Welt, in der Joachim v. Pasenow lebt und beheimatet ist und aus der ihn der „Verführer", der „Versucher", der „Mephisto" Bertrand „auf eine unerklärliche Weise" herauslockt, ist jene Welt der Uniform und der Konvention, eine Welt, in der „noch alles an seinem alten Platze stand, weil die Teile sich gegenseitig stützen". Die beiden Pole nun, zwischen denen Joachims Leben, Denken und Hoffen, einmal der angestammten Lebensform scheinhafter Ordnung entfremdet, hin- und hergerissen werden, sind – um in der Sprache des Bildes zu bleiben – die Sphäre des „Stürzenden und Gleitenden" und die Sphäre der „Festigkeit, Sicherheit und Ruhe". Sie finden ihre erzählerische Entsprechung in Joachims Verhältnis zu den beiden Frauen Ruzena und Elisabeth, das deutlich auf den Zwiespalt und das Schwanken Joachims zwischen diesen beiden Sphären hin komponiert, ja, konstruiert worden ist[46].

Ein Vergleich der Liebesepisode zwischen Baron Botho und Lene in Fontanes „Irrungen, Wirrungen" mit derjenigen zwischen Joachim v. Pasenow und Ruzena in Brochs „Schlafwandlern" zeigt mit fast paradigmatisch verdichteter Prägnanz die tiefgreifende Wandlung, denen Zeitbild, Menschenbild und Liebesauffassung innerhalb eines Zeitraums von nur vierzig Jahren unterworfen gewesen ist. Die Gestaltung der Liebesbeziehung zwischen Pasenow und Ruzena steht gleichsam am Ende einer Entwicklung, die durch die Desillusionierung der humanistisch-individualistischen, bürgerlichen Menschen- und Liebesauffassung, die Auflösung ihrer Normen und Ideale im Schmelztiegel positivistisch-materialistischer Anschauungen und psychoanalytischer Entdeckungen und Erkenntnisse gekennzeichnet ist. Das Erbe der klassisch-romantischen Kulturepoche, die Bewertung der persönlich-menschlichen Beziehung, zuerst und vor allem in der Liebe, als der höchsten Erfüllung irdischen Lebens, dieses Erbe wird noch einmal, wennschon durch Resignation und Skepsis getrübt, in Fontane wirksam. So kann das schlichte Plättmädel Lene zum ebenbürtigen Partner eines märkischen Edelmannes werden, und ihr kurzes Liebesglück vermag den Charakter eines reinen, verinnerlichten Idylls anzunehmen, das von den behutsam abgedämpften Lichtern einer um die Unerfüllbarkeit ihrer Liebe wissenden Romantik umspielt wird. Nichts von dieser Verinnerlichung, von dieser Verhaltenheit, die im Gefühl der gegenseitigen Neigung ihr Genüge zu suchen bereit ist, finden wir bei Broch. Das Idyll ist dem verbissenen und verzweifelten Versuch der Flucht vor dem eigenen Ich gewichen, der ekstatischen Selbstpreisgabe, für die das Du nur noch Anlaß und auslösendes Moment ist und die der menschlich-persönlichen Beziehung entraten kann. Durch die Flucht in das erotische Erlebnis erhofft sich der wurzel- und heimatlos gewordene Premierleutnant v. Pasenow die Befreiung von seiner Lebensproblematik. So ruht hier die Liebe nicht mehr in sich selbst, sie hat bei Broch,

[46] Wir werden einer ähnlichen Konstellation im zweiten Band wiederbegegnen, einen Parallelismus der Erzählstruktur des ersten und zweiten Romans der Trilogie offenbarend, dessen genauere Analyse uns noch beschäftigen wird.

im Unterschied zu Fontane, wo sie ihre Erfüllung im Diesseitig-Irdischen findet, eine transzendente und metaphysische Bestimmung erhalten, sie wird zur Ersatzfunktion für eine verlorengegangene religiöse und metaphysische Bindung. Die große Bedeutung, die damit der Liebe im Weltbild Brochs zukommt und die sich darin bekundet, daß auch und gerade diejenigen Formen der Liebesbeziehung, die sich im nur Sexuellen betätigen und erfüllen, in einem unmittelbaren Bezug zum Absoluten und zur Erlösung stehen, wird jedoch von vornherein relativiert durch das Wissen um die Fragwürdigkeit und Vergeblichkeit aller Versuche, im erotischen Erlebnis den ruhenden Pol inmitten einer schwankend gewordenen, zutiefst unsicheren und chaotischen, metaphysisch bodenlosen Welt zu finden. Wir berühren hier ein für das gesamte Werk Brochs wichtiges Problem, das bereits in dem frühesten erzählerischen Versuch des Dichters, der „Methodologischen Novelle" von 1917, anklingt. Schon hier wird der Eros als Tor zum Absoluten, als Weg zur Durchbrechung der kommunikationslosen Einsamkeit des Ich bezeichnet:

> Denn das Ziel des Eros ist das Absolute, das erreicht wird, wenn das Ich seine brückenlose, hoffnungslose Einsamkeit und Idealität, über sich und seine Erdgebundenheit hinauswachsend, dennoch durchbricht, sich abscheidet und im Ewigen Zeit und Raum hinter sich lassend die Freiheit an sich erwirbt[47].

Der Bezug des Eros auf das Absolute, seine Indienststellung als Vehikel der Erlösung, zugleich aber auch die Erfahrung der Fragwürdigkeit dieses Erlösungsweges: diese Züge sind, wie wir noch im einzelnen sehen werden, schlechthin konstitutiv für alle Liebesverhältnisse in den „Schlafwandlern", wir finden sie in den anderen Werken Brochs wieder, bis hin zu jener makabren Liebesszene zwischen A. und Hildegard in den „Schuldlosen", in der der transzendente Aspekt der Liebesauffassung ins Absurde und Groteske gesteigert erscheint[48].

Ruzena, die Partnerin Joachims, das „kleine geduckte Raubtier" (S. 17), die „Böhmin" (S. 16), das „Wesen aus einer femden Welt" (S. 51), stellt sich uns dar als ein liebenswürdig eigensinniges Triebwesen, ganz beherrscht von der Macht des Sexus und im erotischen Spiel alsbald die kommandierend-aktive Rolle einnehmend. Im Bewußtsein Joachims vertritt sie eine dunkle, befremdliche und geheimnisvolle Welt, die zu der seinen im Gegensatz steht, und von der er bald fasziniert, bald irritiert und abgestoßen ist. Sein „romantisches" Verhältnis zu ihr empfindet er als Befreiung vom Zwang der Uniform, glaubt dann aber wieder „irgendwo ins Gleiten geraten" (S. 25) zu sein und in einem undurchsichtigen und schmutzigen „Pfuhl" (S. 135) zu versinken. Die Fremdartigkeit Ruzenas wird noch unterstrichen durch ihre böhmische Herkunft, und Broch hat gerade diesen Zug als ein Hauptmittel der Charakterisierung benutzt, indem er mit Hilfe der Technik der naturalistischen Dialogführung Ruzenas radebrechende Sprechweise mit ihren primitiven Satzverkürzungen und -vereinfachungen höchst anschaulich nachzeichnet.

Ihren Gipfel erreicht die Liebesgeschichte zwischen Joachim und Ruzena in jener Ausfahrt nach Charlottenburg und an die Havel, der in der darauffolgen-

[47] Hermann Broch. Eine Methodologische Novelle. a. a. O. S. 158.
[48] Vgl. das Kapitel: „Erkaufte Mutter". Schuldlosen. S. 234ff.

den Nacht die endgültige Vereinigung der Liebenden folgt. (S. 37–40). Diese Episode darf als ein dichterischer Höhepunkt innerhalb des Gesamtwerkes von Broch betrachtet werden, ist es dem Dichter doch hier gelungen, das Thema der Liebesvereinigung in einer in der modernen Literatur fast einzigartig dastehenden Weise symbolschaffende Wort zu übersetzen. In der lyrischen Überhöhung des Sprachtons, der sich bis zur Ekstase des beseligten Aufschreis steigert, wird das Erlebnis der erotischen unio hymnisch gefeiert, ein Erlebnis, das auch die umgebende Landschaft miteinschließt, Mensch und Umwelt, Innen und Außen im Rausch zur Einheit fügend. Der ekstatischen Feier des sinnlichen Eros, den wollüstigen Bildern der zum Liebesgenuß sich fessel- und hüllenlos darbietenden Schönheit der Geliebten, die dem Leser fast körperlich nahe rücken, steht die immer gegenwärtige und gerade aus der Erfahrung der körperlichen Begegnung mit der Frau emporwachsende Drohung des Todes gegenüber, Gegenbild des sinnlichen Rausches, „furchtbare Mahnung des Knochengerüstes“, auch sie Teil der schlafwandlerisch die beiden Liebenden vereinigenden Berührung mit den irrationalen Urkräften alles Lebendigen. Am Schluß der Szene steht das Bild der „selige(n) Höhle“, der Liebesgrotte, zu der sich Ruzenas Zimmer durch die emporwachsenden „Weiden des Flusses“ verwandelt hat, eine irreale Situation beschwörend, wie wir sie in den Verwandlungen von Vergils Zimmer im „Tod des Vergil“ wiederfinden werden[49].

> ..., und nun war Gelöstheit und Fühlen, Weichheit des Körpers, Atem, Ersticken in Verströmtheit des Gefühls, Entzücken, das aus der Bangigkeit aufsteigt. Oh, Bangigkeit des Lebens, die aus dem lebendigen Fleisch strömt, mit dem die Knochen überlagert sind, Weichheit der Haut, die darüber gebreitet und gespannt ist, furchtbare Mahnung des Knochengerüstes, des vielrippigen Brustkorbes, den du umfassen kannst und der atmend sich an dich drängt mit dem Herzen, das an dem deinen pocht. Oh, süßer Geruch der Haut, feuchter Duft, weiche Rinne unter den Brüsten, Dunkel der Achselhöhle. Aber noch war Joachim zu verwirrt, waren sie beide zu verwirrt, um das Entzücken zu wissen, wußten bloß, daß sie beisammen waren und sich doch suchen mußten. Im Dunkel sah er Ruzenas Gesicht, doch wie dahingleitend war es, gleitend zwischen den dunkleren Ufergebüschen der Locken, und seine Hand mußte es suchen, sich vergewissern, daß es da sei, fand die Stirn und die Lider, unter denen hart der Augapfel ruht, fand die beglückende Rundung der Wange und die Linie des Mundes zum Kusse geöffnet. Welle des Sehnens schlug gegen Welle, hingezogen von der Strömung fand sein Kuß den ihren, und während die Weiden des Flusses emporwuchsen und von Ufer zu Ufer sich spannten, sie umschlossen wie eine selige Höhle, in deren befriedeter Ruhe die Stille des ewigen Sees ruht, war es, so leise er es sagte, erstickt und nicht mehr atmend, bloß ihren Atem noch suchend, war es wie ein Schrei, den sie vernahm: „Ich liebe dich“, sie aufschloß, so daß wie eine Muschel im See sie sich aufschloß und er in ihr ertrinkend versank. (S. 40).

Der dunklen Welt Ruzenas ist in bewußt konstruktiver Tendenz die lichte Welt Elisabeths gegenübergestellt, eine kontrapunktische Entgegensetzung, die ein

[49] Auch das Bild der Liebeshöhle oder Liebesgrotte finden wir im „Tod des Vergil“ wieder. Sie ist für Vergil und Plotia der Ort einer traumhaft-irrealen Vereinigung, „ein laubiges Abbild des Höhlengeklüftes, das für Dido und Äneas zu kurzem, ach so kurzem Glücke bereitet gewesen war.“ Tod des Vergil. S. 327.

gedankliches Grundgefüge der Erzählstruktur freilegt, das sich bereits im Gewölbebild abgezeichnet hatte, und dessen endgültige Linien sich uns erst bei der Gesamtbetrachtung aller drei Romane voll erschließen werden. Dem Versuch der rauschhaft-ekstatischen „Erlösung" des Ich im erotischen Erlebnis mit Ruzena steht die Flucht Joachims in die ins Sakrale erhobene Ehe mit Elisabeth gegenber, die für ihn der Ort der Erscheinung des Göttlichen in der Welt wird. Seine Braut und spätere Frau nimmt für ihn Züge eines Wesens höherer Artung an. So wehrt er sich entrüstet gegen jeden Gedanken, der sie mit der Sphäre des Menschlich-Allzumenschlichen in Verbindung zu bringen geeignet ist. Auch Elisabeth erfährt im Bewußtsein Joachims, ähnlich wie Bertrand, eine deutliche Typisierung durch Umschreibungen, die sämtlich dem Bereich des Reinen und Jungfräulichen entstammen. Sie ist für Joachim „eine Heilige" (S. 24), eine „Unschuldige und Unberührte" (S. 140), ein „Engel" (S. 164), sie erweckt in ihm „das Bild der erdenwallenden Maria, ehe sie zum Himmel anstieg" (S. 151; vgl. auch S. 147). Der Gegensatz dunkel-hell, Nacht-Licht, der das Verhältnis Joachims zu Ruzena und Elisabeth bestimmt, überträgt sich auch auf die Umwelt, in der Joachims Phantasie die beiden Frauen ansiedelt. Es ist die Entgegensetzung von Stadt und Land, von Berlin und dem Gut Elisabeths in Lestow, die den symbolischen Hintergrund der Liebesbeziehungen Joachims bildet, eine symbolische Entgegensetzung, die Broch auch im „Versucher" wieder aufgenommen hat und die noch im „Tod des Vergil" stark nachklingt:

> Vom Portier und den Angestellten militärisch gegrüßt, verließ er den Bahnhof und trat auf den Küstriner Platz hinaus. Der lag nüchtern und ein wenig verwahrlost da, dunkel, obwohl er doch allenthalben von heller Sonne durchströmt war, einer entlehnten Sonne, während die richtige über den goldenen Feldern glänzte. Und wenn dies auch in einer nur schwerverständlichen Weise an Ruzena erinnerte, so war es doch deutlich, daß Ruzena, sonderbar durchsonnt, dennoch dunkel und ein wenig verwahrlost, mit Berlin so eng verbunden war wie Elisabeth mit den Feldern, durch die sie jetzt fuhr, und mit dem Herrenhaus, das in dem Parke liegt. Das war eine Art befriedigender reinlicher Ordnung. Trotzdem war er froh, Ruzena dem dunklen Animierberuf und seiner falschen Helligkeit entzogen zu haben, froh, daß er daran war, sie aus dem Gewirr der Fäden zu lösen, die diese ganze Stadt umspannten, aus diesem Netz, das er überall fühlte, am Alexanderplatz und bei der rostigen Maschinenfabrik und in der Vorstadt mit dem Gemüsekeller, ein undurchdringliches unfaßbares Netz des Zivilistischen, das unsichtbar war und dennoch alles verdunkelte. (S. 64).

Der Stadt, die durch „ein undurchdringliches unfaßbares Netz des Zivilistischen" die Welt der Uniform und der Konvention bedroht und den Menschen in einen unterirdisch aufbrechenden anarchischen Zustand[50] verstricken zu wollen scheint, stellt Joachim die „goldenen Felder" gegenüber als Sinnbild einer „befriedigende(n) reinliche(n) Ordnung". Das Motiv der „rostigen Maschinenfabrik" – gemeint ist Borsigs Maschinenfabrik – durchzieht leitmotivisch den ganzen ersten

[50] Der Begriff des Anarchischen, der die gedankliche Achse des zweiten Romans bildet und dort erst seine explizite Deutung und erzählerische Veranschaulichung erfährt (Kernstelle: S. 248: der „anarchische Zustand der Welt"), klingt im ersten Roman bereits leitmotivisch an: vgl. S. 22.

Roman (S. 62; 118; 121; 135) und gipfelt in der Vorstellung eines in „absoluter Kälte" thronenden Gottes, dessen erbarmungslose Gebote ineinandergreifen „wie die Zahnräder an den Maschinen bei Borsig ..." (S. 150). Das Motiv des „Herrenhaus(es)", das in einem „Parke" liegt, hingegen, wird uns auch im zweiten und dritten Roman als Park-Schloß-Motiv wiederbegegnen. Es ist das schlechthin zentrale Symbol der „Erlösung" in den „Schlafwandlern". Im Laufe unserer Untersuchung werden wir noch auf eine Reihe weiterer solcher Motivreihen stoßen, die die innere architektonisch-musikalische Einheit des in einzelne Erzählteile und -gruppen auseinanderfallenden Romanganzen herstellen[51]. Das Bild der „Vorstadt mit dem Gemüsekeller" findet an anderer Stelle im inneren Monolog Joachims eine stark atmosphärisch gestimmte Ausgestaltung. Auch hier wieder wird die „dunkle" Welt Ruzenas der „hellen" Welt Elisabeths symbolisch entgegengesetzt:

> Joachim, von der Kaserne kommend, geht durch die Vorstadtstraße. Es ist nicht standesgemäß, dies zu tun und die Offiziere fahren sonst stets im Regimentswagen in ihre Wohnungen. Niemand geht hier spazieren, sogar Bertrand täte es nicht, und daß er nun selber hier geht, ist Joachim so unheimlich, als ob er irgendwo ins Gleiten geraten wäre. Aber ist es nicht fast so, als wollte er sich damit für Ruzena erniedrigen? Oder soll es gar eine Erniedrigung Ruzenas sein? Denn seine Vorstellung beheimatet sie nun ganz deutlich in einer Vorstadtwohnung, vielleicht sogar in jenem Kellerlokal, vor dessen dunklen Eingang Grünzeug und Gemüse zum Verkaufe liegt, während Ruzenas Mutter strickend davor hockt und die dunkle fremde Sprache redet. Er spürt den blakigen Geruch von Petroleumlampen. In dem geduckten Kellergewölbe blinkt ein Licht auf. Es ist eine Lampe, die hinten an der schmutzigen Mauer befestigt ist. Fast könnte er selbst mit Ruzena dort vor dem Gewölbe sitzen, ihre Hand kraulend auf seinen Nacken. Doch er erschrickt, als er sich dieses Bildes bewußt wird, und es wegzuzwingen, versucht er daran zu denken, wie über Lestow die gleiche lichtgraue Abenddämmerung ruht. Und in dem nebelstummen Park, der schon nach feuchtem Grase riecht, findet er Elisabeth; sie geht langsam zum Hause hin, aus dessen Fenstern die milden Petroleumlampen durch die steigende Dämmerung blinken, und auch ihr kleiner Hund ist bei ihr, als ob auch der schon müde wäre. Doch wie er näher und schärfer hindenkt, sieht er sich und Ruzena auf der Terrasse vor dem Hause und Ruzena hat die Hand kraulend auf seinen Nacken gelegt. (S. 25).

An diesem längeren Textstück lassen sich einige entscheidende Züge der Brochschen Erzähltechnik ablesen. Auch dieses ganz auf die Einverwandlung des Lesers in die Phantasiewelt, die Selbstgespräche und Reflexionen der Hauptfigur gerichtete Erzählen kann, wie der obige Text zeigt, des „Erzählers" nicht ganz entraten. In der Form eines anonym bleibenden Erzählsubjektes tritt er neben die handelnde und erlebende Romanperson und begleitet deren Selbstdarstellung mit Regieanweisungen, die den äußeren Rahmen eines Erzählgeschehens abstecken, das sich perspektivisch – in Analogie zur dramatischen Darstellungsmethode – ganz aus der jeweiligen subjektiven Spontaneität der einzelnen Figuren aufbaut. Während in unserem Text der erste Satz die Funktion einer solchen

[51] Wir werden innerhalb der Untersuchung des zweiten Romans die Verwendung des Leitmotivs in den „Schlafwandlern" am Beispiel des Park-Schloß-Motivs ausführlich erörtern.

neutralen Regieanweisung innehat: „Joachim, von der Kaserne kommend, geht durch die Vorstadtstraße", gleitet der zweite Satz bereits in die Bewertung dieses wertfreien Vorgangs durch Joachim hinüber: „Es ist nicht standesgemäß, dies zu tun ...", und wenig später befinden wir uns ganz im Innenraum der monologischen Assoziationen Joachims: „Aber ist es nicht fast so, als wollte er sich damit für Ruzena erniedrigen? Oder soll es gar eine Erniedrigung Ruzenas sein?" Dieses Hineingleiten der erzählerischen Perspektive ins Monologische und Subjektive der Romanpersonen ist charakteristisch für die Erzählform der ersten beiden Bände der Schlafwandlertrilogie. Die in unserem Text in der monologischen Brechung durch Joachims Gefühle und Vorstellungen sich darbietenden Bilder der dunklen Vorstadt und der lichten Welt in Lestow dürfen weder im Sinne einer psychologischen Charakterisierung Pasenows noch als naturalistisch-gegenständliche Schilderung mißverstanden werden. Die Bildgebung in unserem Abschnitt folgt anderen Gesetzen als denen, die im psychologischen oder im realistisch-naturalistischen Roman wirksam sind. Streng antithetisch, sogar unter Beibehaltung des gleichen Bildgegenstandes, ist die Welt Ruzenas derjenigen Elisabeths gegenübergestellt (der dunkle Eingang, die dunkle fremde Sprache, der blakige Geruch der Petroleumlampen, das geduckte Kellergewölbe, die schmutzige Mauer: die lichtgraue Abenddämmerung, der nebelstumme Park, die milden Petroleumlampen, die durch die steigende Dämmerung blinken), eine symbolische Entgegensetzung freilegend, die ihr Korrelat in einer konstruktiven Bildgebung findet. Noch deutlicher wird die konstruktive Tendenz, ja, Manier dieses Erzählens, wenn wir unseren Text im Zusammenhang mit dem Gesamtbestand an Bildern und Motiven, denen wir in den „Schlafwandlern" begegnen, betrachten. Dabei werden wir feststellen, daß das scheinbar wahllos und assoziativ den Vorstellungen Joachims entspringende Bild-und-Motivinventar einer Anordnung, Auswahl und Verknüpfung unterliegt, die Gesetzen folgen, die nicht in der Psyche Joachims, sondern in der gedanklichen Architektonik des Werkes selbst verankert sind. Wir haben schon das Parkmotiv angeführt, das auch in unserem Text wiederkehrt und im zweiten Band, ohne Rücksicht auf psychologische Verknüpfungen, auf Esch und seine Erlösungssehnsucht übertragen wird. So begegnet uns auch der „kleine Hund" Elisabeths als Bildelement von Eschs Park-Schloß-Vision wieder. (S. 298) Neben die leitmotivische Reihung und Verknüpfung von Bildelementen, die diese einer von den jeweiligen Bildträgern unabhängigen, autonomen Gesetzlichkeit unterwirft, tritt die Technik der Wiederholung bestimmter Handlungskonstellationen, Bilder und Satzfügungen, für die besonders der dritte Roman eine Fülle von Belegstellen bietet. Auch in unserem Text läßt sie sich aufzeigen. So kehrt das Bild des Kellergewölbes und der Petroleumlampe mit ihrem blakigen Geruch in jener Szene am Ende des dritten Bandes wieder, in der Esch den bewußtlosen Major v. Pasenow in einem Keller in Sicherheit bringt:

> Dann lud er sich den Major auf die Schultern und trug ihn hinein, tappte vorsichtig die Kellerstiege hinab, und unten bettete er ihn auf einen Kartoffelhaufen, den er vorsorglich mit einer Kotze überdeckt hatte. *Entzündete die Petroleumlampe, die an der schmutzigen Mauer befestigt war,* ... bevor Esch

öffnete, wandte er sich nochmals um, betrachtete fast zögernd *das geduckte Gewölbe* und darin den regungslosen langausgestreckten Mann: wäre *der blakige Petroleumgeruch* nicht gewesen, man hätte es für eine kühle Gruft halten könnten[52]. (S. 648).

Die Situation, in der sich Esch und der Major in dieser Szene befinden, erfüllt gleichsam ein vorgegebenes Schema, Eschs Verhalten und seine Reaktionen folgen einem „Muster“, das sowohl den scheinbaren Phantasiebildern Joachims aus dem ersten Band als auch der Bergung des Majors durch Esch im dritten Band zugrundeliegt, und das seinen Ort in der alle psychologischen Motivationen außer acht lassenden konstruktiven Anlage des Kunstwerkes selbst hat. So wird bereits von der Form her die Fragwürdigkeit der Anwendung des Begriffs des „Helden“ im Sinne einer nach psychologischen Gesetzen handelnden und mit personalen Kategorien zu umschreibenden individuellen Gestalt auf die Romanfiguren Brochs deutlich. Die hier an Hand der exkursartig in den Untersuchungsgang eingebauten Interpretation eines Textbeispiels aufgeworfenen Fragen und Probleme werden uns auch im weiteren Verlauf der Arbeit noch beschäftigen müssen.

Die Liebesbeziehung Joachims zu Elisabeth, deren Deutung wir uns jetzt wieder zuwenden wollen, ist in ähnlicher Weise wie diejenige zu Ruzena, wenn auch in geradezu entgegengesetzter Richtung, der Dimension des Natürlich-Menschlichen entrückt. Joachims schwankendes Suchen nach einem festen Ort inmitten einer unsicher gewordenen, ins Anarchische zu verfließen drohenden Welt führt ihn aus dem Fluchtversuch ins erotische Erlebnis in das andere Extrem, in den sakralen Bereich einer jungfräulich reinen Liebe. Auch diese Liebe zielt auf „Erlösung“. Im Gegensatz zu Joachims Beziehung zu Ruzena ist sein Verhältnis zu Elisabeth mit spirituell-numinosen Gewichten belastet, die es zur Ersatzfunktion einer verlorengegangenen religiösen und metaphysischen Bindung werden lassen. Das wird vollends deutlich in der Schilderung der Hochzeitsnacht Joachims mit Elisabeth am Ende des ersten Romans, die kontrapunktisch der Darstellung der Liebesnacht mit Ruzena gegenübergestellt ist. Gerade diese Schlußszene des ersten Bandes, über der ein scheinbarer Zauber verhaltener Innigkeit liegt, ist der Fehldeutung ausgesetzt, wenn wir uns ihr in unreflektierter Naivität nähern, ohne auch hier wieder die gedankliche Intention des Werkes im Auge zu behalten. Die Hochzeitsnacht, die einen so sonderbaren Verlauf nimmt, ist der spirituale Höhepunkt der auf Erlösung, Gnade und Reinigung zielenden Beziehung zwischen Joachim und Elisabeth. Der natürliche Vorgang des ersten vertrauten ehelichen Beisammenseins ist hier ins Sakramentale stilisiert worden, das keusche Beilager trägt Züge einer ins Profane gewandten heiligen Handlung. Wie in einem Brennpunkt laufen in dieser Szene alle religiösen Motive, denen wir innerhalb des ersten Romans begegnen, zusammen. Vor allem die Vision, die Pasenow während eines Militärgottesdienstes hat (S. 121–123), und das Verlobungsgespräch zwischen ihm und Elisabeth (S. 148–

[52] Das Bild der Gruft (Grube, Gewölbe) begleitet leitmotivisch die Gestalt Joachims v. Pasenow. Vgl. S. 12; 44; 94; 95; 562; 563; (außer an den bereits genannten Stellen).

153) stehen in engstem motivischen Zusammenhang mit der Schlußszene des ersten Bandes.

Jene Vision Pasenows, die uns später noch einmal ausführlich beschäftigen wird, entfaltet sich assoziativ aus der Erinnerung an ein „kleines buntes Heiligenbild“ (S. 121/122), das die heilige Familie, „auf silbriger Regenwolke“ (S. 122) sitzend, darstellt, und er verbindet mit der Vorstellung der jungfräulichen Gottesmutter sein sehnsüchtiges Verlangen nach Befreiung und Erlösung. Die anfängliche Identifikation der Gottesmutter mit Ruzena löst sich in einer als Gnade empfundenen Metamorphose der assoziativ aufsteigenden Bilder zugunsten Elisabeths auf, und am Ende der Bilderkette sieht sich Joachim selbst als Jesusknaben, sitzend zu Füßen der Gottesmutter. Das bestimmende Symbol dieses Abschnittes ist die silberne Wolke. Sie kommt an vier Stellen vor und bleibt im weiteren Verlauf des Werkes in Verbindung mit Pasenow das Symbol gnadenvoller Geborgenheit im Religiösen[53].

Das Verlobungsgespräch, das nach Joachims Werbung im Hause Elisabeths stattfindet, ist ganz bestimmt durch die religiösen Motive, wie sie sich Joachim in jener Vision offenbart hatten. Er verbindet seinen Eintritt in die Familie Elisabeths mit der Vorstellung des Aufgenommenwerdens in die „Heilige Familie“ (S. 148), Elisabeth erweckt in ihm „das Bild der erdenwallenden Maria, ehe sie zum Himmel anstieg“ (S. 151), er sieht sie schweben „auf silberner Wolke, unberührbar ihr gelöstes, verfließendes Antlitz“ (S. 150). Das keusche Beilager, mit dem der erste Band der Trilogie schließt, ist nur die natürlich-unnatürliche Konsequenz dieser von seiten Joachims zur sakralen Lebenssicherung emporgesteigerten „Liebes“-beziehung zu Elisabeth:

> für ihn, dem diese Ehe mehr bedeutete als eine Ehe christlichen Hausstands, für ihn, dem sie Rettung aus Pfuhl und Sumpf bedeutete und dem sie Verheißung der Gläubigkeit war auf dem Wege zu Gott. (S. 162).

Fragen wir nach dem Funktionszusammenhang, in dem diese sakrale Liebesbeziehung innerhalb des erzählerischen und gedanklichen Aufbaus des ersten Bandes steht, so werden wir zurückverwiesen auf den Begriff der Romantik, der die gedankliche Achse des ersten Romans bildet. Bertrand, der „Arzt“, ist es, der den Begriff der Romantik einführt. Mit dem geschärften Blick des Diagnostikers sieht er in dem mit diesem Begriff umschriebenen Phänomen das Signum seiner Zeit verkörpert. An dem Thema der Uniform, das im ersten Band eine zentrale Rolle spielt, wird von ihm der Begriff der Romantik entwickelt und verdeutlicht:

> Bertrand könnte zum Thema der Uniform etwa sagen: Einstens war es bloß die Kirche, die als Richterin über den Menschen thronte, und ein jeglicher wußte, daß er ein Sünder war. Jetzt muß der Sünder über den Sünder richten, auf daß nicht alle Werte der Anarchie verfallen, und statt mit ihm zu weinen, muß der Bruder dem Bruder sagen: „Du hast unrecht gehandelt.“ Und war es einst die bloße Tracht des Klerikers, die sich als etwas Unmenschliches von

[53] Vgl. im dritten Band: „Wieder fühlte Major v. Pasenow die Süßigkeit des Hinströmens, des Fortgetragenwerdens, als wollte eine Silberwolke ihn aufnehmen, schwebend über den Frühlingsflüssen. Geborgenheit des Vertrauens!“ (S. 509) Vgl. auch S. 562.

> der der anderen abhob, und schimmerte damals selbst in der Uniform und in der Amtstracht noch das Zivilistische durch, so mußte, da die große Unduldsamkeit des Glaubens verloren ward, die irdische Amtstracht an die Stelle der himmlischen gesetzt werden, und die Gesellschaft mußte sich in irdische Hierachien und Uniformen scheiden und diese an der Stelle des Glaubens ins Absolute erheben. Und weil es immer Romantik ist, wenn Irdisches zu Absolutem erhoben wird, so ist die strenge und eigentliche Romantik dieses Zeitalters die der Uniform, gleichsam als gäbe es eine überweltliche und überzeitliche Idee der Uniform, eine Idee, die es nicht gibt und die dennoch so heftig ist, daß sie den Menschen viel stärker ergreift, als irgend ein irdischer Beruf es vermöchte, nicht vorhandene und dennoch so heftige Idee, die den Uniformierten wohl zum Besessenen der Uniform macht, niemals aber zum Berufsmenschen im Sinne des Zivilistischen, vielleicht eben weil der Mensch, der die Uniform trägt, von dem Bewußtsein gesättigt ist, die eigentliche Lebensform seiner Zeit und damit auch die Sicherheit seines eigenen Lebens zu erfüllen. (S. 19).

Der Kern dieses die mögliche Meinung Bertrands wiedergebenden Abschnitttes liegt in der Feststellung: „... weil es immer Romantik ist, wenn Irdisches zu Absolutem erhoben wird, . . , .". Daß diese Definition der Romantik Brochs eigener Ansicht entspricht, geht aus einer Parallelstelle hervor, die sich in seinen „Essays" findet. In einem 1950/51 gehaltenen Vortrag: „Einige Bemerkungen zum Problem des Kitsches" kommt Broch auf das historische Phänomen der Romantik zu sprechen und gelangt hier zu einer Bestimmung ihres Wesens, die – bis in den Wortlaut hinein – mit der zwanzig Jahre zuvor Bertrand zugewiesenen nahezu identisch ist. Er spricht in dem Vortrag von der „spezifischen Struktur der Romantik, nämlich der Emporhebung des Irdischen ins Absolute"[54] und verdeutlicht sie u. a. an dem „Lied der Toten" von Novalis[55]. Nur am Rande sei an dieser Stelle auf die bemerkenswerte Konstanz der Problemsicht hingewiesen, die zwei zeitlich so weit auseinanderliegende Äußerungen des Dichters auch im Sprachlichen zur Einheit einer sich gleich bleibenden Aussage zusammenfügt[56].

Romantik ist für Broch ein geschichtsphilosophischer Begriff, und es entspricht dem Wesen der Schlafwandlertrilogie als eines erkenntnistheoretischen[57] und geschichtsphilosophischen Romans, daß die einzelnen Romanteile abstrakten Begriffen zugeordnet sind, die ihr jeweiliges gedankliches Thema umschreiben. So steht der erste Teil unter dem gedanklichen Leitbild der Romantik. Dabei sind, wie wir sehen, Typusbegriff und historischer Begriff der Romantik für Broch identisch. Die in den „Schlafwandlern" als Romantik bezeichnete und im „Pasenow" dargestellte Epoche wird in dem oben zitierten Abschnitt etwas vage gegen eine historisch nicht genauer profilierte Zeit abgegrenzt, von der es heißt:

> Einstens war es bloß die Kirche, die als Richterin über den Menschen thronte, und ein jeglicher wußte, daß er ein Sünder war.

[54] Essays. Bd. 1. S. 305.

[55] Ebd. S. 301f.

[56] Darauf macht auch H. Arendt in ihren Anmerkungen zu dem Essayband aufmerksam. Essays. Bd. 1. S. 353 u. 358.

[57] Vgl. S. 17 unserer Arbeit.

Die dieser Gegenüberstellung zugrunde liegende Geschichtsphilosophie erfährt erst in den großen Exkursen des dritten Bandes ihre nähere Begründung und Ausführung und wird uns in einem besonderen Abschnitt noch beschäftigen müssen.

Joachim v. Pasenow nun ist ein Romantiker in dem von Bertrand-Broch beschriebenen Sinne. Die an ihm als an einem beliebig herausgegriffenen Fall exemplifizierte „romantische" Lebensform spiegelt sich sowohl in seinem Verhältnis zur Uniform, die für ihn schützende Hülle gegen den Ansturm des Zivilistischen und des in ihm verborgenen „anarchischen Zustands der Welt" ist, als auch in seinem Verhältnis zu Elisabeth, der ins Absolute gesteigerten irdischen Liebe, die zum verzweifelt ergriffenen Rettungsanker seiner schwankend gewordenen, vom Gefühl der Angst, der Einsamkeit und des Wirklichkeitsverlustes ungetriebenen Existenz wird. Die romantische Haltung Pasenows gerät jedoch immer dann ins Wanken, wenn er mit Bertrand, dem bewußten und überlegenen Analytiker und „Arzt" seiner Zeit, in Berührung tritt. Wie ihn dieser schon am Anfang des Romans aus dem starren Gehäuse der Konvention und der Uniform herausgelockt hat, so bedroht er jetzt im Bewußtsein Joachims auch dessen Verhältnis zu Elisabeth. Gedanken an Bertrand, die Joachim kaum je verlassen, stören sein Phantasiegebäude einer „heiligen" Ehe, in das er sich vor der Wirrnis der Welt zurückziehen möchte. Das Gefühl vertraulicher Geborgenheit, das Joachim bei seiner Aufnahme in die Familie Elisabeths – die „Heilige Familie" – umfängt, wird vergiftet durch die Erinnerung an Bertrand:

> Ja, Bertrand hätte wahrscheinlich gelächelt und sich über die Rede des Barons mokiert, aber wie billig war solcher Spott. (S. 148).

Doch Joachim kommt nicht los von seinem mephistophelischen „Freund", trotz solcher wegwerfenden Abweisungen. Bertrand bleibt für ihn der „Versucher", der jede scheinbar erreichte Sicherheit und Geborgenheit immer wieder durch seine bloße Existenz in Frage stellt. Die diagnostische, „ärztliche", desillusionierende Funktion Bertrands Pasenow gegenüber läßt ihn auch in dessen Verhältnis zu Elisabeth eingreifen. Es geschieht dies während eines Ausrittes, auf dem er Elisabeth umwirbt und sie über ihre Beziehung zu Joachim zur Rede stellt. Diese Szene (S. 100–106) gehört zu den wenigen des ersten Bandes, die aus der Perspektive Bertrands erzählt sind. Wie anders als in den spiritualisierten Vorstellungen Joachims stellt sich uns Elisabeth in der Sicht Bertrands dar:

> Ihr Mund ist sonderbar, sagte sich Bertrand, und ihre Augen sind von einer Helligkeit, die ich liebe. Sie müßte eine zerbrechliche und aufreizende und eigentlich beschwerliche Geliebte sein. Ihre Hände sind zu groß für eine Frau, mager und schmal. Ein sinnlicher Knabe ist sie. Aber sie ist reizend. (S. 100).

Nüchtern, sachlich, fast abschätzend: so sieht Bertrand Elisabeth. In dem nun folgenden Gespräch warnt er Joachims Braut vor dessen „romantischer" Liebe. Er setzt ihr seine eigene, „aseptische" (S. 102) – wiederum klingt das Arztmotiv an – Form der Liebe entgegen und bietet sie Elisabeth an. Auch für Bertrand ist die Liebe „etwas Absolutes" (S. 102), doch er wendet sich gegen den Versuch, dieses Absolute schon im Irdischen ausdrücken und verwirklichen zu wollen, und macht die Möglichkeit echter Liebe abhängig von der Überzeugung:

> daß nur in einer fürchterlichen Übersteigerung der Fremdheit, erst wenn sie sozusagen ins Unendliche geführt ist, sie in ihr Gegenteil, in die absolute Erkenntnis umschlagen und das erblühen kann, was als unerreichbares Ziel der Liebe vor ihr herschwebt und doch sie ausmacht: das Mysterium der Einheit. Durch langsames Aneinandergewöhnen und Vertrautwerden entsteht kein Mysterium. (S. 105).

Bertrand, der außerhalb aller Konvention und Bindung Stehende – er selbst bezeichnet sich in diesem Gespräch als der „Fremde" (S. 101) – erfüllt Elisabeth gegenüber eine ähnliche Funktion wie gegenüber Joachim, indem er auch sie herausreißt aus ihren vertrauten Bindungen, die für sie Lebenssicherung waren. Er spricht sie an auf ihre Angst (S. 103), ihre Einsamkeit (S. 104) und eröffnet ihr die Aussicht auf ein Leben jenseits der Sicherheit und Geborgenheit des Elternhauses. Bertrand verfehlt seine beabsichtigte Wirkung auf Elisabeth nicht. Sie empfindet ihre Begegnung mit ihm als einen Bruch mit ihrer bisherigen Existenz:

> „Es ist doch nichts geschehen", sagte etwas in ihr und sie begriff nicht die vage Spannung, die trotzdem so seltsam deutlich schien, daß man sie beinahe in Worte fassen konnte: die Welt zerschneiden. Sicherlich war es nicht ganz deutlich, aber es war eine Grenzscheide gezogen, und was einstens einheitlich gewesen, diese Welt des Geschlossenen, zerfiel, und die Eltern standen jenseits der Grenze. Dahinter war die Angst, jene Angst, vor der die Eltern sie schützen wollten, als würde ihrer aller Beisammensein davon abhängen: das Gefürchtete, es war jetzt hereingebrochen, sonderbar erschütternd und spannend und doch keineswegs fürchterlich. (S. 108).

Auch Elisabeth hat durch ihre Begegnung mit Bertrand teil an der Grunderfahrung aller Gestalten in den „Schlafwandlern", der Erfahrung des Zerfalls und der Auflösung der gesichert geglaubten Wert- und Wirklichkeitsstruktur. Wenn es in dem oben zitierten Text heißt „... und was einstens einheitlich gewesen, diese Welt des Geschlossenen, zerfiel, ...", so ist es Joachim, der sich – trotz der schlafwandlerischen Erfahrungen, denen auch er ausgesetzt ist – restaurativ in eine nur noch in der Illusion bestehende „Welt des Geschlossenen" retten möchte. In diesem Bestreben wird er von Bertrand erkannt und als „Romantiker" entlarvt. In dem Exkurs: „Zerfall der Werte", im dritten Band der Trilogie, findet sich der Satz: „... wer die Erkenntnis fürchtet, ein Romantiker also ..."[58], der uns unmittelbar zum Kern des Problems, um dessen erzählerische Veranschaulichung es Broch im „Pasenow" geht, führt. Es ist die Frage nach der Situation des modernen Menschen in der Begegnung mit dem Irrationalen, das unvermutet und dennoch, nach der geschichtsphilosophischen Theorie Brochs, mit unerbittlicher logischer Konsequenz in eine Welt scheinbar gesicherter rationaler Ordnungen und Gesetze eingebrochen ist und sich in dem Phänomen des Wert- und Wirklichkeitszerfalls manifestiert. In Joachim v. Pasenows Leben erscheint das Irrationale, das die „Welt des Geschlossenen" von unten her aufsprengt, etwa in der Gestalt des Todes, der ihn seines Bruders beraubt, in der Gestalt des Wahnsinns, der ihm seinen Vater entfremdet, und in der Form der Überwältigung durch das erotische Erlebnis mit Ruzena. Allen diesen Erscheinungsformen des Irrationalen, die die bereits von innen her wirk-

[58] Schlafwandler. S. 475.

same Auflösung seines Ich- und Wirklichkeitsbewußtseins nur noch verstärken und bestätigen, steht Joachim hilflos und ohnmächtig gegenüber. Der Prozeß der Auflösung und Ablösung der alten Wirklichkeits- und Wertordnung[59] wird von Pasenow nicht eigentlich mit wachem Bewußtsein miterlebt und mitvollzogen, er erleidet ihn vielmehr und flüchtet sich in die überkommenen Wertordnungen, indem er sie zugleich ins Absolute hypostasiert. Er ist der metaphysisch ortlos gewordene Repräsentant des Wertzerfalls, der zwischen den schlafwandlerischen Heimsuchungen durch das Irrationale und dem Versuch der Lebenssicherung durch eine ins Sakrale erhobene Ehe hin- und hergerissen wird. So wird Pasenow zum Romaniker, indem er das fürchtet und sich bewußt davor abschirmt, was ihm allein helfen könnte, die Erkenntnis, die ihm stellvertretend in der Gestalt Bertrands entgegentritt. Damit aber sind wir zu einem Kernproblem nicht nur der „Schlafwandler", sondern von Brochs gesamten dichterischen und theoretischen Werk vorgestoßen, einem Problem, das zur entscheidenden gedanklichen Achse seines Hauptwerkes, des „Tod des Vergil", geworden ist. Schlagwortartig formuliert ist es das Problem der Rationalisierung des Irrationalen. Die Polarität von Rationalität und Irrationalität bestimmt das Werk Hermann Brochs in ähnlicher Weise wie die Polarität von Geist und Leben etwa dasjenige Thomas Manns. Die abstraktere begriffliche Fassung dieses Grundgegensatzes bei Broch weist zurück auf einen Ursprung, der bei dem logistisch und philosophisch geschulten Dichter-Denker nicht nur im Bereich eines erfahrenen und erlittenen Lebensvollzuges, sondern ebenso in der Sphäre abstrakter Denkvorgänge zu suchen ist.

Das Grundaxiom von Brochs Werttheorie, die Forderung nach Rationalisierung des Irrationalen, hat in den „Schlafwandlern" seine konkrete dichterische Veranschaulichung gefunden in der Gegenüberstellung der Gestalt Bertrands, des Rationalisten, und der eigentlichen Schlafwandlergestalten Pasenow und Esch, den vom Wertzerfall aus ihrer Bahn geworfenen Trägern des Irrationalen. Die ethische Problematik, die damit als Hintergrund des Romangeschehens in den „Schlafwandlern" sichtbar wird, tritt erst im zweiten Band in aller Deutlichkeit hervor, sie zeichnet sich jedoch bereits im „Pasenow" in wesentlichen Grundzügen ab. Was inhaltlich mit der Forderung nach Rationalisierung des Irratinonalen gemeint ist, erhellt aus einem Abschnitt, der sich in dem gleichzeitig mit den „Schlafwandlern" entstandenen Aufsatz: „Das Böse im Wertsystem der Kunst" findet:

> Der Weg der Wertschaffung geht stets vom Ungeformten zum Geformten oder zumindest Bessergeformten, und das Ungeformte oder Mindergeformte ist stets das Irrationale: das Irrationale, wo immer und wie immer es auftritt, in seiner Dunkelheit ununterscheidbar von der Dunkelheit des Todes, ist gleichzeitig das Todesschwangere, und seine Formung und Aufhellung wird zur Aufhebung des Todes, wird zu einem Stück Zukunft, das aufgehellt und dem Tod entrissen wird, wird zum Bekanntwerdenden und Bekanntgewordenen, wird zum Rationalen und wird zur sichtbaren Welt, in deren geformter und begreifbarer Rationalität sich der Wert konstituiert[60].

[59] Vgl. dazu die Selbstinterpretation der „Schlafwandler" durch Broch in seinem Brief an G. H. Meyer vom 10. 4. 1930. Briefe. S. 18. [60] Essays. Bd. 1. S. 320.

Die hier ausgesprochene Auffassung von der todesaufhebenden Macht des Rationalen erhellt schlaglichtartig die geheimste Zelle von Brochs Schaffen, das sich in einem Maße wie bei kaum einem anderen Dichter des 20. Jahrhunderts in die Bereiche des Irrationalen vorgewagt hat, diesen kühnen Vorstößen jedoch eine aufs äußerste gespannte Bewußtheit und Rationalität zur Seite stellte, eine Bewußtheit, die den dichterischen Prozeß bis hart an die Grenze der Auflösung bestimmt hat.

Die Forderung an den Menschen, sich des Irrationalen in einem Akt rationaler Formgebung zu bemächtigen, wirft neues Licht auf die Gestalt Joachims v. Pasenow. Unter diesem Gesichtspunkt nämlich rückt sein Verhalten unter ethische Beleuchtung, sein Zurückweichen vor der Erkenntnis, seine Flucht vor der Verantwortung[61] und sein Rettungsversuch in den Tempel einer erotischen Pseudoreligiosität bergen eine ethische Schuld in sich. Pasenow wird gleichsam zu einem schuldlos Schuldigen, seine restaurative Haltung verstößt gegen das Gesetz der Zeit, das ein anderes als das der „Romantik“ ist. In seinem Roman „Die Schuldlosen“, der als Fortsetzung der „Schlafwandler“ gedacht war und die geschichtsphilosophische und werttheoretische Problematik bis zum Jahre 1933 weiterführt, hat Broch das Motiv des schuldlos Schuldigen wiederaufgenommen und zum Zentralthema erhoben.

Dier hier nur kurz skizzierten geschichtsphilosophischen und werttheoretischen Grundlagen von Brochs Schlafwandlertrilogie werden in dem Abschnitt, der die gedankliche Struktur des Werkes behandelt, eine ausführlichere Untersuchung erfahren. In diesem Teil unserer Arbeit, der die erzählerische Struktur des Werkes zum Gegenstand hat, ging es uns in erster Linie darum, zu zeigen, wie bei Hermann Broch das Erzählen von vornherein gedanklichen Intentionen unterworfen und untergeordnet wird, wie hier Erzählhandlung, Charakteraufbau, kurz alle „romanhaften“ Elemente eine dem traditionellen Roman gegenüber entscheidende Umstruktuierung erfahren, die die „Schlafwandler“ zu einem hervorragenden Zeugnis für die „Krise des modernen Romans“ machen. Bei der nun folgenden Behandlung des zweiten Bandes der Trilogie werden wir des öfteren Gelegenheit haben, auf den ersten Band zurückzugreifen, sind beide Romanteile doch sowohl durch den Parallelismus ihres erzählerischen Aufbaus als auch durch zahlreiche leitmotivische Verknüpfungen miteinander verbunden.

b) Der zweite Roman: „1903 – Esch oder die Anarchie“

Der zweite Roman, „Esch oder die Anarchie“, führt uns in ein Milieu, das sich von dem feudal-aristokratischen des ersten Bandes wesentlich unterscheidet. Es ist die Welt eines wurzel- und heimatlos gewordenen großstädtischen Kleinbürgertums, an deren Horizont bereits das Wetterleuchten der revolutionären Umschichtung aller Lebensverhältnisse, die das Jahr 1918 gebracht hat, sichtbar wird. Es ist jene dunkle und fremdartige Welt, in die sich Joachim v. Pasenow plötzlich verstrickt weiß, die sich ihm assoziativ-leitmotivisch mit der Vorstel-

[61] Vgl. dazu: Schlafwandler. S. 41; 44; 120.

lung von Borsigs Maschinenfabrik verbindet, und gegen die er sich in seinen Flucht- und Rettungsversuchen abschirmen will. Dieser zweite Band der „Schlafwandler“ ist farbiger, handlungsreicher und auch in einem äußeren Sinne gesehen spannender als der erste. Hier vor allem begegnen wir dem „Erzähler“ Broch, der in seinen atmosphärisch so verdichteten Milieuschilderungen wie auch in der plastischen Figurenzeichnung – etwa in der unvergeßlichen Gestalt der Mutter Hentjen – von seinem großen erzählerischen Können Zeugnis abgelegt hat. Man spürt im „Esch“ die größere Anteilnahme, die der Autor seinem Werk und dessen Gestalten schenkt. Der Titelheld, August Esch, steht dem Dichter, trotz aller auch hier vorhandenen erzählerischen Distanz, näher als der etwas schablonenhafte Joachim v. Pasenow, und er läßt in die Darstellung dieses skurrilen Buchhalters Elemente eines oft derben Humors einfließen, die den übrigen Teilen des Werkes sonst fremd sind. Diese größere Nähe zu seinem Gegenstand mag darin ihren Grund haben, daß Broch der hier behandelte Zeitraum noch aus eigenem Erleben zugänglich war. Wichtiger jedoch scheint uns der Umstand, daß der Dichter für die im „Esch“ dargestellte Epoche ein literarisches Vorbild vorfand, das ihn nachweislich gerade in der Zeit der Entstehung der „Schlafwandler“ auf das stärkste beschäftigte und beeinflußte, den „Ulysses“ von James Joyce. Joyce hatte den 16. Juni 1904 zum Stichtag gemacht, in dessen Verlauf er die Abenteuer seines modernen Odysseus sich abspielen läßt. Brochs Roman beginnt mit dem 2. März 1903. Diese auffallend enge Verwandtschaft beider Werke hinsichtlich des in ihnen zur Repräsentanz erhobenen Kairos ist mehr als ein bloßer Zufall, sie schließt eine ganze Reihe thematischer und motivischer Verknüpfungen ein, die den „Esch“ als dasjenige Werk Brochs kennzeichnet, das Joyce unter allen seinen Werken am nächsten steht. Betrifft der Einfluß, den Joyce auf das Schaffen Brochs ausgeübt hat, auch vornehmlich die Frage nach einer neuen Kunstform des Romans unter dem Aspekt einer gewandelten Wirklichkeitsauffassung, so schließt dies die produktive Anverwandlung inhaltlicher und stofflicher Motive nicht aus. So fällt auf den ersten Blick sofort die Ähnlichkeit zwischen dem Annoncenaquisiteur Leopold Bloom und dem Buchhalter August Esch ins Auge, eine Ähnlichkeit, die sich nicht nur in Milieuschilderung und psychologischer Charakterzeichnung erschöpft, sondern sich vor allem – und das ist das Entscheidende – in der typologischen Überhöhung, die beide Gestalten erfahren, ausdrückt und bestätigt. Bei Joyce, der einen einfachen Alltagsmenschen zum Träger einer mythologischen Rolle gemacht hatte, fand Broch das vorgebildet, was ihm als Intention im „Esch“ vorschwebte: die Darstellung eines „Rollen“-trägers, der, wie Leopold Bloom, Individuum und abstrakter Typus zugleich ist. Die „Rolle“, die Esch dabei zukommt, ist keine mythologische wie bei Joyce, sondern eine religiöse, wennschon innerhalb der vielschichtigen Architektonik des „Ulysses“ mit ihren thematischen und motivischen Verschlingungen beide Bereiche sich verbinden und eine sehr eigentümliche Synthese von antiken, jüdischen und christlichen Inhalten bilden[62]. Wir können

[62] Am Schluß des 12. Abschnitts des „Ulysses“, des sog. Cyklopen-Kapitels (Bezeichnung nach Stuart Gilbert. Das Rätsel Ulysses. Zürich 1932), finden wir das Ahasver-

die vielfältigen Beziehungen, die zwischen dem Werk von Joyce und demjenigen Brochs bestehen, hier nicht im einzelnen verfolgen. Wir werden auf das Verhältnis Brochs zu Joyce noch ausführlicher bei der Besprechung des Formproblems des dritten Bandes eingehen. Eine genauere Untersuchung dieser Frage wäre Teil einer dringend notwendigen Arbeit über den Einfluß Joyces auf den modernen deutschen Roman, die neben Hermann Broch vor allem das Werk Alfred Döblins (Berlin Alexanderplatz. 1929) und Hans Henny Jahnns (Perrudja. 1929) zu ihrem Gegenstand machen müßte.

Die Handlung des zweiten Romans setzt ein mit der Entlassung Eschs aus seiner bisherigen Firma. Ohne jegliche erklärenden Übergänge wird der Leser sofort mit den Reaktionen Eschs auf dieses für ihn so wichtige Ereignis konfrontiert:

> ...: sie hatten ihm in unflätiger Weise einen Buchungsfehler vorgeworfen und wenn er es sich jetzt überlegte, war es gar kein Fehler gewesen. (S. 173).

Mit dem Vorwurf, Esch habe sich einen „Buchungsfehler" zuschulden kommen lassen, ist das Grundthema des Romans angeschlagen. Der durch seine Entlassung aus der Bahn geworfene Esch entdeckt im weiteren Verlauf des Werkes eine Welt, der er nun seinerseits den Vorwurf eines „Buchungsfehlers" zurückgibt, um dessen Richtigstellung er einen fanatisch-leidenschaftlichen Kampf beginnt. Diese mit einem „Buchungsfehler" behaftete Welt verkörpert sich ihm etwa in dem Zigarrenhändler Fritz Lohberg, einem schmächtigen kleinen Männchen, der für „ein großes, naturgemäßes, echt deutsches Leben und Wesen" eintritt, „im Tabak die Volksvergiftung und die Vergeudung des Nationalwohlstandes" sieht und „seine eigenen Zigaretten bloß aus Pflichtgefühl und Schuldbewußtsein" raucht (alles S. 203); er begegnet ihr in dem Gewerkschaftsfunktionär Martin Geyring, der gegen die Unternehmer kämpft und gleichzeitig von ihnen bezahlt wird (vgl. S. 214), der eine Gewerkschaftsversammlung abhält in einem Saal, „geziert mit den Bildnissen des Kaisers, des Großherzogs von Baden und des Königs von Württemberg ..." (S. 216); er findet sie wieder in dem Theaterdirektor Gernerth, der Damenringkämpfe veranstaltet, bei denen programmgemäß ein Trikot platzen muß, „damit die Kinder Gernerths auf Ferien gehen könnten" (S. 262); sie verdichtet sich ihm endlich – auf höherer Stufe – in dem „homosexuellen" Präsidenten Eduard v. Bertrand, der in den Augen Eschs hinter der Maske des vornehmen Ehrenmannes ein undurchsichtiges Lotterleben verbirgt.

Was Esch hier entgegentritt und seine buchhalterische Seele in Aufruhr versetzt, ist die Inkongruenz von Sein und Schein, die er überall wittert und aufspürt, ist die Brüchigkeit und Fadenscheinigkeit aller Lebensformen und -ordnungen. Doch diese Phänomene sind für ihn nur das oberflächenhafte Widerspiel eines

Motiv in Verbindung mit dem Kreuzigungs-Motiv gebracht. Leopold Bloom übernimmt hier die „Rolle" des gekreuzigten Christus, die numinose Überhöhung seiner Gestalt gipfelt in seiner „Himmelfahrt", mit der das Kapitel schließt. Sämtliche hier mit der Figur eines „einfachen" Mannes in Verbindung gebrachten Vorstellungen und Motive, das Kreuzigungs-, das Opfer-, das Ahasvermotiv, finden wir in den „Schlafwandlern" wieder.

tieferen Zusammenhangs, dem er in einer Art hartnäckiger Verbohrtheit nachjagt und dem er in seiner buchhalterischen Sprache Ausdruck verleiht in der Feststellung:

> ... daß die Welt einen Bruch hatte, einen fürchterlichen Buchungsfehler, der nur durch eine wundersame neue Eintragung zur Erlösung gebracht werden konnte, ... (S. 204).

Esch, „ein Mensch impetuoser Haltungen"[63], macht so innerhalb seiner Welt die gleiche Erfahrung, wie fünfzehn Jahre zuvor Joachim v. Pasenow sie in seinem Lebensraum machen mußte. Der schlafwandlerischen Offenbarung der Unsicherheit und Brüchigkeit aller Lebensformen, die Pasenow seinen angestammten Ordnungen entfremdet und in ihm die „Sehnsucht nach Festigkeit, Sicherheit und Ruhe" (S. 31) wachwerden läßt, ihr steht im „Esch" die Feststellung eines radikalen Bruchs gegenüber, eines radikalen „Buchungsfehlers" in der Weltordnung, auf Grund dessen Menschen und Dinge in den Strudel eines „anarchischen Zustands" hinabgerissen werden, eines Zustands, in dem „keiner weiß, ob er rechts oder links, ob er hüben oder drüben steht" (S. 248), in dem Name und Individualität gleichgültig werden, in dem alles ineinander verfließt, in dem Lebendes in Totes, Totes in Lebendes übergeht, in dem Menschen ineinander und in die Dinge verschwimmen und verströmen.

Im Angesicht dieses „anarchischen Zustand(s) der Welt" (S. 248) erwächst auch in Esch der Wunsch nach Befreiung und Erlösung. Seine Situation ist jedoch eine andere als die Joachims v. Pasenow. Esch kann sich nicht mehr in die Scheinwelt vermeintlich noch bestehender Ordnungen zurückziehen, da es diese Ordnungen für ihn nicht mehr gibt. Ihm ist die Möglichkeit des restaurativen Weges versperrt, und es bleibt ihm nur der Weg des revolutionären Neubeginns, den er mit der ihm eigenen „Impetuosität" einschlägt.

Es ist notwendig, an dieser Stelle eine kurze Zwischenbemerkung einzuschieben. Nach dem bisher Gesagten könnte der Eindruck entstehen, wir hätten es in diesem Teil der Schlafwandlertrilogie mit einer Form oder Abart des sozialkritischen Romans zu tun, wie er uns vom Naturalismus her bekannt und vertraut ist. Diese Auffassung, wie sie etwa in dem Waschzettel zu der Ausgabe des „Esch" in der Fischer Bücherei[64] zum Ausdruck kommt, wo es heißt, daß der Roman „den zähen Kampf des Buchhalters Esch um sozialen Aufstieg schildert", geht an dem Wesen dieses Werkes gänzlich vorbei und muß mit Nachdruck zurückgewiesen werden. Broch hat sich zwar der Elemente des sozialkritischen Romans wie naturalistischer Milieustudien, Demaskierung der gesellschaftlichen Zustände, utopischer Gegenbilder einer neuen und besseren Weltordnung bedient, hat diese Elemente jedoch nur als Bausteine eines von grundsätzlich anderen erzählerischen und gedanklichen Gesetzen und Intentionen beherrschten Strukturganzen aufgenommen und diesem eingeformt.

An die Stelle der „Sehnsucht nach Festigkeit, Sicherheit und Ruhe", die für

[63] Diese Formel begleitet als eine Art epitheton ornans die Darstellung Eschs im zweiten und dritten Band. Vgl. Schlafwandler. S. 197; 210; 214; 336; 455; 456; 510; 571.

[64] Nr. 57. Juni 1954.

Pasenow das notwendige Korrelat der Bedrohung, Verwirrung und Einsamkeit ist, der er sich ausgesetzt fühlt, tritt bei Esch der „Wunsch nach Eindeutigkeit und Absolutheit". (S. 291) Dieser Wunsch gipfelt in der Vorstellung von einem „Stand der Unschuld (, der) allem Lebendigen wieder geschenkt werde" (S. 293), dem religiös-utopischen Gegenbild zu der Erfahrung einer ins Chaotisch-Anarchische taumelnden Welt.

Es charakterisiert die Eigenart und das Befremdlich-Eigentümliche des Brochschen Werkes, daß hier ein einfacher, fast primitiver und etwas liederlicher Mensch zum Träger religiöser Urerfahrungen und Urerlebnisse gemacht worden ist. Denn Esch ist – und das ist das Entscheidende – nicht eigentlich ein „homo religiosus", er gehört nicht zu jener Gruppe leidenschaftlicher Gottesstreiter, die, sich in Askese und Einsamkeit zurückziehend, die buntbewegte und in „Sünde" verstrickte Wirklichkeit fliehen, um zu ihr als gottselige Propheten und Verkünder eines neuen Lebens zurückzukehren. Esch bietet, wenigstens im zweiten Roman, von seiner psychologischen Eigenart wie auch von seinen Handlungen her gesehen nicht das Bild eines religiös bestimmten Mannes. Ausdrücklich heißt es von ihm: „... er scherte sich einen Dreck um die Pfaffen und die Moral". (S. 183) Wir sehen ihn verstrickt in recht zweifelhafte erotische Abenteuer; ähnlich wie sein literarischer Bruder Leopold Bloom ist auch er von einer leicht erregbaren sexuellen Phantasie beherrscht, er beteiligt sich an dem dunklen Geschäft von Damenringkämpfen und führt auch sonst ein regelloses Leben, das ein sich in vulgären Redensarten gefallender Selbstkommentar begleitet. Diesem seiner psychologischen Eigenart und seinem Verhalten nach durchaus „normalen" Esch steht – in paradoxer und rational nicht motivierter und motivierbarer Weise – der Schlafwandler und Visionär Esch gegenüber, der Ekstatiker, der eine neue religiöse Ur-Wirklichkeit entdeckt und sie in der Form von Ur-Symbolen wie Opfer, Kreuz und Kind, die als elementare Grundformen religiösen Erlebens ohne jeglichen konfessionellen Bezug in Erscheinung treten, erlebt und zum Ausdruck bringt.

Dieser Zweistöckigkeit im Aufbau der handlungstragenden Titelfigur, wie wir sie schon für Joachim v. Pasenow als charakteristisch erkannten, entspricht eine Zweistöckigkeit des erzählerischen Aufbaus. Als Tendenz bereits im „Pasenow" wirksam, wird diese Doppelbödigkeit des erzählerischen Grundgefüges jedoch erst im „Esch" in voller Deutlichkeit sichtbar. Neben den rein erzählerischen Abschnitten, die gleichsam die „naturalistische" Ebene des Romans bilden, stehen traumhaft visionäre Einschübe, die den geradlinigen Handlungsablauf unterbrechen und einem eigenen logischen Zusammenhang folgen, der sich der Elemente der naturalistischen Ebene nur noch als abstrakter Ciffren bedient. Mit diesem In- und Nebeneinander zweier Erzählebenen kündigt sich bereits die Auflösung und der Zerfall der Romanform an, wie wir sie dann im dritten Band in voller Konsequenz und Radikalität vor uns haben.

Wie Joachim v. Pasenow ist auch August Esch hineingestellt in ein Spannungsfeld „erotischer" Beziehungen. Sein Verhältnis zu Mutter Hentjen und zu Ilona entspricht in auffallend ähnlicher Weise demjenigen Joachims zu Ruzena und Elisabeth. Die Entsprechung weist zurück auf einen konstruktiven Parallelismus im erzählerischen Aufbau der ersten beiden Romane, auf den wir bereits hingewiesen haben und der uns noch eingehend beschäftigen wird.

Mutter Hentjen, Besitzerin und Wirtin jener Kölner Schifferkneipe, mit deren Beschreibung der zweite Band einsetzt – Zufluchtsort Eschs und neben der Wohnung Balthasar Korns in Mannheim der Hauptschauplatz im „Esch" – diese den Männern feindlich gesinnte Witwe und resolute Kneipwirtin ist die Partnerin Eschs in einer „Liebes"-geschichte, deren Entfaltung den eigentlich erzählerischen Inhalt des zweiten Bandes der Romantrilogie bildet. Karl August Horst hat auf die Bedeutung hingewiesen, die in Brochs Romanen „dem Schauplatz als magischer Bühne zukommt". Ausgehend von dem für Brochs Ästhetik entscheidenden Begriff der Simultaneität, kommt Horst zu der Behauptung, daß dem realen Schauplatz ein überrealer oder transrealer entspricht, so daß beide in den Modus der Gleichzeitigkeit rücken: „Die Gastwirtschaft, in der Esch verkehrt, ist zugleich Wirtschaft und Höhle der Großen Mutter„[65]. Horst verweist in diesem Zusammenhang auf James Joyce und dessen simultane Ineinsschau von Zeiten und Räumen. Dieser Hinweis besteht zu Recht, hat doch Broch am Werk von Joyce seinen eigenen Simultaneitätsbegriff entwickelt und geklärt. Wie in Joyces „Ulysses" der Erzählraum und die Erzählhandlung eingespannt sind in ein mythologisches Beziehungsgeflecht, das als archetypisches „Muster" allem vordergründig naturalistischen Detail unterlegt ist und zu ihm in einem simultanen Entsprechungsverhältnis steht[66], so stoßen wir auch im „Esch" auf einen abstrakten Grundriß, dessen Anlage gedanklichen Konstruktionen folgt, die sich wiederum uralt vorgegebener Handlungsmuster, wie sie Mythos, Sage und Märchen bereitstellen, als Gerüst bedienen. So ist die sog. naturalistische Erzählebene im „Esch", die wir oben gegen die traumhaft-visionären Einschübe abgegrenzt haben, bereits in der Weise entnaturalisiert, daß auch sie Symbolcharakter innehat und nur in beständigem Bezug auf den abstrakten Grundriß des Werkes in ihrer Bedeutung erfaßt werden kann.

Die Beschreibung der Wirtschaft von Mutter Hentjen, der „magischen Bühne" – nach K. A. Horsts treffendem Ausdruck – eines großen Teils der Romanhandlung, ist ein gutes Beispiel für ein erzählerisches Verfahren, das noch dem unbedeutendsten Detail, den geringfügigst scheinenden Nebensachen symbolische Bedeutung zukommen läßt. Das Bild, das von Mutter Hentjens Kneipe vor uns aufgebaut wird, entspricht jenem Zustand der Unstimmigkeit, des Nicht-Aufeinander-Abgestimmtseins der Teilelemente, der Widersprüchlichkeit, dem Esch sich ausgesetzt fühlt in der Begegnung mit einer Welt, die mit dem Makel eines „Buchungsfehlers" behaftet ist. So stehen auf dem Bord der Wirtschaft, die „wohl schon seit Hunderten von Jahren eine Kneipe der Rheinschiffer" gewesen war, „Münchner Maßkrüge" (S. 174); ein bronzener Eifelturm, der als Stammtischpokal dient, „war mit einer schwarz-weiß-roten Fahne geschmückt" (S. 174); ein

[65] Karl August Horst. Hermann Brochs theoretische Schriften. a. a. O. Beide Zitate S. 1221.

[66] Diese Bezüge hat vor allem Stuart Gilbert in seinem Werk „Das Rätsel Ulysses" (Zürich 1932) aufgedeckt.

Orchestrion, das seine geöffnete Mechanik jedem musikbedürftigen Zugriff feilbietet, „(entließ) ... brüllend den Gladiatorenmarsch in die kalte Luft des Raumes“ (S. 175). Diese Ansammlung unzusammengehöriger Dinge wird im weiteren Verlauf des Werkes noch durch einige Geschenke Eschs an Mutter Hentjen bereichert: eine „bronzene Nachbildung des Schillerdenkmals vor dem Mannheimer Theater“ (S. 236), ein Modell der amerikanischen Freiheitsstatue (vgl. S. 287), ein Plakat der Damenringkämpfe (vgl. S. 248). Am treffendsten wird man das Bild, das Broch von Mutter Hentjens Kneipe entworfen hat, mit der Bezeichnung „stillos“ umschreiben können. Der Begriff „Stil“ aber ist ein Kernbegriff der erkenntnistheoretischen Exkurse des dritten Bandes, in denen ihr Schreiber seiner Zeit den Vorwurf der Stillosigkeit macht, genauer gesagt, die Stillosigkeit seiner Zeit als unvermeidliche Folge eines geschichtsphilosophischen Prozesses begreift. Die scheinbar belanglose Stillosigkeit einer Kneipe gewinnt so, unter dem Blickwinkel der gedanklichen Intention des Werkes, zeitgeschichtliche Repräsentanz. Was sich sinnbildlich bereits in der Innendekoration des Lokals spiegelt, begegnet uns auf anderer Ebene in der Gestalt der Wirtin wieder. Mutter Hentjen ist alles andere als der Typ einer prallen, handfesten und mit ihrem Beruf verwachsenen Gastwirtin. Sie haßt die Männer, die sich allabendlich bei ihr betrinken und die sie zu bedienen hat nicht weniger als die Frauen, die den betrunkenen Männern nachlaufen und sich ihnen feilbieten. Sie träumt davon, „einen Weißwarenladen oder ein Miedergeschäft oder einen Damenfrisiersalon“ zu besitzen (S. 179) und bietet so in der Unstimmigkeit von Beruf und innerer Überzeugung ein ähnliches Bild wie der Zigarrenhändler Lohberg, eine „seltsame Parallele“, wie Esch sogleich nach seiner Bekanntschaft mit dem kleinen Männchen feststellt. (S. 203; 204; vgl. auch S. 303).

Die „Liebes“-geschichte zwischen Esch und Mutter Hentjen steht, so darf wohl zu Recht behauptet werden, in ihrer „unästhetischen“ Drastik, in ihrer auf jede verklärende Illusion verzichtenden Erbarmungslosigkeit, in der trostlosen Verbissenheit, mit der hier zwei Menschen um die Erlösung aus ihrer Einsamkeit ringen, einzigartig in der neueren deutschen Romanliteratur da. Als Vergleich ließen sich nur die Liebesepisoden in Kafkas Romanen anführen, für die neben den Elementen des Grausamen, Drastischen und Unästhetischen vor allem jener Bezug zum Metaphysisch-Transzendenten charakteristisch ist, dem wir auch in den Liebesbeziehungen in Brochs Roman begegnen. Erich Heller, der in einem Aufsatz über Franz Kafka das Verhältnis K.s zu Frieda im „Schloß“ analysiert hat, kommt zu einer Feststellung, die über Kafka hinausgehend auch für Broch Gültigkeit beanspruchen darf. Er schreibt:

> K.s Beziehung zu Frieda ist der Epilog zur europäischen Geschichte der romantischen Liebe. Hier haben wir es mit dem Bodensatz zu tun, den das verdunstete Parfum der Romantik zurückgelassen hat und der ihr dunkelstes Geheimnis offenbart. In der romantischen Liebe, wie sie einen großen Teil des europäischen Gefühlslebens und der europäischen Literatur seit dem späten Mittelalter beherrscht hat, fand der Individualismus, der sich aus den Trümmern einer wahrhaft spiritualen Gemeinschaftsordnung erhob, sein wirksamstes Surrogat der Transzendenz. Das mehr und mehr autonome, und daher mehr und mehr einsame Individuum macht Eros (und seine Zwillings-Gottheit inner-

> halb der romantischen Phantasie: Thanatos, den Tod) zum höchsten Gott, denn er allein scheint fähig, die Schranken der individualistischen Vereinzelung zu durchbrechen. Daher wird die Liebe zur Tragödie: übervoll von unstillbaren spiritualen Ansprüchen muß sie jede menschliche Beziehung übersteigen[67].

Der letzte Satz Hellers könnte ein Zitat aus den „Schlafwandlern“ sein, weiß doch auch Esch,

> daß es gewissermaßen eine magistrale und eine das gewöhnliche Maß übersteigende Art der Liebe war, in deren Bann er sich befand, ... (S. 280).

Während seiner Arbeit an den „Schlafwandlern“ hat Broch in einem Brief an Frank Thiess ein aufschlußreiches Bekenntnis zu der ihn in dieser Zeit besonders bedrängenden Frage des Verhältnisses von Autor und Leser gegeben. Er bezieht sich auf Joyce – er blieb für Broch gerade in dieser Frage wegweisend und beispielgebend – und gesteht ein:

> Der Ulysses ist ein vollkommen unliebenswürdiges Buch, das auf den Leser überhaupt keine Rücksicht nimmt und ihm womöglich auf jeder Seite ins Gesicht schlägt[68].

Dieses Bekenntnis gilt – cum grano salis – auch für Brochs eigenes Werk, die „Schlafwandler“, es gilt aber in besonderer Weise für die erzählerische Darbietung der Liebesbeziehung zwischen Esch und Mutter Hentjen. Broch hat hier vollends auf die romanhaften Mittel der Illusionserzeugung und der verklärenden Verinnerlichung verzichtet, indem er seine Gestalten dem Leser in all ihrer ganzen abstoßenden Körperlichkeit schonungslos auf den Leib rückt.

So ist das sukzessive sich aus den Wahrnehmungen, Erinnerungen und Reflexionen Eschs aufbauende Bild von Mutter Hentjen zumeist von deren etwas kompakter und schwerfälliger Körperlichkeit bestimmt, wobei die negativen Züge dominieren. Sie erscheint als eine „ältliche Frau“ (S. 266) mit einem „schweren Körper“ (S. 271), einem „runden schweren Kopf“ (S. 270), „trockenen dicken Lippen“ (S. 270; 272); ihr Gesicht, mit dem „sonderbaren starren Ausdruck“ (S. 177), der „angstvollen Erstarrung“ (S. 181) ist „blaß, ausdrucksarm“ (S. 175), „gelangweilt und leer“ (S. 177); die „unschönen schweren Flächen der feisten Wangen und der niederen Stirn, die stumpf und unbeweglich blieben“ (S. 273) und ihre „Brüste (, die) wie zwei Säcke in der breitkarierten Barchentbluse lagen“ (S. 175), runden den körperlichen Eindruck dieser wenig anziehenden Frau ab, die Esch in einem Wutanfall ein „Stück Fleisch“ (S. 343) nennt und die im dritten Band aus der Perspektive Huguenaus einfach als „eine breithüftige, reiz- und geschlechtslose Person unbestimmten Alters“ (S. 437; 478) bezeichnet wird. Dieses körperliche Bild wird ergänzt durch die leitmotivisch wiederkehrende Beschreibung ihrer Kleidung (das „Braunseidene“) oder ihrer Gestik, vor allem des „mechanischen“ Herumtastens an ihrem „kleinen Zuckerhut“ auf dem Kopfe. (S. 174; 181; 268) Dem äußeren Erscheinungsbild entspricht eine Charakterzeichnung, die in ihrer Betonung der dumpfen, erstarrten, pharisäerhaften und

[67] Erich Heller. Enterbter Geist. Essays über modernes Dichten und Denken. a. a. O. S. 315/316.

[68] Briefe. S. 15.

altjüngferlichen Züge nicht weniger negativ ausfällt[69]. Diese Frau nun wird für Esch zum ruhenden Pol inmitten einer „ararchischen“ Welt.

Bereits die Spiegelung der äußeren abstoßenden Erscheinung Mutter Hentjens im Bewußtsein Eschs mag deutlich gemacht haben, daß diese „Liebes“-geschichte weitgehend jeglicher psychologischen Motivierung im üblichen Sinne ermangelt. Die Liebe entzündet sich bei Esch nicht an einem subjektiv erfahrenen Wert des Liebespartners, Mutter Hentjen ist für Esch nicht eigentlich begehrenswert in dem Sinne, in dem der Eros immer intentional auf das Begehrenswerte bezogen ist, sondern diese Liebe findet ihre Begründung in einem überpersonalen und metapsychologischen Bereich, die sie allem natürlichen Nacherleben entrückt auf eine „magische Bühne“ urbildhaften Geschehens. Diese Hypostasierung in eine transzendente Sphäre scheint unangemessen, ja paradox zu sein angesichts einer Darstellung, die sich auf weite Strecken hin in krassem sexuellen Detail erschöpft, die in so starkem Maße dem Triebhaft-Animalischen verhaftet bleibt, wie dies im „Esch“ der Fall ist. Gerade dieses In- und Miteinander von krassem naturalistischen Detail und gedanklichen, metaphysischen und spiritualen Bezügen aber scheint uns ein Hauptcharakteristikum der „Schlafwandler“ zu sein, Ausdruck der Doppelbödigkeit des konstruktiv-symbolischen Erzählstils Brochs.

Wir haben bereits auf den Parallelismus der erzählerischen Bauform der beiden ersten Romane hingewiesen. Hier wie dort ist es die Beziehung des Titelhelden zu zwei Frauen, die das erzählerische Grundgerüst bildet. So folgt auch die handlungsmäßige Entfaltung der Liebesgeschichte zwischen Esch und Mutter Hentjen dem Schema, wie es im ersten Band in der Begegung zwischen Pasenow und Ruzena vorgebildet ist. Das darf nicht als ein Mangel an dichterischer Phantasie gewertet, sondern muß als Konsequenz eines höchst bewußten und streng kompositorisch verfahrenden Gestaltungswillen gesehen werden. Sowohl Pasenow als auch Esch suchen in dieser Liebesbegegnung Befreiung und Erlösung von ihrer Lebensproblematik in der rauschhaften Preisgabe an das sexuelle Erlebnis. Für beide ist diese Liebe ein verzweifelter Fluchtversuch aus dem Kerker ihrer Einsamkeit, und beide erfahren ihre Grenze.

Der Höhepunkt beider Liebesgeschichten ist an eine Ausfahrt geknüpft – Sinnbild befreiender Loslösung von der Bedrohung und Verwirrung durch eine unwirklich gewordene Welt – die Pasenow und Ruzena an die Havel, Esch und Mutter Hentjen an den Rhein führt. Für beide Paare endet diese Ausfahrt mit der endgültigen Vereinigung, deren Darstellungen durch eine Reihe leitmotivischer Anklänge aufeinander bezogen sind[70]. Die Liebesvereinigung gewinnt

[69] Broch selbst hat in einem späten Brief von der „Dummheit und Gehemmtheit und Primitivität“ Mutter Hentjens gesprochen. Briefe. S. 362.

[70] Vgl. S. 39–40 und S. 272–274: die anfängliche Weigerung der Frau; das Gefühl schlafwandlerischen Tuns; die Kleidersymbolik; die Beschreibung des Körpers der Geliebten [in deutlicher Antithetik: „... fand die Stirn und die Lider, unter denen hart der Augapfel ruht, fand die beglückende Rundung der Wange und die Linie des Mundes zum Kusse geöffnet.“ (S. 40) „... und sein Mund folgte den unschönen schweren Flächen der feisten Wangen und der niederen Stirn, die stumpf und unbeweglich blieben, ..“ (S. 273)]; die Vorstellung der Liebesgrotte; die lyrische Steigerung des Sprachtons.

jedoch in beiden Romanen eine jeweils andere Funktion. Für Pasenow bleibt sie vorübergehende Flucht und Befreiung, während sie für Esch, für den es das Ausweichen in den konventionellen Bereich einer „heiligen“ Ehe nicht gibt, mit dem Anspruch, „das Absolute“ zu sein, auftritt. Der Abschnitt, der die Liebesvereinigung im „Esch“ schildert, endet mit einer in eigentümlicher Weise über das Bewußtsein Eschs hinausgehenden, abstrakt-begrifflichen Deutung und Begründung dieses Geschehens, das in seiner erzählerischen Darbietung den Eindruck eines ekelerregenden, dumpf-animalischen Vorgangs wachruft:

> Oh, sich auszulöschen, stets verwaister zu werden, selber sich zu vernichten mit all der Ungerechtigkeit, die man trägt und die man angesammelt hat, dennoch auch die auszulöschen, deren Mund man sucht, auszulöschen die Zeit, die auch die ihre war, die Zeit, die in den ältlichen Wangen sich niedergelegt hatte, Wunsch, die Frau zu vernichten, die in der Zeit gelebt hatte, zeitlos sie neu erstehen zu lassen, erstarrt und bezwungen in der Vereinigung mit ihm! . . . . . Denn der Mensch, der das Gute und das Gerechte will, will das Absolute, und Esch ward zum ersten Male inne, daß es nicht auf Lust ankomme, sondern daß es um eine Vereinigung geht, die herausgehoben ist über den zufälligen und traurigen, ja sogar schäbigen Anlaß, um ein vereinigtes Verlöschen, das zeitlos selber, die Zeit aufhebt und daß die Wiedergeburt des Menschen ruhend ist wie das All, das dennoch klein wird und ihm sich beschließt, wenn sein ekstatischer Wille es bezwungen hat, damit das ihm werde, was allein ihm zu eigen ist: die Erlösung. (S. 273/274).

Die Liebe Eschs zu Mutter Hentjen erfährt in diesem Passus, dessen Sprachton sich ins Objektive eines an keinen individuellen Träger mehr gebundenen lyrisch-begrifflichen Kommentars emporsteigert, eine letztmögliche Überhöhung. Die unio der Liebenden wird zum zeitaufhebenden Absoluten, zum Ort der „Wiedergeburt“ und der „Erlösung“. Die so alles „gewöhnliche Maß übersteigende Art der Liebe“ (S. 280) trägt jedoch den Keim der Tragik bereits in sich. Die Unmöglichkeit für den Menschen, in der irdischen Liebe den Kerker der Individuation, der Einsamkeit, der Zeit zu sprengen, um in ihr das Absolute, die Wiedergeburt und die Erlösung zu finden, ist ausgedrückt im Bilde der Tierschnauze, die an eine Glasscheibe stößt. Es kommt in unserem Zusammenhang an zwei Stellen vor:

> Dann küßte er die Wange, die an seinem Mund vorbeiglitt, und schließlich nahm er den runden schweren Kopf in die Hand und drehte ihn zu sich. Sie erwiderte den Kuß mit trockenen dicken Lippen, etwa wie ein Tier, das seine Rüsselschnauze gegen eine Glasscheibe drückt. (S. 270).
>
> Nun hat sich ihr Mund an seinen suchenden gepreßt wie die Schnauze eines Tieres an eine Glasscheibe, und Esch war voll Wut, daß sie ihre Seele, damit er ihrer nicht habhaft werde, hinter den zusammengebissenen Zähnen gefangen hielt. (S. 273/274).

Broch, der in so extremer Weise und Häufigkeit in seinem Werk das Thema der Liebe in allen ihren Formen zur Darstellung gebracht hat, der das Erotische in einem Maße mit metaphysischen und spirituellen Gewichten belastet hat, daß man fast geneigt ist, bei ihm von Pansexualismus und Panerotik zu sprechen, – hierin im Bereich des modernen Romans etwa D. H. Lawrence vergleichbar – war doch zugleich auch von einer tiefen Skepsis gegenüber der Liebe und ihrer vornehmlichen Hüterin und Verwahrerin, der Frau, erfüllt[71]. Diese Skepsis, wie sie am Ende des „Esch", das Verhältnis Eschs zu Mutter Hentjen besiegelnd, in dem Satz: „Keine Hilfe vermag die Frau dem Manne zu gewähren in der zweifelnden Pein des Unbeweisbaren" (S. 363) sich ausspricht, durchzieht das gesamte Werk Brochs. Wir finden sie im „Versucher" und in den „Schuldlosen" wieder, sie findet ihre tiefste symbolische Darstellung in der Gestalt der Plotia im „Tod des Vergil".

Der Beziehung Eschs zu Mutter Hentjen steht kontrapunktisch diejenige zur Artistin Ilona gegenüber. Sie bildet innerhalb des parallelen Strukturaufbaus der beiden ersten Romanteile die figurale Entsprechung zum Verhältnis Pasenows zu Elisabeth. Wir gebrauchen hier den Ausdruck „figurale" Entsprechung, da die Beziehung Eschs zu Ilona nicht eigentlich eine wirkliche Beziehung ist, sondern ihren Ort allein in den Fiktionen und Setzungen des Visionärs Esch hat, der die Person Ilonas zum figuralen Sinnbild erhöht. Mit dieser Erhöhung folgt er Pasenow, der Elisabeth zur engelhaften Madonna emporgesteigert hatte, doch fehlt bei Esch die noch für Pasenow vorhandene persönliche Beziehung zum Gegenstand seiner Fiktionen und Hypostasen. Esch begegnet Ilona zum erstenmal in einem Varietétheater, das er zusammen mit Erna und Balthasar Korn besucht. Ilona, in ihrer Funktion als Gehilfin des Jongleurs und Messerwerfers Teltscher, erscheint dem schlafwandlerisch entrückten Esch in ihrer hilflos den sausenden Messern preisgegebenen Haltung als eine „Gekreuzigte". (S. 192; dreimal wird auf dieser Seite von Ilona als von einer Gekreuzigten gesprochen). Diese Szene (S. 190–193), in der das für den zweiten Band so wichtige Thema der Kreuzigung zum erstenmal angeschlagen wird, bildet sowohl von ihrem architektonischen Aufbau als auch von ihrer funktionalen Bedeutung her gesehen die genaue Entsprechung zur Vision Pasenows in der Kirche während eines Militärgottesdienstes. Der Vergleich dieser beiden Szenen ist ein besonders eindrucksvolles Beispiel für den von uns behaupteten konstruktiven Parallelismus, der die beiden ersten Bände miteinander verknüpft, er zeigt, wie bewußt, ja subtil ausgeklügelt die „Schlafwandler" architektonisch aufgebaut sind.

Als das bestimmende Symbol der Visionsszene im „Pasenow" hatten wir die „silberne Wolke" erkannt. Es ist von uns als das „Symbol gnadenvoller Gebor-

[71] Die Skepsis einer Liebe gegenüber, die auf das Absolute gerichtet ist, hat Broch dem homosexuellen Kneipenmusiker Alfons in den Mund gelegt: „Auf ihn hatte man natürlich nichts zu geben, denn er war bestenfalles ein gedankenloser Mensch und ein verkommener Orchesterspieler; aber er wußte, daß man das Absolute noch lange nicht erreicht, indem man sich für eine Frau entscheidet. Und er entschuldigte auch die bösartige Wut der Männer, denn er wußte eben auch, daß sie aus der Angst und aus der Enttäuschung entspringt, wußte, daß jene leidenschaftlichen und bösartigen Männer hinter einem Stück Ewigkeit her sind, damit es sie vor der Angst beschütze, die in ihrem Rücken steht und ihnen den Tod verkündet." (S. 349) In der Form, wie Alfons sich selbst und den Wert seiner Betrachtungen einschätzt, ist deutlich die Absicht des Autors zu spüren, seine Stellungsnahme zum Romangeschehen und seinen Trägern zu verschleiern. Erst im Hinblick auf das kontrapunktische Gesamtgefüge von Stimme und Gegenstimme der in epischer Objektivität sich selbst darstellenden Romanpersonen ist die gedankliche Intention des Autors und seines Werkes zu erschließen.

genheit im Religiösen" bezeichnet worden[72]. Dieses Symbol nun finden wir, wenn auch versteckt und einem flüchtigen Lesen kaum bemerkbar, in der parallelen Szene im „Esch" wieder. So heißt es dort gleich zu Beginn der Vorstellung:

> Der Rauch ihrer Zigarre stieg aufwärts und mündete in die Tabakswolke, welche unter der niedern Decke des Saales gar bald schwebte, silbrig durchschnitten von der Lichtbahn des Scheinwerfers, der von der Galerie aus die Bühne beleuchtete. (S. 190).

Die Farbsymbolik kehrt wenig später beim Auftritt des Jongleurs wieder, dessen „Nickelgerätschaften" wie „Silber" blinken. (S. 191). Durch diesen verschlüsselten symbolischen Bezug ist die Darstellung einer Varietévorführung der Sphäre des Alltäglichen und Natürlichen entrückt. Die Varietébühne wird zur „magischen Bühne", der banale Auftritt eines Messerwerfers wird für den Schlafwandler Esch zu einem sakralen Vorgang, die Stellung der mit ausgestreckten Armen sich gegen das schwarze Brett lehnenden Ilona zur religiösen Urgebärde einer Gekreuzigten. Es ist charakteristisch für den Unterschied der beiden Szenen, daß sich für Pasenow die Vision an der herkömmlichen Vorstellung eines bunten Heiligenbildes entzündet, während es für Esch dieses traditionellen Vehikels nicht mehr bedarf. Für Esch werden die Gestalten und Vorgänge der profanen Welt religiös transparent, er übernimmt gleichsam die Rolle eines – religionspsychologisch gesehen – Primitiven, der die Sphäre des Religiösen aus elementaren Urerfahrungen selbständig entdeckt. Wie Pasenow identifiziert sich auch Esch mit dem visionär Geschauten. Er verbindet die Vorstellung des eigenen Gekreuzigtwerdens mit dem kafkaesk anmutenden Bild eines aufgespießten Käfers (S. 193). Mit dem Wunsch Eschs, selber gekreuzigt zu werden[73], wird ein weiteres religiöses Grundthema des Romans angeschlagen, das Thema des Opfers, mit dessen Hilfe die Welt in den „Stand der Unschuld" (S. 293) zurückgebracht werden soll. Am Ende der Vision Pasenows stand die Vorstellung einer „Prüfung", zu der Joachim sich zugelassen weiß. (S. 123). Der Gedanke an eine Prüfung, die einem geschickt wird und der man sich zu unterwerfen hat, bleibt von da ab ein wichtiger Bestandteil von Pasenows religiösen Fiktionen und Vorstellungen. Er ist Ausdruck einer individuellen Erlösungshoffnung, die sich den Weg persönlicher Läuterung als eine Reihe von auferlegten Prüfungen deutet[74]. Der Vorstellung der Prüfung entspricht am Ende der Vision Eschs die Vorstellung eines „Gerichtes". (S. 193). Diese Steigerung und Intensivierung des religiösen Vorstellungsbereichs ist aufschlußreich, sie bringt zum Ausdruck, daß es Esch nicht mehr allein um individuelle Erlösung und persönliche Läuterung geht, sondern um universale Erlösung, um die Rückführung der Welt in den „Stand der Unschuld". Diese Erlösung aber ist für Esch nur möglich durch Kreuz, Opfer und Gericht. Dem individuellen Heilsweg in der Liebesbegegnung mit Mutter Hentjen steht der universale gegenüber, für den fortan Ilona figurales Symbol bleibt und in dessen Bereich das Individuelle und Persönliche gegenstands- und bedeutungslos wird.

[72] Vgl. S. 88 unserer Arbeit.
[73] Das Motiv des Gekreuzigtwerdens kehrt wieder S. 309; 325; 565; 634; 638.
[74] Vgl. S. 130; 131; 150; 164; 581.

Abschließend sei noch auf die Bedeutung des Ortes hingewiesen, der den symbolischen Hintergrund der visionären Entrückung Pasenows und Eschs bildet. Es ist kein Zufall, daß für Pasenow die Kirche, für Esch jedoch ein Varietétheater zum Schauplatz religiöser Initiation wird. Es entspricht der schon erwähnten Doppelbödigkeit dieses Erzählens, das auch das zufällig scheinende äußere Geschehen auf den Hintergrund tieferer symbolischer und gedanklicher Zusammenhänge projiziert, der Gegenüberstellung von Kirche und Varietétheater als den Schauplätzen numinoser Erhöhung eine besondere Bedeutung beizumessen. Wir erinnern an den geschichtsphilosophischen Aspekt dieses Romans, von dem her gesehen alles Geschehen zeitgeschichtliche Repräsentanz erhält, zum exemplum eines bestimmten Kairos wird. Unter diesem Gesichtspunkt gewinnt auch die Konfrontation von Kirche und Varietétheater zeitgeschichtliche Repräsentanz in der Weise, daß der jeweilige Schauplatz hier zum Sinnbild zeitbestimmender Mächte wird, die den ideologischen Hintergrund der Welt Pasenows einerseits und der Welt Eschs anderseits bilden. Was hier – der gedanklichen Intention des Autors nach – entgegengestellt und als notwendige Stufen eines historischen Prozesses begriffen wird, ist die konventionelle, „romantische“ Kirchlichkeit der Zeit um 1888 und der wertfreie, „anarchische“ Ästhetizismus der Zeit um 1903. Die ganze Theaterepisode im „Esch“ muß von diesem gedanklichen Schema her interpretiert werden als verkappte Satire auf eine ästhetische Lebensform, nicht zuletzt auch auf die Existenz des Künstlers überhaupt[75]. So spricht Esch, der in zunehmendem Maße zum Träger einer religiösen „Rolle“ wird, seine „tiefe Verachtung alles Künstlertums“ (S. 243) aus und wird in seiner Radikalität zum eigentlichen Gegenspieler Bertrands, in dessen Gestalt die Künstlerproblematik noch einmal – wenn auch auf höherer Ebene – in diesen Roman eingegangen ist. Die Herausstellung und der Aufweis der für das gesamte Werk Brochs so entscheidenden Problematik der Kunst und des Künstlers bereits in seinem ersten Werk, den „Schlafwandlern“, ist für uns von besonderer Wichtigkeit. Die Problemkonstanz, der wir in der schichten- und formenreichen Romankunst Brochs immer wieder begegnen, ist Ausdruck einer geradezu leidenschaftlichen Besessenheit von einigen wenigen Grundfragen, die dem Gesamtwerk Brochs den

[75] Das Theaterthema klingt bereits im ersten Band an. Der Versuch, Ruzena als Schauspielerin am Theater unterzubringen, wird von Bertrand als „Romantik“ entlarvt. Er macht sich Vorwürfe, selber Ruzena diesen Weg ermöglicht zu haben: „‚Es war voreilig von mir, euch nachzugeben ... bloß weil ihr Romantiker seid und euch unter dem Theater weiß Gott was vorgestellt habt.‘ – ‚Versteh' ich nicht, was meinen‘. – ‚Macht nichts, kleine Ruzena, aber es ist ausgeschlossen, daß du dabei bleibst. Schließlich, wohin soll das führen? Was soll aus dir, Kind, schließlich werden? Man muß doch für dich sorgen und mit Romantik kann man für niemanden sorgen‘.“ (S. 82) Die Frage Bertrands: „Schließlich, wohin soll das führen?“ findet im zweiten Band ihre Antwort, wo Ruzena als Ringkämpferin wieder auftaucht. (S. 250/251) In einem Brief hat Broch zu dieser kurzen Episode Stellung genommen: „Wohin das Schicksal dieser kleinen Hure führt, ist ja schon im ersten Teil mit ziemlicher mathematischer Exaktheit errechnet. Die Episode bei der Ringkämpferei ist sozusagen bloß die Probe aufs Exempel, ...“ (Briefe. S. 21) Hinter der Damenringkampfepisode wird so bereits – wenn auch verschlüsselt und an einem scheinbar abseitigen Gegenstand dargestellt – das entscheidende Lebensproblem Brochs sichtbar: die Bankrotterklärung der „romantischen“, ästhetischen Lebensform.

Stempel einer grandiosen Einseitigkeit und Einförmigkeit aufgeprägt, ihm aber auch jene Einheitlichkeit verliehen hat, die allem formalen Experiment und aller rationalen Konstruktion zum Trotz auch sein Werk zur Lebensbeichte und zum Dokument eines individuell erfahrenen und erlittenen Lebensvollzugs macht.

Die von Esch in der Varietészene zum religiösen Sinnbild schuldlosen Geopfertwerdens erhobene Ilona bleibt für den weiteren Verlauf des zweiten Bandes für ihn der Inbegriff und figurale Schnittpunkt aller seiner religiösen Ideen und Fiktionen. So gipfelt Eschs Vorstellung von einem Opfer, das er bringen will, „damit der Stand der Unschuld allem Lebendigen wieder geschenkt werde" (S. 293), in der Begründung:

> damit Ordnung in die Welt komme und Ilona vor den Messern geschützt werde, ... (S. 293).

Als einen Teil dieses Opfers begreift Esch seine Liebe zu Mutter Hentjen. Mit der Beharrlichkeit des von einer fixen Idee Besessenen bezieht er sein Verhältnis zu ihr auf Ilona, die er durch die Hingabe an die ältere Frau zu erlösen hofft. (Vgl. vor allem S. 339). Diese Erhöhung zum religiösen Symbol, die die Gestalt Ilonas im Bewußtsein Eschs erfährt, gehört ganz der traumhaft-irrationalen Ebene an, in die der Schlafwandler Esch immer wieder entrückt wird. Sie steht im schroffsten Gegensatz zur natürlichen Ebene der tatsächlichen Realität. In ihr regiert die Psychologie, und hier werden wir zu Zeugen von Eschs völlig normalen Reaktionen Ilona gegenüber, etwa in folgender Beschreibung von ihr:

> Jetzt in der Nähe war sie lange nicht so lieblich und zart wie auf der Bühne, vielleicht sogar ein wenig behäbig; ihr Gesicht war ein wenig schwammig, sie hatte schwere Tränensäcke, die voll Sommersprossen waren, und Esch, mißtrauisch geworden, argwöhnte, es könnte auch das schöne blonde Haar nicht echt, sondern eine Perücke sein; ... (S. 198).

Oder wenn es später von Esch heißt:

> Aber man stelle sich ja nicht vor, daß Esch ein leidensseliger Mensch gewesen sei. Oh, keineswegs! In seinen Selbstgesprächen scheute er sich nicht, Ilona eine Hure und sogar eine dreckige Hure zu nennen, ... (S. 255).

Dieser realistische Blick auf den Gegenstand seiner religiösen Setzungen und Fiktionen unterscheidet Esch von Pasenow, der sich ängstlich gegen jede „natürliche" Betrachtung seiner von ihm zum religiösen Idol erhöhten zukünftigen Frau wendet. Doch auch im „Pasenow" finden wir eine Szene, in der aus der „natürlichen" Perspektive Elisabeths heraus das Bild von der „Heiligen Familie" (S. 148), von dem Joachim erfüllt ist, einer schonungslosen Demaskierung unterworfen wird. (S. 72–77). Eine ähnliche Szene findet sich im „Esch" in dem einzigen Abschnitt, der aus der Perspektive Ilonas erzählt ist, und in dem ihre auf den Rest bloßer Kreatürlichkeit reduzierte Existenz enthüllt wird. (S. 351–352).

Die Ilona-Symbolik erreicht ihren Höhepunkt in der Verbindung mit einem Motiv, das alle drei Bände der Schlafwandlertrilogie durchzieht und das wir kurz das Park-Schloß-Motiv nennen wollen. Die Technik der leitmotivischen Wiederholung darf als eines der hervorstechendsten Merkmale des strukturellen Aufbaus der „Schlafwandler" angesehen werden. Im Bereich des modernen Romans ist uns diese Technik vor allem durch das Werk Thomas Manns vertraut geworden. Wir haben bereits auf die für die moderne Epik charakteristische Tendenz, musikalische Aufbau- und Formprinzipien im Sprachkunstwerk zur Anwendung zu bringen, hingewiesen. Sie vereint den größten Teil der von uns als „modern" angesprochenen Romanwerke und Romanautoren und ist der Ausdruck eines ausgeprägten Formbewußtseins, das die ihrem Wesen nach an keine bestimmte Formgebung gebundene Gattung des Romans in das Prokrustesbett einer strengen architektonischen und kompositorischen Gesetzlichkeit zwingen möchte. Neben die Nachahmung musikalischer Gattungsformen wie der Sonate, der Fuge, der Symphonie tritt die Übernahme musikalischer Stilprinzipien, bei der die Technik des Leitmotivs eine besonders wichtige Rolle spielt. Historisch gesehen ist die Bezeichnung des Leitmotivs als einer musikalischen Technik anfechtbar, gehört sie doch zum ursprünglichen Bestand auch der dichterischen Darstellungsmethode und -praxis; wenn wir sie dennoch als musikalisches Formelement betrachten, folgen wir damit der Selbstreflexion der modernen Autoren, bei denen – zumeist im Hinblick auf das Werk Richard Wagners – diese und andere Kompositionstechniken auf das Musikalische zurückgeführt werden. Im Folgenden möchten wir die besondere Art der Leitmotivtechnik in Brochs Roman zu zeigen versuchen. Dabei fällt gegenüber ihrer Verwendung bei Thomas Mann die Tendenz zum Abstrakten, zur Chiffre, zum Symbol auf, die das Motiv aus dem organischen Erzählzusammenhang herauslöst, es isoliert und verselbständigt, ein Verfahren, das seine Wurzeln nicht, wie bei Thomas Mann, in einem musikalischen Vorbild, sondern in einem literarischen, dem „Ulysses" von Joyce, hat.

Das Motiv klingt zum erstenmal an am Beginn des Romans, wo in der Szene im Jägerkasino der alte Herr v. Pasenow das Animiermädchen Ruzena mit folgenden ironisch gemeinten Worten anspricht:

> Ruzena, schönes Kind, morgen komme ich als Brautwerber zu dir, wie es sich gehört, tipp-topp; was soll ich dir als Morgengabe mitbringen ... aber du mußt mir sagen, wo dein Schloß steht ... (S. 18).

Neben das Schloß-Motiv tritt das Park-Motiv, das im ersten Band dominiert und vornehmlich auf Elisabeth bezogen ist. Erst im zweiten Band vereinigen sich beide Motive. Ansatzweise finden wir die Verbindung beider Motivkreise in den Betrachtungen Joachims über die Villengegend in Berlin Westend:

> Nun, diese wohlhabende Villengegend mit ihren schloßartigen Gebäuden in trefflichstem Renaissance-, Barock- oder Schweizerstil, umgeben von wohlgepflegten Gärten, aus denen man das Harken der Gärtner, den Strahl des Gartenschlauches, das Plätschern der Fontänen vernahm, strömte große und insulare Sicherheit aus, ... (S. 31/32).

Vornehmlich bringt die Erinnerung Joachims das Bild Elisabeths mit dem Park in Lestow in Zusammenhang:

> Und in dem nebelstummen Park, der schon nach feuchtem Grase riecht, findet er Elisabeth; sie geht langsam zum Hause hin, aus dessen Fenstern die milden Petroleumlampen durch die steigende Dämmerung blinken, und auch ihr kleiner Hund ist bei ihr, als ob auch der schon müde wäre. (S. 25).
>
> Wieder sah er Bertrand vor sich, verwunderlich weich und klein und strenge durch den Kneifer blickend, fremd ihm, fremd Ruzena, die eine Böhmin ist, fremd Elisabeth, die durch einen stillen Park geht, ... (S. 51).

Die ambivalente Stellung Joachims zwischen den beiden Frauen drückt sich in der Vertauschung Elisabeths durch Ruzena aus:

> schön wäre es, von all dem nichts zu wissen und mit Ruzena durch einen stillen Park und an einem stillen Teich zu wandeln. (S. 52).

In der folgenden Stelle dagegen wird die Welt Ruzenas (Berlin) derjenigen Elisabeths (die Felder) entgegengesetzt:

> so war es doch deutlich, daß Ruzena ... mit Berlin so eng verbunden war wie Elisabeth mit den Feldern, durch die sie jetzt fuhr, und mit dem Herrenhaus, das in dem Parke liegt. Das war eine Art befriedigender reinlicher Ordnung. (S. 64).

Die folgenden drei Stellen entstammen jenem Abschnitt, der aus der Perspektive Elisabeths erzählt ist und in dem ihre Welt „von innen" her enthüllt wird. Die Sammlerexistenz von Elisabeths Vater, hinter der drohend die Angst vor dem Tode steht (vgl. S. 74), verdichtet sich in der Vorstellung eines Parkes, die die künstliche Umfriedung und Sicherung des Lebens auf Lestow ins Sinnbildliche erhebt:

> ..., und als auf dem Bahnhof der Baron sie mit den neuen Pferden erwartete und gar als sie in Lestow einlangten, mit grünen Wipfeln des Parkes umfriedete Natur auftauchte, ... war es nur allzu verständlich, daß Elisabeth nicht mehr an die Liebe dachte. (S. 73).

> Und so wie der Baron immer neue Strecken seines Bodens in den Park einbezog, dessen dichter dunkler Bestand nun schon fast von allen Seiten mit weiten Flächen freundlichen lichten Jungholzes umgeben war, so schien es Elisabeth, als wünschte er mit fast weiblicher Fürsorge ihrer aller Leben zu einem immer größeren eingefriedeten Park voll anmutiger Raststationen zu machen und als wäre er erst am Ziele und von jeglicher Angst befreit, wenn sich der Park über die ganze Erde ausgebreitet haben würde, Ziel seiner selbst, Park zu sein, auf daß Elisabeth sich für immer in ihm ergehen möge. (S. 74).

> Würde man mit allen Menschen verwandt sein, so wäre die Welt wie ein gepflegter Park und einen neuen Verwandten bringen, hieße eine neue Rosensorte in den Garten setzen. (S. 76).

Während Joachims Besuch auf Lestow kehrt das Park-Motiv an zwei Stellen (S. 92; 93) wieder. In dem nun folgenden Zitat, in dem das Schloß-Motiv wieder aufgenommen wird, können wir zum erstenmal jene oben erwähnte Tendenz zum Abstrakten feststellen. Die Assoziation eines Schlosses mit Bertrand bleibt innerhalb des Textzusammenhangs unverständlich, sie löst sich erst für denjenigen auf, der die ganze Motivreihe überblickt, entbehrt jedoch auch dann noch jeglicher nachvollziehbaren psychologischen Motivation:

> Seit seinem letzten Besuch in Lestow waren nahezu drei Jahre vergangen und damals war es Spätherbst und es wäre nicht möglich gewesen, auf der Terrasse zu sitzen. Doch während er noch darüber nachdachte und es doch so war, als hätte man damals die Lichter im Schlosse angesteckt, da führte ihn eine etwas seltsame Verknüpfung ins Absurde, und beinahe wurde es unentwirrbar, weil sein Komplice Bertrand – es ekelte ihn ein wenig, da ihm das Wort Komplice einfiel –, weil der Komplice und Zeuge seiner Intimität mit Ruzena auch hier vor Elisabeth mit ihm beisammen sein sollte! (S. 92).

Der Park in Lestow wird dann noch zweimal erwähnt:

> ... die Stille des Parkes ...; ... die Heimkehr in den schönen friedlichen Park ...; (beides S. 106).

In der Kaiserpanoramaszene (S. 157–160), in der Joachim und Elisabeth einer geheimnisvollen Einbildung erliegen, indem sie zu Zeugen des vermeintlich in die vorüberziehenden Bilder entrückten Bertrands werden, in dieser nach Form und Inhalt bereits auf die irreale Ebene des zweiten Bandes vorausweisenden Darstellung eines zeitgenössischen Panoramas findet sich die Beschreibung eines Bildes mit dem Titel: „Partie aus dem Königspark in Kalkutta":

> Es sind Palmen, die du siehst und ein gepflegter Weg; im Hintergrund, wo es schattig ist, sitzt ein Mann in einem hellen Anzug auf einer Bank; ein Springbrunnen streckt einen steifen, peitschenförmigen Strahl in die Luft, ... (S. 158).

Im zweiten Band verbinden sich das Park- und das Schloß-Motiv. Der Bezugspunkt, in dem beide sich zusammenfinden, ist der halb reale, halb nur in den schlafwandlerischen Visionen Eschs existierende Sitz Bertrands in Badenweiler, von dem Esch zum erstenmal etwas in jener Transvestitenkneipe erfährt, die er, einem dunklen Drang folgend, aufsucht, um dem Präsidenten Bertrand auf die Spur zu kommen:

> ... sein Schloß steht in einem großen Park bei Badenweiler; Rehe äsen auf den Wiesen und die seltensten Blumen senden ihre Düfte[76] aus; ... (S. 282).

Schon auf der folgenden Seite verbindet sich für Esch die Vorstellung von Bertrands Schloß mit Ilona:

> Esch dachte an Badenweiler: entrückte Liebe auf entrücktem Schloß; so etwas war wohl für Ilona vorbestimmt. (S. 283).

Auf seiner Reise nach Badenweiler verwandelt sich für Esch das Eisenbahnabteil zur surrealen Kulisse. Ein traumhaftes Bühnenbild, aufgebaut aus surrealistisch miteinander verknüpften Assoziationen,

> ist im Hintergrund von einem großen Prospekt abgeschlossen, auf dem ein herrlicher Park gemalt ist. Rehe äsen unter mächtigen Bäumen und ein Mädchen, dessen Kleid von Pailletten flimmert, pflückt Blumen. Der Gärtner im breitrandigen Strohhut, die blinkende Schere in den Händen und begleitet von einem Hündchen, steht neben dem dunklen Teich, dessen Fontäne einen weißen Strahl gleich einer glitzernden Peitsche in die Lüfte sendet und Kühlung gibt. Ganz ferne erblickt man die Lichter und die Verzierungen des prächtigen Schlosses, von dessen Zinnen die Fahne schwarz-weiß-rot weht. Und dies machte einen wieder unsicher. (S. 298).

In Mannheim, wo Esch vor seinem endgültigen Aufbruch nach Badenweiler seine Bekannten Erna und Balthasar Korn sowie Martin Geyring aufsucht, hat der nun ganz zum entrückten Schlafwandler Gewordene noch einmal eine Vision des Badenweiler Schlosses:

> Er sah die Zinnen eines Schlosses vor sich, auf denen still die schwarze Fahne wehte, doch es mochte auch der Eiffelturm sein, denn wer vermag die Zukunft von der Vergangenheit zu unterscheiden! In dem Park ist ein Grab, ein Mädchengrab, Grab eines erdolchten Mädchens. Ja, vor dem Tode ist dem Menschen alles erlaubt, alles wird frei, sozusagen gratis und sonderbar unverbindlich. (S. 305).

Wenig später findet sich eine Stelle, in der der verhüllte Bezug auf Ilona offen ausgesprochen wird:

[76] Im Text: Dürfte. Offenbar Druckfehler.

> Korn war dumm und fürchtete sich, und Esch mußte lachen, denn er nahm ihm Ilona ja nicht mehr übel, Ilona wird ja entrückt sein, verschwunden auf unzugänglichem Schloß. (S. 307).

In dem Abschnitt, in dem im Bild einer Eisenbahnfahrt der Zustand des Schlafwandelns umschrieben wird, taucht das Schloß-Motiv wieder auf, hier in Verbindung mit dem Seereise-Motiv[77]:

> Süße, nie erfüllte Hoffnung! was nützt es, sich im Bauche des Schiffes zu verkriechen, wenn bloß der Mord die Freiheit bringen kann, – ach, nie wird das Schiff bei dem Schlosse anlegen, auf dem die Geliebte wohnt. (S. 316).

Die Ankunft Eschs in Badenweiler, dieses nicht eigentlich wirkliche, sondern immer wieder ins Traumhafte einer bloßen Imagination entgleitende und verschwimmende Geschehen, ist für ihn Enttäuschung und wunderbare Erfüllung seiner vorausgegangenen Visionen zugleich:

> Nun trat er in ein Parktor, kaum sich verwundernd, daß das Anwesen bei weitem nicht jenen großartigen Charakter besaß, mit dem es durch seine Traumbilder schwebte. Und wenn auch an keinem der Fenster dort droben Ilona im Flimmerkleide zu sehen war, der schönen Landschaft schönstes Widerspiel, sie selber schon am Ziele und lässig dort lehnend, ach, wenn man es auch sehr vermißte, unberührt blieb das Traumschloß, unberührt das Bild des Traumes, und es war, als ob das, was er leibhaftig vor sich sah, bloß eine sinnbildliche Stellvertretung wäre, errichtet für den augenblicklichen und praktischen Gebrauch, Traum im Traume. Oberhalb der sanft geböschten tiefgrünen Wiese, die im Morgenschatten lag, war das villenartige Gebäude in einem gemäßigten und soliden Stile aufgeführt, und als sollte die spielerische und gleitende Kühle dieses Morgens, als sollte das Sinnbild nochmals versinnbildlicht werden, gab es auf dem Böschungsabsatz einen fast lautlosen Springbrunnen und der war wie ein spiegelnder Trunk, den man bloß um der Klarheit des Wassers willen genießt. Aus dem Portierhause, das von Geißblatt umrankt hinter dem Tore lag, trat ein Mann in grauem Anzug, der nach dem Begehr fragte. Die silbernen Knöpfe an seinem Rock waren nicht das Zeichen einer Uniform oder Livree, sondern sie blitzten und spiegelten sanft und kühl, als seien sie bloß für diesen schimmernden Morgen angenäht worden. (S. 320/21).

In dem Abschnitt, der der Beschreibung des Besuchs von Esch bei Bertrand folgt, – auch er gehört zu jener den geradlinigen Handlungsablauf unterbrechenden, ihn in der Form eines symbolischen Kommentars begleitenden Erzählschicht des Werkes – wird von Kolonisten berichtet, die ein fremdes Land urbar machen. (S. 326–328). Erst eine genaue Analyse des Textes und der Vergleich mit anderen Stellen des Werkes vermag die verhüllten Anspielungen auf Bertrand zu entdecken, die diesen Abschnitt geradezu zu einer symbolischen Paraphrase seiner Existenzform (der sühnebereite Fremde mit dem schlechten Gewissen) machen[78].

[77] Zum Seereise-Motiv vgl. Schlafwandler. S. 239–242.

[78] Für die verhüllende Art der Anspielungen sei nur folgendes Beispiel herausgegriffen; es wird dort von einer bestimmten, den Kolonisten eigenen Handbewegung gesprochen: „Und oftmals wird man an ihnen die gleiche ein wenig hoffnungslose und etwas verächtliche Bewegung der Hand bemerken wie an Moses auf dem Berge." (S. 327) Wenige Seiten zuvor war von Bertrands Handbewegung die Rede: „Bertrands Hand machte eine kleine, etwas verächtliche, hoffnungslose Bewegung." (S. 325) Vgl. dazu unsere Interpretation der „Geschichte des Heilsarmeemädchens in Berlin".

In dem Kolonistenabschnitt treffen drei Motivkreise aufeinander, überkreuzen sich und gehen eine eigentümliche Verbindung ein: das Park-Schloß-Motiv, das Seereise- oder Ozean-Motiv und das Amerika-Motiv[79]. In unserem Zusammenhang interessiert uns nur das Park-Schloß-Motiv: Am Beginn des Abschnittes wird von einer „Helligkeit“ gesprochen, die „jenseits der Ozeane ist, wo die dunklen Nebel sich lichten“:

> heben sich aber die Nebel, so werden die gebreiteten hellen Reihen der Felder dort sichtbar und die sanftgeböschten grünen Wiesen, ein Land, in das ein so ewiger Morgen eingebettet ist, daß der Bangende der Frauen zu vergessen beginnt. Das Land ist menschenleer und die wenigen Kolonisten sind Fremdlinge. Sie halten keinerlei Gemeinschaft untereinander, einsam ein jeder leben sie auf ihren Schlössern. Sie gehen ihrem Geschäfte nach und beackern die Felder, säen und jäten. Der Arm der Gerechtigkeit vermag ihnen nichts anzuhaben, denn sie brauchen weder Recht noch Gesetz. Mit ihren Automobilen fahren sie über die Steppe und über das jungfräuliche Land, das von Straßen noch nie durchzogen worden ist, und ihre einzige Führerin ist ihre unerfüllbare Sehnsucht. (S. 326/327).

> Man weiß bloß, daß sie sich immer dort ansiedeln, wo wenig Wald steht, oder daß sie ihn ausroden für einen lichten Park; denn lieben sie auch die Kühle des Dickichts, sie sagen dennoch, daß sie die Kinder vor seiner unheimlichen Finsternis bewahren müßten. (S. 327).

Schließlich begegnen wir dem Park-Schloß-Motiv im zweiten Band noch an zwei Stellen:

> „Die Ilona kommt mit“, entschied Teltscher. Da wirst du dich irren, mein Lieber, dachte Esch, Ilona hatte mit diesen Dingen nichts mehr zu tun; mochte sie auch jetzt noch bei Korn liegen, es wird nicht lange währen, in Bälde wird sie auf einem fernen, unerreichbaren Schloß wohnen, in dessen Park die Rehe äsen. (S. 346).

> Aber er erkannte, daß es bloßer Zufall war, wenn die Addition der Kolonnen stimmte, und so durfte er das Irdische immerhin wie von einer höheren Stufe aus betrachten, wie von einem lichteren Schloß, das über der Ebene sich erhebt, abgeschlossen gegen die Welt und doch spiegelnd ihr geöffnet, und oft war es, als ob das Getane und das Gesprochene und Geschehene nichts wäre als ein Vorgang auf mattbeleuchteter Bühne, eine Darbietung, die vergessen wird und nie vorhanden war, Gewesenes, an das niemand sich klammern kann, ohne das irdische Leid zu vergrößern. (S. 364).

Im dritten Band verliert das Park-Schloß-Motiv gegenüber den beiden anderen Bänden an Bedeutung. Wir finden es nurmehr an drei Stellen. Die beiden ersten beziehen sich auf Esch:

> Friedlich ruhten seine Hände auf den Knien, er saß ruhig, blickte durch geschlossene Lider auf die Türe, sah durch geschlossene Lider das ganze Zimmer, welches nun seltsam in eine Landschaft überging – oder war es eine Ansichtskarte? – und nun wie ein Kiosk war unter grünen Bäumen, Bäumen des Badenweiler Schloßbergs, er sah das Antlitz des Majors, und es war das Antlitz eines Größeren und Höheren. (S. 459).

> ... es war ihm, als käme er aus weitester Ferne angefahren inmitten eines brausenden Windes, der alles Gewesene hinwegfegt, als käme er auf feurigem

[79] Zum Amerika-Motiv, das in allen drei Bänden eine wichtige Rolle spielt, vgl. S. 121 unserer Arbeit.

rotem Gefährt angefahren, um hier am Ziele zu sein, an jenem erhöhten Ziele, an dem es gleichgültig wird, wie einer heißt, gleichgültig, ob einer in den andern verfließt, an dem es kein Heute und kein Morgen mehr gibt, – er spürte den Hauch der Freiheit seine Stirne berühren, Traum im Traume, und Esch, die Knöpfe der Weste öffnend, stand da, hochaufgerichtet, als wollte er den Fuß auf des Schlosses Freitreppe setzen. (S. 564).

Die letzte Stelle entstammt den monologischen Betrachtungen, die der Schreiber der „Geschichte des Heilsarmeemädchens in Berlin" anstellt, und in denen er büßende Rückschau auf sein Leben hält:

war ich ein Baumwollpflücker in den Plantagen Amerikas, war ich der weiße Jäger in indischen Elefantendschungeln? alles ist möglich, nichts ist unwahrscheinlich, nicht einmal ein Schloß im Park wäre unwahrscheinlich. (S. 591).

Wir haben die Durchführung des Park-Schloß-Motivs in dieser Ausführlichkeit verfolgt, um an einem besonders prägnanten Beispiel das Wesen und die Besonderheit des Stilmittels der leitmotivischen Wiederholung in den „Schlafwandlern" zu zeigen. Es lassen sich in dem Werk eine ganze Reihe weiterer solcher Motiv- und Symbolreihen aufweisen, die sich überkreuzen und überschneiden und deren genaue Analyse ein kompliziertes Beziehungsgeflecht ergeben würde. Daneben treten zahlreiche Dingsymbole, die leitmotivisch wiederkehren, z. B. der Eifelturm (S. 288; 236; 305; 329), der Musikautomat (S. 259; 310; 338; 347), die Freiheitsstatue (S. 287; 288; 329; 384; 438), der Spazierstock des alten Herrn v. Pasenow (S. 8; 11; 14; 19; 87; 90 und öfter) u. a. Wir beschränken uns auf die Analyse eines Motivs, zumal dessen inhaltliche Bedeutung von großer Wichtigkeit für die gedankliche Struktur des Werkes ist. Zusammenfassend können wir feststellen, daß die leitmotivische Durchführung des Park-Schloß-Motivs durch folgende formale Elemente bestimmt ist: Wiederholung, Variation, die Wiederkehr bestimmter Bildelemente, die Verknüpfung mit anderen Vorstellungs- und Motivkreisen, die Tendenz zur Abstraktion. Von seiner inhaltlichen Bedeutung und seiner Funktion innerhalb des Erzählganzen her muß das Park-Schloß-Motiv als Flucht-, Wunsch- und Traumbild eines von der Wirklichkeit abgegrenzten und zu ihr im Gegensatz stehenden Bereichs angesehen werden. Es ist das eigentliche Gegenmotiv zu der Erfahrung einer anarchischen, sich in Auflösung befindenden Wirklichkeit. Die bereits im Bild des Parks beschworene Vorstellung einer gesetzhaften Ordnung, um deren Verlust und das verzweifelte Bemühen, sie wieder herzustellen, alles in diesem Roman kreist, wird ergänzt und erweitert durch die Attribute, die das Parkbild näher bestimmen: nebelstumm (S. 25); still (S. 51, 52, 106); gepflegt (S. 76); friedlich (S. 106); groß (S. 282); herrlich (S. 298); licht (S. 327). Wir stoßen hier auf eine Schicht, die für das Verständnis von Brochs gesamtem Schaffen von großer Bedeutung ist. Es ist dies die Schicht einer aus der Erfahrung der progressiven Dynamisierung aller Wirklichkeitsbereiche geborener Sehnsucht nach Festigkeit, zeitaufgehobener „Stille" und „Ruhe". Leitmotivisch durchzieht der Begriff der „Stille" den Roman „Der Versucher": „Ach, unsere Hoffnung ist die Stille", heißt es dort[80]. So verwandelt sich das Zimmer, in dem Joachim v. Pasenow in der Liebesvereinigung

[80] Versucher. S. 241; vgl. auch S. 278; 388.

mit Ruzena augenblickshafte Befreiung von der Qual einer ihm entgleitenden Wirklichkeit erfährt, magisch zur Liebesgrotte, „eine(r) selige(n) Höhle, in deren befriedeter Ruhe die Stille des ewigen Sees ruht, ...". (S. 40). Die Bildelemente, die in das Park-Motiv eingegangen sind, entstammen vornehmlich dem Bereich des Idyllischen und des künstlich Gehegten: die sanft geböschten grünen Wiesen (S. 320, 326); Blumen (S. 282, 292); äsende Rehe (S. 282, 346); der kleine Hund (S. 25; 298); der stille bzw. dunkle Teich (S. 52, 298); der Springbrunnen (S. 32, 158, 298, 321). Das Moment der Abstrahierung, die Tendenz, das Motiv aus dem Erzählzusammenhang herauszulösen und zu verselbständigen, wird darin deutlich, daß bestimmte Bildinhalte unabhängig von der perspektivischen Bezogenheit auf ihren jeweiligen Träger konstant bleiben. Das läßt sich besonders gut am Beispiel des Springbrunnens zeigen. In der Beschreibung des Bildes „Partie aus dem Königspark in Kalkutta", das Joachim und Elisabeth im Kaiserpnorama erblicken und assoziativ auf Bertrand beziehen, heißt es:

> ein Springbrunnen streckt einen steifen, peitschenförmigen Strahl in die Luft ... (S. 158).

In dem surrealistischen Bild, das vor Esch auf seiner Reise nach Badenweiler visionär auftaucht, finden wir sowohl den Springbrunnen als auch den Vergleich des Wasserstrahls mit einer Peitsche wieder:

> Der Gärtner im breitrandigen Strohhut, die blinkende Schere in den Händen und begleitet von einem Hündchen, steht neben dem dunklen Teich, dessen Fontäne einen weißen Strahl gleich einer glitzernden Peitsche in die Lüfte sendet und Kühlung gibt. (S. 298).

Die autonome Entfaltung eines Motivs, die zwei so verschiedene Gestalten wie Pasenow und Esch auf einer symbolischen Ebene miteinander verknüpft, indem sie sie gleichsam in das transpersonale Schema eines eigengesetzlichen Motivzusammenhangs hineinzwingt, ist Ausdruck einer erzählerischen Intention, die alles Gewicht auf die Gestaltung typischer und transsubjektiver Zusammenhänge und Verhaltensweisen legt. Die Grundform alles transsubjektiven und transpersonalen Lebens aber – dafür ist der Mythos das hervorragendste Beispiel – ist die Wiederholung. Das Strukturgesetz der Wiederholung, sei es in der Form des Leitmotivs, der parallelen Bauweise oder der genauen Wiederkehr einzelner Sätze, die im dritten Band dazu führt, daß die einzelnen Personen ständig sich selbst oder andere zitieren, dieses Gesetz ist nur das genaue formale Äquivalent eines auf das Zeitlos-Typische und Exemplarische gerichteten Gestaltungswillens. Diese Schicht des Werkes, in der Zeiten und Räume zusammenfallen, vertauschbar und letztlich simultan werden, in der Name und Individualität aufgehoben und vernichtet werden, steht in starker Spannung zu dem Wissen um die Geschichtlichkeit des modernen Menschen, das den erkenntnistheoretischen und geschichtsphilosophischen Rahmen der Schlafwandlertrilogie bestimmt. Es ist die gleiche Spannung, die wir auch im „Tod des Vergil" wiederfinden werden, wo der kairosgebundene Dichter der versinkenden Antike zugleich das Modell und Urbild des Dichters überhaupt wird, wo die bestürzende Erfahrung des Zeitenumbruchs in Koinzidenz tritt mit dem Erlebnis der mythischen Zeitlosigkeit der ewig sich gleich bleibenden Menschenseele.

Die Funktion, die der Technik des Leitmotivs bei der Erstellung eines mythischen Raums der Gleichzeitigkeit, eines Bereichs überindividueller Gesetzlichkeit zukommt, hat Broch am Werk von Joyce zu verdeutlichen gesucht. Gemäß dem, was wir bereits an früherer Stelle über Brochs Joyce-Aufsatz ausgeführt haben[81], dürfen wir die folgenden Äußerungen als selbstinterpretatorische Aussagen werten und auf Brochs eigenes Werk, die „Schlafwandler", beziehen:

> Die Technik des Leitmotivs z. B., die Joyce so vielfach und in unendlicher Variation anwendet, darf nicht etwa mit der Wagners verwechselt werden, mochte sie sogar dem Musiker Joyce vorgeschwebt haben, vielmehr ist sie eine sozusagen natürliche Konsequenz aus der Verschlingung der Symbolketten, an deren Kreuzungsstellen sich notwendig die wiederkehrenden Motive ergeben, nicht nur die Doppel- und Vieleinigkeit des Ortes und der Sprachgeistigkeit erweisend, sondern auch die Simultaneität all dieser Symbolketten dartuend; immer geht es um die Simultaneität, um die Gleichzeitigkeit der unendlichen Facettierungsmöglichkeiten des Symbolhaften, überall spürt man das Bestreben, die Unendlichkeit des Unerfaßlichen, in dem die Welt ruht und die ihre Realität ist, mit Symbolketten einzufangen und zu umranken, die möglichst gleichzeitig zum Ausdruck gebracht werden sollen; und wenn auch dieses Streben nach Simultaneität ... nicht den Zwang durchbrechen kann, daß das Nebeneinander und Ineinander durch ein Nacheinander ausgedrückt werde, das Einmalige durch die Wiederholung, so bleibt die Forderung nach Simultaneität trotzdem das eigentliche Ziel alles Epischen, ja alles Dichterischen: das Nacheinander der Eindrücke und des Erlebens zur Einheit zu bringen, den Ablauf zur Einheit des Simultanen zurückzuzwingen, das Zeitbedingte auf das Zeitlose der Monade zu verweisen, mit einem Wort die Überzeitlichkeit des Kunstwerks im Begriff der unteilbaren Einigkeit herzustellen[82].

Mit der Analyse des Schloß-Motivs, das im zweiten Band fast immer in der Verbindung mit dem Park-Motiv auftritt, stoßen wir auf eine weitere thematische Schicht des Werkes, die das Verhältnis Eschs zu Bertrand zum Inhalt hat. Schon im ersten Band hatte Joachim v. Pasenow in einer unmotiviert bleibenden Assoziation die Gestalt Bertrands mit der Vorstellung eines Schlosses in Zusammenhang gebracht, während sich für Esch die Verbindung des geheimnisumwitterten Präsidenten der Mittelrheinischen Reederei-AG. mit einem Schloß unmittelbar an der phantastischen Schilderung von Bertrands Sitz in Badenweiler entzündet, die ihm in der Transvestitenkneipe gegeben wird. Die Attribute, die den Schloßkomplex näher kennzeichnen: entrückt (S. 283), unzugänglich (S. 307), fern, unerreichbar (S. 346), licht, abgeschlossen gegen die Welt (S. 364), können ohne weiteres auch auf die Gestalt Bertrands selbst übertragen werden, wie sie sich im Bewußtsein Eschs spiegelt. Die Deutung des Verhältnisses Eschs zu Bertrand, dessen Entfaltung – wie im ersten Band – neben die der Beziehung zu den beiden Frauen tritt und zusammen mit ihr den eigentlichen erzählerischen Inhalt des „Esch" bildet[83], stellt den Interpreten vor eine besonders schwierige Aufgabe. Im

[81] Vgl. S. 24f. unserer Arbeit.

[82] Essays. Bd. 1. S. 192/193.

[83] Das ist insofern eine abstrahierende Vereinfachung, als das damit gegebene Aufbauschema nicht die ganze Erzählbreite der beiden ersten Romane deckt. Zu der erzählerischen Entfaltung der Beziehung des Helden zu den beiden Frauen und zu Bertrand treten, vor allem im breiter angelegten zweiten Band, eine Reihe von Episoden (z. B.

ersten Band blieb die Darstellung des Verhältnisses zwischen Pasenow und Bertrand, trotz der auch hier schon vorhandenen Überhöhung ins Typische und Abstrakte, im wesentlichen im Bereich des logisch und psychologisch Nachvollziehbaren. Das Verhältnis war dort, auch wenn die erzählerische Perspektive vornehmlich sich auf die Spiegelungen und Reaktionen im Bewußtsein Joachims richtete, an reale Begegnungen geknüpft, so daß das Bild einer gegenseitigen menschlichen Beziehung vor uns aufgebaut wurde. Diese Bedingungen nun entfallen für den zweiten Band. Bertrand erscheint hier ganz ins Unwirkliche einer bloßen Fiktion entrückt, die verschiedenen perspektivischen Brechungen seiner Gestalt in den Mitteilungen, die der Portier der Mittelrheinischen Reederei (S. 184), Balthasar Korn (S. 200), Martin Geyring (S. 214), der Redakteur der „Volkswacht" (S. 247) und der Transvestit Harry (S. 282) über ihn machen, erzeugen in Esch ein phantastisches, jegliche psychologische Motivation übersteigendes Bild des Reedereipräsidenten. Broch selbst hat in seinen Briefen aus der Entstehungszeit der „Schlafwandler" auf den „traumhaften Bruch", wie er es nennt, hingewiesen, mit dem die Gestalt Bertrands im zweiten Band wiederkehrt[84].

Bertrand wird im zweiten Band zu der alles Romangeschehen überragenden Gestalt, deren Wesen und Erscheinung ins Numinose gesteigert erscheint. Und so enthüllt sich bei genauerem Zusehen der Weg Eschs zu Bertrand als der Weg eines modernen Gralssuchers, der das Heil und die Erlösung in der Begegnung mit dem von ihm zum Übermenschen erhobenen Präsidenten Bertrand zu erlangen hofft und für den dessen Sitz in Badenweiler zur geheimnisträchtigen Gralsburg, zum Gralsschloß wird. Einen ähnlichen Gralssucher, für den ebenfalls ein Schloß das Ziel seiner Irrfahrt ist, finden wir in Franz Kafkas 1926 postum veröffentlichtem Romanfragment „Das Schloß". Ohne uns hier auf einen etwas gezwungenen Vergleich zwischen dem Landvermesser K. und dem Buchhalter August Esch einzulassen, ist dennoch die Parallele zwischen beiden in Bezug auf ihr religiöses Suchen nach einem bekannt-unbekannten Ort der Gnade und der Erlösung zu auffallend, um nicht der Vermutung Raum zu geben, der Autor der „Schlafwandler" habe sich in diesem Punkt von Kafka anregen lassen, zumal wir wissen, daß Broch, der bereits vor der eigentlichen Wirkungswelle Kafkas mit Nachdruck auf die Bedeutung dieses Dichters hingewiesen hat, sich während der Entstehungszeit seines ersten Romans eingehend mit ihm beschäftigt hat[85].

Pasenows Verhältnis zu seinem Vater: Eschs Mannheimer Bekannte Erna und Balthasar Korn usw.), die jedoch alle kontrapunktisch auf das Grundgefüge der Erzählung bezogen sind.

[84] „Diese Wesenszüge (von Bertrand) werden dann im zweiten Band in ein wenig schiefer und verzerrter Projektion, also mit dem notwendigen traumhaften Bruch wiedererscheinen ..." (Briefe. S. 21) Ähnlich: „Die Gestalten, manchmal überscharfkantig, werden manchmal ins Undeutliche abgeschliffen, verdämmern manchmal, wie die Bertrands, völlig im Traumhaften und stehen am Rande der Wirklichkeit." (Briefe. S. 19).

[85] Unter den zahlreichen Erwähnungen Kafkas in den „Essays" und den „Briefen" finden sich direkte Hinweise auf das „Schloß" nur in den Briefen an Edwin Muir vom 1. 10. 1931 (In: Die unbekannte Größe. S. 322) und an Hermann Kasack vom 6. 3. 1949 (siehe Literaturverzeichnis). Beide Briefe sind ohne weiterführende sachliche Bedeutung.

Wenn wir im folgenden den Weg Eschs zu Bertrand, den wir als einen religiösen Weg, einen Weg der Gralssuche näher gekennzeichnet haben, in seinen einzelnen Stadien bis hin zu seinem Ziel, dem Gespräch zwischen Esch und Bertrand in Badenweiler, untersuchen werden, so müssen wir im Auge behalten, was grundsätzlich über die Zweistöckigkeit im Aufbau der Gestalt Eschs gesagt worden ist und was wir bereits in Eschs doppeltem Verhalten Ilona gegenüber ausgedrückt fanden. Auch in seinem Verhältnis zu Bertrand müssen wir den Schlafwandler Esch, der in einer Art unbewußter Trance auf sein Ziel zugeht, trennen von dem psychologischen Charakter Esch, der Bertrand in seiner groben und unverhohlen offenen Sprechweise bedenkenlos „ein Schwein" nennen kann. (S. 214; 287). Bei dem Entschluß Eschs, den ihm nur von Hörensagen bekannten, unerreichbaren Bertrand aufzusuchen, spielen schlafwandlerisch-traumhafte und äußere, bewußte Motivationen unauflöslich ineinander. Esch, der auf der bewußten Ebene seines rebellischen Denkens in Bertrand den Sitz der Korruption, die er in der Welt vorfindet, sieht und ihn wegen Homosexualität anzeigen will, gehorcht in Wahrheit ganz anderen Antrieben, die ihn zum Mitspieler in einem magischen Spiel machen, einem Spiel, das auf traumhaft erhöhter Bühne in dem Dialog zwischen Figur und Gegenfigur seinen dramatischen Höhepunkt findet.

Die erste Begegnung mit dem Namen und der Person Bertrands macht Esch, als er sich bei seiner neuen Firma, der Mittelrheinischen Reederei-AG., melden will, wo ihm Martin Geyring eine Stellung vermittelt hat. Er betritt das Zentralbüro und geht sofort unbeirrt und zielsicher auf die „Direktion" zu:

> Als er den Fuß auf der ersten Stufe hatte, hörte er hinter sich: „Wohin, bitte?" Er drehte sich um und sah den Portier im grauen Livreeanzug; silberne Knöpfe blitzten daran und die Mütze hatte eine silberne Borte. Das war alles sehr nett, aber Esch ärgerte sich: was ging ihn der Kerl an? er sagte kurz: „Ich habe mich hier zu melden" und wollte weiter. Der andere gab nicht nach: „Bei der Direktion?" – „Wo denn sonst"? entgegnete Esch grob. Im ersten Stockwerk mündete die Stiege in einen großen dunklen Vorraum. In der Mitte stand ein großer Eichentisch, darum herum einige Polsterstühle. Es war offenbar sehr vornehm. Wieder war einer mit Silberknöpfen da und fragte nach dem Begehr. „Zur Direktion", sagte Esch. „Die Herren sind bei einer Aufsichtsratssitzung", sagte der Diener, „ist es wichtig?" Notgedrungen mußte Esch Farbe bekennen; er zog seine Papiere hervor, das Anstellungsschreiben, die Anweisung des Reisevorschusses: „'n paar Zeugnisse habe ich auch mit", sagte er und wollte Nentwigs Zeugnis hervorlangen. Er war etwas enttäuscht, daß der Kerl es gar nicht ansah: „Damit haben Sie hier nichts zu suchen ... im Erdgeschoß durch den Korridor durch und zur zweiten Stiege ... erkundigen Sie sich unten." Esch blieb einen Augenblick stehen; er wollte dem Portier den

Das früheste Zeugnis seiner Beschäftigung mit Kafka liegt vor in Brochs Brief an Frau D. Brody vom 23. Juli 1931: „... ich habe seit langem nichts so Schönes, so Weises, so Ausgeglichenes gelesen wie die ‚Chinesische Mauer'. Wenn Sie es noch nicht gelesen haben sollten, müssen Sie es sofort tun! (Wichtiger als Huguenau!) Immer wieder bedaure ich, daß der Rhein-Verlag den Kafka nicht übernommen hat." (Briefe. S. 58) In dem am 18. Februar 1933 gehaltenen Vortrag: „Das Weltbild des Romans" (Essays. Bd. 1. S. 211–238) findet sich dort, wo Broch seine eigenen Intentionen als Romanautor in die allgemeiner und grundsätzlicher gehaltenen Darlegungen einfließen läßt, an zwei Stellen der Hinweis auf Kafka: S. 227; 233.

> Triumph nicht gönnen, fragte nochmals: „So, nicht hier?" Der Diener hatte sich schon gleichmütig abgewandt: „Nein, hier ist das Vorzimmer des Präsidenten." In Esch stieg Zorn auf; die machen nicht wenig Aufhebens mit ihrem Präsidenten, Polstermöbel und Silberdiener; der Nentwig möchte sich gern auch auf so etwas herausspielen; na, so ein Präsident wird auch nicht groß was anderes sein als ein Nentwig. Aber wohl oder übel mußte Esch den Rückzug antreten. (S. 184/185).

Wir haben dieses längere Textstück hier angeführt, weil sich an ihm wiederum die Brochsche Erzähltechnik in ihrer Verknüpfung von scheinbar rein vordergründig-äußerer Entfaltung der Romanhandlung und tieferem symbolischen Bezug zeigen läßt. Der auf den ersten Blick hin nichts Besonderes und Bedeutungsvolles in sich bergende Vorgang von Eschs Anmeldung im Büro der „Mittelrheinischen", über den jeder normale Leser hinwegliest, enthüllt sich erst dem, der mit der Symbolsprache des Werkes und dessen doppelschichtiger Anlage vertraut ist als ein Vorgang religiöser Art, nämlich als Eschs erster und vergeblicher Versuch, sich direkten Zugang zu einem Bereich zu verschaffen, den er später erst mit der Person Bertrands identifiziert, dessen Wesen und Inhalt seinen bewußten Überlegungen jedoch verborgen, rätselhaft oder unklar bleibt. Dieser Abschnitt erinnert – auch in der Einbeziehung des Bürokratischen – stark an Kafka. Er entspricht der Grundfigur, die einen großen Teil der Werke Kafkas bestimmt: die Abweisung des Einlaßbegehrenden. Auf die religiöse Bedeutung des Vorgangs der Anmeldung weisen die farbsymbolischen Anspielungen der silbernen Knöpfe und der silbernen Borte der beiden Portiers[86]. Esch befindet sich in der Situation des Ertappten[87]. Auf die Frage des Dieners, ob das Anliegen des so selbstsicher auf die „Direktion" zusteuernden Esch wichtig sei, weiß dieser keine Antwort zu geben. Es heißt dann: „Notgedrungen mußte Esch Farbe bekennen; ..." Dunkel ahnt er also, daß sein voreiliges Verhalten in keinem rechten Zusammenhang mit seinem ursprünglichen Vorhaben, sich bei der Firma an-

[86] Vgl. die Vision Pasenows während eines Militärgottesdienstes und die Varieté-Ilona-Szene.

[87] In einer ähnlichen Situation befindet sich Joachim v. Pasenow in der Kaiserpanoramaszene. Am Ende dieser bis in Einzelheiten hinein der Anmeldungsszene im „Esch" entsprechenden Episode (beachte den Diener!) heißt es: „Dann tust du noch einen kurzen Blick, dich vergewissernd, daß nun wirklich die Palmen des Königsgartens folgen, und da sie es unnachsichtig tun, rückst du deinen Stuhl, der Diener eilt herbei und du verläßt, mit den Augen leicht zwinkernd, den Kragen hochgestellt, *ein armer Ertappter*, der einer Lust gefrönt, die er doch nicht kennt, mit kurzem Gruß den Raum, ..." (S. 160) Beachte auch am Beginn der Kaiserpanoramaszene die Beschreibung des Eintritts des anonymen „Besuchers", hinter dem sich Pasenow verbirgt: „..., dann nimmt der Besucher mit einem leisen Seufzen auf einem der Rohrstühle Platz und plaudert weiter, beobachtet auch *mißtrauisch* die Glastüre, die zur Straße führt, und erscheint ein neuer Gast, so betrachtet er ihn *mit eifersüchtig-beschämter Feindschaft*. Dann hört man gedämpftes Rücken von Stühlen hinter der Portiere und der Mensch, der heraustritt, blinzelt ein wenig ins Licht und entfernt sich mit einem kurzen Gruß zu der alten Dame hin, *rasch, betreten* und ohne einen Blick auf die Wartenden zu werfen, *als ob auch er sich schämte*. Der Harrende aber erhebt sich *eilig, damit kein anderer ihm zuvorkomme*, bricht das Gespräch unvermittelt ab und verschwindet hinter *dem schützenden Vorhang*." (S. 157/158; *Kursiv* von uns).

zumelden, steht. Der Diener weist ihn zur Anmeldung nach „unten“[88]. Esch empfindet die Abweisung durch den Diener als „Triumph“ über ihn und tritt „wohl oder übel“ den „Rückzug“ an. Das in einem tiefern Sinn Bedeutungsvolle dieses Vorgangs für Esch ist durch die kaum spürbare Überhöhung des sprachlichen Ausdrucks angedeutet (Triumph – Rückzug), die dem Vordergrundgeschehen nicht eigentlich angemessen ist. Bevor Esch das Aufnahmebüro aufsucht, erkundigt er sich noch ganz nebenbei nach dem Namen des Präsidenten:

> „Präsident v. Bertrand“ sagte der Portier und es klang darin etwas wie Respekt. Und Esch wiederholte gleichfalls ein wenig respektvoll: „Präsident v. Bertrand“; den Namen mußte er schon irgendmal gehört haben. (S. 185).

Die weiteren Stationen von Eschs näherem Bekanntwerden mit der Person Bertrands haben wir schon kurz aufgeführt. Er erfährt allerlei Details über den Präsidenten seiner Firma, z. B. daß er ein „weggelaufener Offizier sei“ (S. 200), daß er mit der Gewerkschaft in Verbindung steht (S. 214), ein „hochanständiger Mann“ (S. 214), ein „netter, freundlicher, umgänglicher Herr“ und „ausgezeichneter Geschäftsmann“ (S. 247) sei, daß er ein „warmer Bruder“ (S. 247) ist usw., doch dies alles steht in gar keinem Verhältnis zu der eigentümlichen Vorstellung, die Esch sich im weiteren Verlauf des Werkes von Bertrand macht. Eine erste Andeutung auf die geheimnisvolle Funktion, die Bertrand im Bewußtsein Eschs einnimmt, findet sich in der Gesprächsszene in Balthasar Korns Wohnung, wo Esch den Prokuristen seiner ehemaligen Firma, Nentwig, der ihm einen Buchungsfehler vorgeworfen hatte, mit Bertrand vergleicht und zu dem Schluß gelangt: „... der ist eben was anderes, was Besseres.“ (S. 200). Auf den Einwand Korns, daß Bertrand „ein weggelaufener Offizier“ sei, erwidert Esch für sich selbst:

> Aber das verschlug nichts; der Bertrand war etwas Besseres, und überhaupt waren das Gedanken, an die Esch sich nicht recht heranwagen wollte. (S. 200).

Esch gerät so, wie fünfzehn Jahre zuvor Joachim v. Pasenow, auf eine unerklärliche und psychologisch nicht begründbare Weise in den Bann dieses Mannes, der für ihn auch weiterhin „etwas Besseres“ bleibt. (Vgl. S. 211; 220; 247). Seit dem ersten vergeblichen Vorstoß Eschs in der Anmeldungsszene ist sein weiterer Weg in diesem Roman ein Weg der Suche nach Bertrand. War der erste Versuch einer Annäherung an Bertrand Ausdruck einer unbewußten, schlafwandlerischen Sehnsucht gewesen, so ist bei Eschs zweitem Besuch im Büro der „Mittelrheinischen“, wo er sich nach „kurzem Gastspiel“ wieder abmeldet, diese Sehnsucht zum bewußten Wunsch geworden:

> Den Bertrand hätte er eigentlich gerne einmal zu Gesicht bekommen. Der versteckt sich auch immer; ... (S. 233)[89].

[88] Beachte die Richtungssymbolik: zweimal ist in unserem Text von Eschs Aufstieg zur „Direktion“ die Rede.

[89] Das Motiv der Verborgenheit, Verschlossenheit, Entrücktheit und Unzugänglichkeit Bertrands findet sich bereits gleich zu Beginn des ersten Romans in der Kasinoszene: „Unvermittelt beginnt Joachim mit den Kameraden von Bertrand zu sprechen, ob sie schon lange nichts von Bertrand gehört hätten, was er wohl treibe, ja, ein merkwürdiger verschlossener Mensch sei Eduard v. Bertrand.“ (S. 17) Das Motiv durchzieht

Die unbestimmten Vorstellungen, mit denen er das Phänomen Bertrand umkreist und seiner habhaft zu werden sucht, verdichten sich für Esch zum Bild des Antichristen. Unter diesem Bilde glaubt er Bertrand für die Anarchie der Welt verantwortlich machen zu müssen. Mit der Bezeichnung Bertrands als des Antichristen folgt Esch gewissermaßen Pasenow, der ihn an zwei Stellen einen „Mephisto" nennt (S. 71; 132) und in der Hochzeitsnacht eine visionäre Erscheinung von ihm als dem „Leibhaftige(n)" hat. (S. 168).

> Doch kam er dann bei den langgestreckten Magazinen der Mittelrheinischen vorbei, sah er dann die verhaßte Firmenaufschrift, so erhob sich hoch über all dem dreckigen Gesindel der kleinen Mörder eine Gestalt, vornehm und überlebensgroß, die Gestalt eines hochanständigen Menschen, kaum Mensch mehr zu nennen, so weit und hoch war sie entrückt, und dennoch Gestalt des Übermörders, unvorstellbar und drohend erhob sich das Bild Bertrands, des schweinischen Präsidenten dieser Gesellschaft, des warmen Bruders, der Martin ins Gefängnis gebracht hatte. Und diese vergrößerte und eigentlich unvorstellbare Gestalt schien die der beiden kleineren Schächer in sich aufzunehmen, und manchmal war es, als müßte man bloß diesen Antichrist treffen, um auch alle geringeren Mörder der Welt zu vernichten. (S. 255).

Eschs unbewußt-schlafwandlerischer Weg zu Bertrand führt ihn in jene Transvestitenkneipe, wo er zum erstenmal von dem sagenhaften Sitz des Präsidenten in Badenweiler hört. Auf der „Suche nach exportfähigen Ringerinnen" (S. 280) – mit dem Jongleur Teltscher zusammen will er die Damenringkämpfe nach Südamerika bringen – stößt Esch „auf die Lokale der gleichgeschlechtlichen Liebe, ... sozusagen als Nachweis seiner erotischen Uninteressiertheit" (S. 281) Mutter Hentjen gegenüber, die das dunkle Treiben Eschs in höchstem Grade mißbilligt. In Wahrheit folgt er ganz anderen Antrieben:

> Und trotzdem fühlte er dunkel, daß noch ein anderer Grund vorhanden sein mußte, der ihn dorthin trieb. (S. 281).

Esch ist angewidert von dem Treiben in der Transvestitenkneipe, er redet sich ein, besser bei Mutter Hentjen aufgehoben zu sein, als

> hier herumlungern und nach irgend etwas suchen zu müssen wie nach der verlorenen Unschuld. (S. 281).

Diese Redewendung, die wie absichtlos und unauffällig sich in den Zusammenhang von Eschs innerem Monolog einfügt, enthüllt sich bei genauerem Zusehen als von größter Wichtigkeit für das Verhältnis Eschs zu Bertrand. In der verhüllenden Erzähltechnik dieses Werkes, die Bedeutungsvolles in die Oberfläche einer gebräuchlichen Redefloskel verstecken kann, wird hier Eschs Suche als eine Suche „nach der verlorenen Unschuld" bezeichnet, sein Weg zu Bertrand mit dem religiösen Weg der Läuterung und Entsühnung in Zusammenhang gebracht.

In den nun folgenden Abschnitten, die Eschs Aufbruch nach Badenweiler und sein Gespräch mit Bertrand zum Inhalt haben, Abschnitte, die in einem gewissen Sinne als der Höhepunkt der gesamten Trilogie bezeichnet werden können, werden wir Zeuge von Eschs Verwandlung zum Schlafwandler. Dominierte in

alle drei Bände (Bertrand der „Fremde"), im dritten Band in der Form der Abgeschlossenheit der Denkerklause des Schreibers der Exkurse.

den beiden ersten größeren Kapiteln des zweiten Bandes die Erzählebene realistischer Handlungsentfaltung, so ist der dritte Teil des „Esch" durch das Überhandnehmen der traumhaft-visionären Partien gekennzeichnet. In engem Zusammenhang damit steht die nur schwer zu entschlüsselnde Esoterik dieses Schlußteils, die ihn, im Unterschied zu den beiden ersten Teilen (wenn auch mit Einschränkungen), auch für den gebildeten Romanleser fast unlesbar macht[90]. Für den literaturwissenschaftlichen Betrachter, der es zum erstenmal unternimmt, eine zusammenhängende und auch das Detail zu erfassen suchende Deutung des Werkes zu geben, stellen diese Abschnitte, zumal die für die „Schlafwandler" fast bedeutungslos zu nennende Broch-Literatur[91] keinerlei Hilfe zu bieten vermag, besondere Ansprüche. Gilt es doch Zusammenhänge, die ganz den dunklen Tiefen des Unbewußten[92] anzugehören scheinen[93] und die in der Weise des Traums

[90] Das damit aufgeworfene literatursoziologische Problem des Verhältnisses von Autor und Publikum hat Broch bis an das Ende seines Lebens beschäftigt und bedrängt. Daß diese Frage, die für jeden produktiv Schaffenden von Bedeutung ist, für Broch in einem besonderen Maße zu einer Lebensfrage schlechthin wurde, hat seine Voraussetzungen darin, daß er vom Beginn seiner literarischen Tätigkeit an von einem geradezu messianischen Sendungsbewußtsein erfüllt gewesen war, das notwendigerweise der Wirkung auf ein breiteres Publikum bedurfte, daß diese Wirkung jedoch zugleich eingeschränkt wurde durch die hohen, jedes Maß zu sprengen drohenden Anforderungen, die er an die Dichtung als ein Instrument realitätserweiternder „Absolutheit der Erkenntnich schlechthin" (Essays. Bd. 1. S. 204) gestellt hat. Dieses fast tragisch zu nennende Mißverhältnis von Wirkungswille und Wirkungsmöglichkeit ist nur Teil der grundsätzlichen Frage nach dem Sinn und der Berechtigung der Dichtung überhaupt in dichtungsfremder Zeit, die in zunehmendem Maße in den Mittelpunkt von Brochs Schaffen rückte und im „Tod des Vergil" ihre dichterische Gestaltung gefunden hat. Für die Zeit der Arbeit an den „Schlafwandlern" ist für das Problem Autor-Leser vor allem der Brief an Frank Thiess, aus dem wir bereits eine Stelle zitiert haben, wichtig. Nach einer mehr theoretischen Erörterung dieser Frage spricht Broch von ihrer praktischen Bedeutung für ihn selbst: „Für mich ein entsetzlich schweres Problem, denn mich schriftstellerisch und wissenschaftlich auszudrücken, ist mir ja doch Lebensnotwendigkeit, eine Notwendigkeit, die ich zwanzig Jahre unterdrückt habe. Aber ich kann es mir nicht leisten, einen Luxusberuf auszuüben – dazu sind die Verantwortungen und die Lasten, die ich zu tragen habe zu groß –, und deshalb ist die Verkäuflichkeit dieses Romans, ist die Möglichkeit, mich als Schriftsteller durchzusetzen, für mich von so übergroßer und beängstigender Wichtigkeit." (Briefe. S. 15/16).

[91] Eine Ausnahme macht hier der Aufsatz von R. Brinkmann: „Romanform und Werttheorie bei Hermann Broch." (a. a. O.) Seine Problemstellung ist jedoch grundsätzlicher Natur. Fragen der Einzelinterpretation berührt er nur am Rande.

[92] Erich Kahler charakterisiert die „Eigenart der Brochschen Vision" dahingehend, daß hier die „Person nicht mehr ihr Ich nur aussagt, sondern ihr Selbst, nicht mehr das nur, was ihr bewußt ist, sondern ihre untergründige, ihre ganze Existenz. Ohne Bruchstelle, ohne Zäsur geht das Ich in das Es über, beginnt das Es sich selber auszusprechen." (Broch. Gedichte. S. 19).

[93] Wir gebrauchen mit Bedacht hier den Ausdruck „scheinen", denn die Aussprache des Unbewußten, des Irrationalen und Traumhaften im inneren Monolog und in den Visionen des Schlafwandlers Esch ist bereits – das gilt im gleichen Sinne auch für den inneren Monolog in Joyces „Ulysses" – logisch gefiltertes Sprechen. Eine unmittelbare Überführung des Unbewußten in die Sprache der Dichtung erweist sich – wie überhaupt jede konsequente Durchführung naturalistischer Theorien – als Illusion schon darum, weil Dichtung immer Gestaltung ist, d. h. aber, der rationalen Elemente der Formung und

sich zu Vorstellungsbildern verdichten, in denen gedankliche und bildliche Elemente in der Form irrealer und alogischer Verknüpfungen einen rational nur schwer erhellbaren Assoziationskomplex bilden, in der rationalen Sprache einer wissenschaftlichen Untersuchung zu beschreiben[94].

Der Erzählabschnitt, in dem Eschs Gespräch mit Bertrand beschrieben wird, bildet mit den beiden ihn umgebenden gewissermaßen eine Einheit (S. 314–328). Äußerlich sind sie schon dadurch von den übrigen szenischen Abschnitten des Werkes unterschieden, daß ihnen eine kurze, in Kursiv gesetzte Einleitung vorangestellt ist, die als eine Art Motto das jeweilige Thema präludierend anschlägt und den Leser auf das Folgende vorbereiten soll. In dem ersten dieser drei Abschnitte wird im Bilde einer Eisenbahnfahrt der Zustand des Schlafwandelns umschrieben. Das Thema der Reise als ein Sinnbild zeit- und raumenthobener Entrücktheit aus unheilvoller Bedrängnis durch eine unentwirrbar und unstimmig gewordene Gegenwart und der Befreiung von der lähmenden Bedrohung durch eine unbewältigte Vergangenheit durchzieht die beiden ersten Bände. Im „Pasenow" begegnen wir ihm in den Anspielungen auf die „Reisen" Bertrands[95], die in der Kaiserpanoramaszene zum Symbol seiner freien, unabhängigen und bindungslosen Existenz werden; im „Esch" kehrt das Thema in den zahlreichen Hinweisen auf Amerika[96] als das Ziel utopischer Auswanderungspläne wieder und findet hier im Bilde einer Seereise seine sinnbildhafte Erhöhung (S. 239–242). Diese Schilderung einer Seereise, in der die Auswanderungsträume Eschs zum Symbol eines von den Fesseln des Irdischen befreiten, einsamen Lebens verobjektiviert werden[97], steht in engem motivischen Zusammenhang mit der zum Sinnbild des Schlafwandelns erhobenen Beschreibung einer Eisenbahnfahrt. Das beiden Abschnitten gemeinsame Thema ist die Loslösung des Menschen von einer Welt, deren logische Ordnung und Gesetzmäßigkeit samt allen „staatlichen und

Stilisierung nicht entraten kann. Dieser Vorwurf indessen trifft H. Broch nicht, der den Anteil des Bewußten und Rationalen am künstlerischen Prozeß auf das stärkste betont hat – „Dichtung ist Traum, aber einer, der sich seines Träumens immer wieder bewußt wird ...", heißt es in Brochs Hofmannsthal-Aufsatz (Essays. Bd. 1. S. 157) – und der gerade das Irrationale aus der Sphäre des Unbestimmten, Dunklen und Nebulosen ins exakt Beschreibbare und rational Erfaßbare hinüberführen wollte. So heißt es in einem Brief an Egon Vietta vom 19. 11. 1935: „Mit einer beinahe agressiv rhetorischen Frage wenden Sie sich gegen Verwirklichung des Logos in der Welt und setzen den Durchbruch des Irrationalen als das Positive dagegen. (Was übrigens Jung sehr gut passen würde.) Nun glaube ich, – und darüber dürften wir uns einig sein –, daß das Irrationale etwas sehr Exaktes ist, d. h., daß es Aufgabe des erkennenden Menschen ist, das Rationale bis zur äußersten Grenze zu verfolgen, um erst von hier aus den Bereich des Irrationalen eben ‚abzugrenzen'." (Briefe. S. 139/140)

[94] In weit stärkerem Maße noch als für die „Schlafwandler" gilt dies für die Analyse des „Tod des Vergil".

[95] Vgl. S. 27; 57; 93; 100; 150.

[96] Vgl. S. 27; 201; 223; 233; 239f.; 247f.; 288; 292; 304; 307; 312; 315; 323; 338; 342; 345; 364; 488; 565; 602.

[97] Der Seereiseabschnitt schließt mit der Regiebemerkung des anonymen Erzählers: „So dachte Esch sicherlich nicht, wenn er auch von dem Gedanken besessen blieb, nach Amerika auszuwandern und die Buchhalter der Mittelrheinischen auf das Schiff mitzunehmen." (S. 242)

technischen Einrichtungen" (S. 318) plötzlich fragwürdig wird, ist die Erfahrung des Eintretens in eine neue Seinsweise, in der es nicht mehr auf „die Richtigkeit der Addition von Kolonnen" (S. 241) ankommt, in der „alles Zukunft" (S. 316) ist, und der Mensch, unschuldig und ohne Vergangenheit, wieder zum Kind wird[98]. Die Verwandlung Eschs zum Schlafwandler, die mit dem Besteigen des Zuges nach Mannheim einsetzt – hier folgt die traumhaft-visionäre Assoziation des Eisenbahnabteils mit der Vorstellung eines surrealen Bühnenbildes – entspricht den gestaltbestimmenden Zügen, die in den beiden lyrisch-begrifflichen Kommentaren mit dem Phänomen der schlafwandlerischen Entrückung des Menschen in Zusammenhang gebracht sind. Esch wird jetzt zu einer leicht und schwerelos dahinschwebenden Marionette, wie ein „Geist" fühlt er sich allen irdischen Beschränkungen und Rücksichtnahmen enthoben[99], die Grenze zwischen Traum und Wirklichkeit scheint aufgehoben zu sein, und das Geschehen nimmt den Charakter des Wunderbaren an. Schon bei seinem Zwischenaufenthalt in Mannheim, der ganz die Züge der Abrechnung[100] mit der Vergangenheit seines bisherigen Lebens trägt, „fühlte (er) sich beinahe wie ein Verwandter, der aus amerikanischer Ferne zu seinen Lieben heimkehrt" (S. 307); die Wache am Eingang zu den Hafenmagazinen der „Mittelrheinischen" läßt den inzwischen aus der Firma Entlassenen ohne Bedenken passieren, da sie

> wohl fühlen mochten, daß man ihm nichts mehr anhaben konnte; es begrüßten ihn die Zollwächter sofort mit schwebender Herzlichkeit und es entwickelte sich mit ihnen ein leichtes Gespräch. Ja, sagten sie lachend, soferne er nicht mehr bei der Reederei sei, dann hätte er auch hier nichts mehr zu schaffen, und Esch sagte, er werde ihnen schon zeigen, daß er hier etwas zu schaffen habe, und sie machten auch nicht den leisesten Versuch, ihn zurückzuhalten, als er hineinging. Niemand hinderte ihn, all die Schuppen und Krane, Magazine und Eisenbahnwagen nach Lust und Laune zu betrachten, und wenn er in die Magazine hineinrief, kamen die Platzmeister und Lagerhalter heraus und standen vor ihm wie Brüder. (S. 307).

Während seines Abschiedsbesuchs bei Lohberg redet Esch, ganz befangen in seinen schlafwandlerischen Assoziationen und Überlegungen, auf den überraschten und verängstigten Zigarrenhändler in einer diesem unverständlichen und bedrohlichen Weise ein:

> Er sagte: „Wenn Sie tot sind, sind Sie stärker als ich, ... aber Sie kann man ja gar nicht umbringen", fügte er verächtlich hinzu, denn es fiel ihm ein, daß selbst ein toter Lohberg nicht in Betracht käme; den kannte er zu gut, der blieb ein Idiot, und bloß jene, die man niemals gekannt hat, jene, die niemals gelebt haben, die waren die Übermächtigen. Lohberg aber, mißtrauisch gegen die Frauen, sagte: „Was meinen Sie damit? meinen Sie die Witwenversorgung? ich habe eine Lebensversicherung abgeschlossen." (S. 308).

Die Diskrepanz zwischen den schlafwandlerischen Reden Eschs und der „normalen" Antwort Lohbergs bewirkt eine Art skurrilen Humors, den wir auch an

[98] Fünfmal findet sich in dem Schlafwandlerabschnitt der Vergleich des Schlafwandlers mit einem Kind.

[99] Der Vergleich Eschs mit einem Geist findet sich an drei Stellen: S. 300; 301 („... Geist er über dem Tische der Fleischgebundenen ..."); 308.

[100] Auch im wörtlichen Sinne zu verstehen: S. 303.

anderen Stellen des Werkes wiederfinden[101]. Der kurz vor dem Ziel seiner Gralssuche stehende Esch nimmt die Gebärde eines Gekreuzigten an, die ihm in der Varietészene beim Auftritt Ilonas urbildhaft entgegengetreten war:

> Esch stand auf, stand robust und fest auf seinen Beinen und streckte die Arme aus wie einer, der vom Schlafe aufwacht, oder wie ein Gekreuzigter. Er fühlte sich stark, fest und wohlbestellt, ein Kerl, den umzubringen sich schon verlohnte. (S. 309)[102].

Die Kreuzsymbolik ist es auch, die – mit deutlichen Anklängen an die christliche Vorstellung vom Kreuzesopfer – im Mittelpunkt des nun folgenden Gesprächs zwischen Esch und Bertrand, dem Ziel von Eschs religiösen Weg, steht.

Die Darstellung von Eschs Ankunft in Badenweiler, seines Eintritts in das „Schloß" und seiner Begegnung mit Bertrand, trägt ausgesprochen märchenhafte Züge. Das Element des Wunderbaren und Märchenhaften im Erzählwerk Brochs: wir kennen es vor allem aus dem „Tod des Vergil", wo der trancehafte Zustand des fieberkranken Dichters seinen Ausdruck findet in den immer neuen Metamorphosen, denen die Umwelt Vergils, sein Sterbezimmer etwa, im inneren Monolog unterworfen wird und die dem Romangeschehen auf weite Strecken hin den Charakter des Phantastisch-Überrealen und Unwirklichen verleihen. Wir begegnen ihm wieder in dem märchenhaft-visionären Schlußbild des „Versuchers". Dieses Element des Wunderbaren und Märchenhaften, das alle Werke Brochs durchzieht und bestimmt[103], unterscheidet sich jedoch von dem Wesen echter Märchenhaftigkeit durch den Anteil deutender Bewußtheit, mit der hier die Illusion des Wunderbaren immer wieder durchbrochen und in der Zurückführung auf logische Zusammenhänge aufgehoben wird. So weiß auch Esch, trotz alles Märchenhaften, das ihn in Badenweiler umgibt, daß er in einem „Traum im Traume" (S. 320) wandelt und bringt etwa „die spielerische und gleitende Kühle dieses Morgens" mit dem „fast lautlosen Springbrunnen" in einen deutenden Zusammenhang („als sollte das Sinnbild nochmals versinnbildlicht werden" S. 321), der den Eingriff des kommentierenden Autors kaum noch verleugnet[104].

Die Erzählsituation in der Badenweilerszene, der Eintritt des Fremden[105] in den geheimnisvollen Bereich eines Schlosses als das ersehnte Ende einer Such- und Irrfahrt nach bekannt-unbekanntem Ziel, ruft Erinnerungen an uralte Sagen- und Märchenmotive wach. Hatten wir Esch bereits als einen modernen Grals-

[101] Z. B. wenn Esch, in Erinnerung an das, was Harry als Echo Bertrands in der Transvestitenkneipe über die Liebe sagt, zu Mutter Hentjen über die Vernichtung der Vergangenheit und die Aufhebung der Zeit spricht, und es dann heißt: „‚Ich habe keine Vergangenheit', sagte Mutter Hentjen beleidigt." (S. 292)

[102] Fast wörtliche Wiederkehr dieser Stelle auf S. 565; 634.

[103] Auch die „Schuldlosen" wären hier zu nennen: vgl. das Kapitel „Steinerner Gast".

[104] Der Satz von der Versinnbildlichung des Sinnbilds oder der Symbolisierung des Symbols gehört als wichtiger Bestandteil der Brochschen Ästhetik an und findet sich an zahlreichen Stellen in seinen theoretischen Schriften. Vgl. Essays. Bd. 1. S. 54; 139; 153; 161; 172; 176; Bd. 2. S. 235; vgl. auch: Schlafwandler. S. 528; 571; 609; 611; 686;

[105] An zwei Stellen wird Esch als der „Gast" bezeichnet: S. 321; 326. Hierbei schwingt die ursprüngliche Bedeutung des Wortes Gast als der Fremde und der Feind unüberhörbar mit.

sucher bezeichnet, so läßt er sich in diesem Abschnitt auch mit dem Prinzen vergleichen, dem sich auf geheimnisvolle Weise der Zugang zur verwunschenen Prinzessin auf dornumranktem Schloß öffnet, ein Motiv, wie es etwa im Märchen vom Dornröschen vorliegt. Die vergleichende Heranziehung des Dornröschenmotivs zum Verständnis des Verhältnisses, in dem Esch und Bertrand in der Badenweilerszene zueinander stehen, scheint zunächst nur eine willkürliche und etwas weit hergeholte Analogie zu sein. Eine genaue Interpretation jedoch wird gerade in diesem Motiv eine tiefe sinnbildliche Entsprechung zu der Funktion, die Esch in dieser Szene hat, aufdecken können. Der Gralssucherweg Eschs, den wir als einen religiösen Weg der Läuterung und Entsühnung näher gekennzeichnet hatten, enthüllt sich auf seinem Höhepunkt zugleich als ein Weg zur Erlösung und Befreiung des in der Isolation seines Schlosses lebenden Bertrand. Der Weg der eigenen Entsühnung ist zugleich ein Weg der erlösenden Befreiung des anderen, den wir in der Sprache der Gralsmotivik als Gralskönig, in der Sprache der Dornröschenmotivik als erstarrte Prinzessin bezeichnen können[106]. Figur und Gegenfigur in diesem modernen Mysterienspiel begegnen einander im Bewußtsein ihrer Schuld und finden zueinander, indem sie sich unter das Symbol der Erlösung, das Kreuz, stellen, von dem sie die Erneuerung der Welt und den Anbruch einer neuen Zeit erwarten. Bevor wir jedoch die entscheidende Frage nach der Schuld Eschs und Bertrands stellen und zu beantworten suchen, eine Frage, die uns in die tiefste und persönlichste Schicht des Werkes führt, wollen wir die Gesprächsszene im einzelnen näher ins Auge fassen.

Eschs wunderbarer und auch im gebräuchlichen Sinn des Wortes schlafwandlerischer Eintritt in das Schloß führt ihn, im Unterschied zu seinem ersten voreiligen Versuch, im Büro der „Mittelrheinischen“ auf den Präsidenten zu stoßen, unmittelbar und ohne störendes Dazwischentreten des Portiers – der wiederum „silberne Knöpfe an seinem Rock“ (S. 321) trägt – zu Bertrand. Hatte er damals „wohl oder übel ... den Rückzug antreten“ (S. 185) müssen, so ist er sich jetzt seines „sicheren Siege(s)“ (S. 320) bewußt. Die Begegnung zwischen ihm und Bertrand hat teil an der märchen- und traumhaften Gesamtatmosphäre, die diese Szene kennzeichnet. Wie auf erhobener Bühne, zu der die zum arkadischen Idyll stilisierte Parklandschaft die Kulisse bildet, entfaltet sich zwischen beiden ein Gespräch, das in kunstvoller Steigerung die Gesprächspartner in den Bereich prophetischer Traumrede führt. Doch bevor wir uns dem Inhalt dieses Gesprächs zuwenden, müssen wir den Blick noch einmal auf Eschs Partner, Bertrand, len-

[106] Für beide Motivkreise finden sich – neben der grundsätzlichen sinnbildhaften Entsprechung – im Text einzelne Anspielungen: so, wie der junge Königssohn aus dem Märchen der Warnung zum Trotz auf das Schloß zustrebt und die drohende Dornenhecke in Blumen verwandelt findet, so achtet auch Esch das Verbot („niemand hat Zutritt ...“ S. 282) nicht und ist verwundert, kein Hindernis anzutreffen, ja, er wünscht geradezu auf ein solches zu überwindendes Hindernis zu stoßen: „... er ist voll Verlangen, daß noch ein besonders hohes und schwieriges Hindernis sich ihm entgegenstelle, ehe das Ziel erreicht wird und er nach dem sicheren Siege greift.“ (S. 320) Das Motiv von Bertrand als dem Gralskönig, den es zu erlösen gilt, klingt an in der Vorstellung vom „Thronsaal“, dem „innersten Heiligtum“ (S. 321), in dem Eschs Phantasie Bertrand lokalisiert.

ken, der hier innerhalb des zweiten Romans zum erstenmal, wenn auch „mit dem notwendigen traumhaften Bruch“[107], in Erscheinung tritt. Im „Pasenow“ waren wir ihm als dem überlegenen, seiner Zeit in kritischer Distanz gegenüberstehenden Weltmann begegnet, der sich seiner Fähigkeit und innersten Berufung, „Arzt“ – in dem von uns beschriebenen weitesten Sinne – zu sein, immer wieder entzieht, indem er das Leben eines freischweifenden, bindungslosen und in einem tieferen Sinne verantwortungslosen „Reisenden“ führt. Bertrand weiß um die Krankheit seiner Zeit, hält aber eine auf Selbstbewahrung gerichtete Distanz zu ihr aufrecht und reist im entscheidenden Moment, wo tätige Hilfeleistung von ihm gefordert wird, ab[108]. Auch Bertrand, das verbindet ihn mit Joachim v. Pasenow, ist auf der Flucht vor sich selbst begriffen, nur bleibt er, im Unterschied zu Pasenow, Herr seiner selbst und gibt seinem Leben im bewußten Gegensatz zu den restaurativen Tendenzen seiner Zeit den Charakter scheinbarer Autonomie und Freiheit. Wir können die Lebensform, in die Bertrand sich aus der von ihm so scharf analysierten und bloßgestellten Zeitproblematik rettet, als eine ästhetische Lebensform bezeichnen[109]. Wir gebrauchen dabei den Begriff „ästhetisch“ in Verbindung mit dem der Lebensform in dem Sinne, in dem Kierkegaard[110] ihn geprägt hat und in dem er inzwischen zum festen Bestand philosophischer Terminologie gehört. Im zweiten Band findet die auf kritische Distanz und Selbstbewahrung gerichtete ästhetische Existenzform Bertrands ihren symbolischen Ausdruck in seiner Entrückung auf das Schloß Badenweiler. Während von Esch her gesehen das Schloß zum Ort entsühnender Erlösung wird, ist es für Bertrand die Fluchtburg, auf die er sich vor dem Ansturm einer anarchischen Zeit zurückzieht. Es scheint erlaubt, die Bedeutung, die das Schloß für Bertrand hat, in Verbindung zu bringen mit dem bekannten Bild vom Elfenbeinturm, dem Sinnbild der Isoliertheit und Abgeschlossenheit einer nur auf ästhetische Selbstvollendung gerichteten künstlerischen Existenz, wie sie für die Epoche des l'art pour l'art kennzeichnend gewesen ist[111]. Neben die Schloßsymbolik tritt die sinn-

[107] Vgl. S. 115 unserer Arbeit.

[108] So läßt Bertrand die ihn liebende Elisabeth, die bei ihm „eine Art Fürsorge zu finden ...“ (S. 144) hofft, ratlos in ihrer Unsicherheit und Hilflosigkeit zurück und entzieht sich den Folgen, die seine leichtsinnige Liebeserklärung haben könnte. Vgl. das Gespräch Bertrand-Elisabeth: S. 143–147. Vgl. auch die abweisende Haltung Bertrands dem alten Herrn v. Pasenow gegenüber, der bei ihm Trost und Verständnis sucht. Dazu: 94–96; bes. S. 96.

[109] Unsere Deutung findet ihre Bestätigung in der Selbstinterpretation des Autors. In der Notiz über die „Ethische Konstruktion in den ‚Schlafwandlern'“, die Broch einem Brief an den Rhein-Verlag beigefügt hat, heißt es über Bertrand: „Bertrand ist ... der spezifisch ästhetische Mensch; er weiß vom ethischen Wertzerfall und versucht, sein Leben, unter weitgehender moralischer (nicht ethischer) Autonomie ins rein Ästhetische zu retten.“ (Briefe. S. 26)

[110] Kierkegaard stellt in „Entweder-Oder“ die ästhetische und die ethische Lebensform einander gegenüber, während er in „Furcht und Zittern“ der ethischen die religiöse Lebensform entgegensetzt.

[111] Brochs leidenschaftliche Frontstellung gegen jede Form des l'art pour l'art hat ihn in seinen Briefen häufig zum Bild des Elfenbeinturms (vorwiegend in der englischen Form als ivory-tower) greifen lassen.

bildlich gemeinte Homosexualität Bertrands. Auch sie weist zurück auf eine Lebensform, die den Stempel der Ichbezogenheit und der Unfruchtbarkeit trägt. Es hat einen tiefen symbolischen Sinn, daß Esch mit der äußeren Begründung, er wolle Bertrand wegen Homosexualität bei der Polizei anzeigen, nach Badenweiler fährt und den Präsidenten gleichzeitig dafür verantwortlich macht, daß Martin Geyring im Gefängnis sitzt. Doch das führt uns bereits mitten hinein in die Deutung der Begegnung zwischen Esch und Bertrand, für die diese vorbereitenden Bemerkungen notwendig waren.

Es macht den dramatischen Gehalt der Begegnung zwischen Esch und Bertrand aus, daß hier der Schlafwandler und der gegen die schlafwandlerischen Heimsuchungen gefeite Rationalist aufeinander treffen[112]. Die Situation ist eine ähnliche wie im „Pasenow", doch mit einem entscheidenden Unterschied: während Joachim v. Pasenow in einer sklavischen Abhängigkeit von Bertrand befangen bleibt und sich erst am Schluß des ersten Romans in einer Art salto mortale von ihm löst und von ihm befreit glaubt, tritt Esch als gleichberechtigter Partner neben Bertrand, er wird zur vollgewichtigen Gegenfigur in einem Drama, in dem es um die Frage nach der Bestimmung des Menschen, seiner Schuld und seiner Erlösung geht. Esch tritt in dem Gespräch als Kläger auf. Er will Bertrand „der Polizei angeben". (S. 322). Der Grund, der in dem Gespräch selbst bezeichnenderweise nicht genannt wird, ist die Homosexualität Bertrands, von der Esch nur gerüchtweise und durch unbewiesene Andeutungen Kenntnis hat. Der – Esch selbst nicht bewußte – tiefere Sinn dieser Anklage führt uns zum Kern des Verhältnisses zwischen Esch und Bertrand und ihrer Begegnung in Badenweiler. Es ist der anklagende Protest des zum Träger einer religiösen Rolle bestimmten Esch gegen die verantwortungslose Isolation einer sich in ihrem Elfenbeinturm verborgen haltenden ästhetischen Existenz, für die die Homosexualität nur sinnbildliche Vertretung ist. Darum kann Esch auch ohne jede äußere, aber mit desto tieferer innerer Berechtigung Bertrand dafür verantwortlich machen, daß „ein Unschuldiger ... (Martin Geyring) an (seiner) Stelle im Gefängnis" (S. 322) sitzt. Bertrand nun weist diese Anklage nicht zurück, im Gegenteil, er stimmt ihr zu, mehr noch, er weiß um die erweckende Funktion, die Eschs geheimnisvoller Eintritt in den Bereich seiner Schloßexistenz für ihn hat[113] und beantwortet den Vorschlag Eschs, vor seiner Anklage zu fliehen, mit den entscheidenden Sätzen:

> Du weißt es, mein Lieber, daß ich nicht fliehe. Zu lange schon habe ich diesen Augenblick erwartet. (S. 323).

Bertrand, der in dieser Szene ähnlich typisierende Umschreibungen erfährt wie im „Pasenow"[114], wird jetzt – das ist das Neue gegenüber dem ersten Band, wo er der Überlegene bleibt – als der „Erkennende und Erkannte" (S. 323) bezeichnet. In dieser Formel ist die wechselseitige Funktion, die Esch und Bertrand miteinander verbindet, zum präzisen Ausdruck gelangt. Der Vertreter einer ästhe-

[112] Vgl. Briefe. S. 18.

[113] Dornröschenmotivik und Gralsmotivik treffen hier zusammen.

[114] Z. B.: „... bartlos wie ein Schauspieler und doch kein Schauspieler ..." (S. 321) Vgl. S. 28; 72. Zweimal wird von ihm wiederum als einem „Arzt" gesprochen: S. 322.

tischen Lebenshaltung fühlt sich von dem Anarchisten und Vertreter einer religiösen Lebenshaltung „erkannt“ und in Frage gestellt. Übersetzen wir den hier aufgebrochenen Konflikt in die abstrakte Sprache der gedanklichen Position, die als Folie auch hinter dieser Begegnung steht, so stehen wir wiederum vor dem gedanklichen Urerlebnis Brochs, der Polarität von Rationalität und Irrationalität. Esch ist es, in dessen schlafwandlerischen Visionen das Irrationale aufbricht und ihn zum religiösen Ekstatiker, der sich in keine der vorhandenen Wertordnungen mehr einfügen, sondern die Welt und ihre Ordnung von Grund auf umschaffen will, werden läßt. Broch hat in seinem Hofmannsthal-Aufsatz den Durchbruch des Irrationalen, den er dort zeitlich mit dem Aufbruch der l'art pour l'art-Kunst in Beziehung setzt, als einen notwendigen geschichtsphilosophischen Prozeß aufzuzeigen gesucht. In dieser in den letzten Jahren seines Lebens geschriebenen Studie nimmt er die gedanklichen Intentionen der „Schlafwandler“ wieder auf und gibt dem dort erzählerisch und gedanklich entwickelten Problem eine schärfere begriffliche Fassung, die sich auf Grund der für Brochs Denken eigentümlichen Problemkonstanz unmittelbar auf Esch und die mit seiner Gestalt aufgegebene Frage beziehen läßt. Es heißt dort:

> Wo das Irrationale in seiner vollen Vehemenz sich zeigt, da geschieht dies in Gestalt von Ur-Assoziationen und Ur-Symbolen. Die Welt wird wieder zum ersten Male gesehen, und zwar in einer Unmittelbarkeit wie sie sonst bloß dem Kinde und dem Primitiven (und infolgedessen, wenngleich mit anderer Färbung, auch dem Träumenden) zu eigen ist, und so wird auch der Welt-Ausdruck zu dem des Kindes, des Primitiven, des Träumenden: ...[115]

In dieser späten Äußerung nimmt Broch noch einmal das Grundthema auf, das bei der Konzeption der „Schlafwandler“ Pate gestanden hat. Was er hier in der rationalen Sprache des Essays beschreibt, ist nichts anderes als das Phänomen, das seinem ersten Roman den Titel gegeben hat: das Schlafwandeln. Das ihm zugrunde liegende Problem, das Problem des Irrationalen in allen seinen Abschattierungen und Spielarten, ist nicht allein Brochs Problem gewesen, es war ein Grundproblem und ein Grundthema seiner Generation. Das zeigt uns ein nur flüchtiger Blick auf die gleichzeitige Entwicklung der Literatur, der Philosophie und der Theologie, und es erscheint müßig, hier einzelne Parallelen aufzeigen zu wollen. Brochs Denken hat in diesem Punkt teil an einem Zeitschicksal, gehört einem Zeitbewußtsein an, das in dem befreienden Ruf nach Ursprünglichkeit, Leben, Natur, Primitivität, kurz allen Derivaten und Erscheinungsformen des Irrationalen die Erlösung von einer steril gewordenen, abgelebten und in rationalen Verkrustungen erstarrten Welt erhoffte. „Es ist eine seltsame Einheit aller großen neuartigen Gesamtbewegungen der Gegenwart, in ganz Europa und Amerika“, schreibt Max Scheler in einem 1927 gehaltenen Vortrag „Der Mensch im Weltalter des Ausgleichs“, „daß sie sämtlich bewußt irrationalistisch, antiintellektuell sind, ja meist eine ausgeprägte Verachtung von Geist und Geisteswerten überhaupt zur Schau tragen[116].“ Broch hat jedoch, das verbindet

[115] Essays. Bd. 1. S. 58.

[116] Max Scheler. Philosophische Weltanschauung. Bonn. 1926. S. 62.

ihn im Bereich der Philosophie mit dem soeben zitierten Max Scheler, im Bereich der modernen Literatur vor allem mit Thomas Mann[117], die Gefahr einer Verabsolutierung der irrationalistischen Denkposition erkannt, ja, sein gesamtes dichterisches und gedankliches Schaffen – wir wiesen bereits darauf hin – war in dieser Frage auf Ausgleich, auf Synthese gerichtet, wobei der Gegenposition des Rationalen eine deutlich spürbare Vorrangstellung eingeräumt worden ist.

Kehren wir zur Interpretation der Badenweilerszene zurück und erinnern uns an die zitierte Stelle aus dem Hofmannsthal-Aufsatz. Die Träger der einbrechenden Erfahrung des Irrationalen werden dort als Kinder, Primitive und Träumende bezeichnet, Umschreibungen, die unmittelbar für den Schlafwandler Esch zutreffen. So redet auch Bertrand im Gespräch mit Esch diesen als „Kind" an (S. 322) und nimmt damit die Kindsymbolik des Schlafwandlerabschnitts auf[118]. An einer anderen Stelle des Hofmannsthal-Aufsatzes wird vom Kind als der „Symbolisierung der Hilflosigkeit an sich"[119] gesprochen. Die Hilflosigkeit des als „Kind" angesprochenen Esch, die ihn wie unter höherem Zwang stehend den „Arzt" Bertrand aufsuchen läßt, ist die Hilflosigkeit des ratlos seinen Visionen, Träumen und schlafwandlerischen Entrückungen gegenüberstehenden Erfahrungsträgers des Irrationalen. Das ist der Sinn von Eschs Weg zu Bertrand, der Sinn seiner Gralssuche: die erlösende Aufnahme des in das Chaos einer zerfallenden Welt Ausgestoßenen und der Erfahrung des Irrationalen erbarmungslos Ausgelieferten in den Bereich einer das Irrationale ins Rationale überführenden Erkenntnis. Das Gefühl der Geborgenheit, das Joachim v. Pasenow in der Begegnung mit Bertrand überkommt, dem er sich jedoch immer wieder entzieht, an diesem Gefühl hat jetzt auch Esch teil:

> Esch dachte: behielte er mich hier, so wäre Ordnung; man würde alles vergessen und hell würden die Tage in Ruhe und Klarheit dahinfließen; ... (S. 325).

Doch die erhoffte Vereinigung findet nicht statt. Der Ästhet und Rationalist Bertrand weist den zum Typus des Irrationalisten erhöhten und zum Träger einer religiösen Rolle erwählten Esch zurück:

> Du weißt, daß ich dich nicht bei mir behalten kann, so sehr du die Einsamkeit fürchtest. Auch ich kann bloß meinen Geschäften nachgehen. (S. 325).

Der durch Esch aus dem Dornröschenschlaf seiner ästhetischen Existenz aufgeweckte Bertrand ist noch nicht reif zur echten „Hilfe", die ihm seine Berufung, „Arzt" zu sein, auferlegt; auch ihm steht noch ein Weg der Läuterung und der Buße bevor, ehe er seine wahre Bestimmung ergreifen und erfüllen wird[120].

[117] Vgl. dessen Aufsatz: „Die Stellung Freuds in der modernen Geistesgeschichte" von 1929. In: Thomas Mann. Altes und Neues. Kleine Prosa aus fünf Jahrzehnten. Frankf. a. M. 1953. S. 166ff. (Stockholmer Gesamtausgabe)

[118] Vgl. S. 122 unserer Arbeit.

[119] Essays. Bd. 1. S. 164.

[120] Die Grundvoraussetzung unserer Interpretation der „Schlafwandler", die Behauptung nämlich, daß die innere, symbolische „Geschichte" Bertrands sich als roter Faden durch alle d r e i Teile der Trilogie hindurchzieht (vgl. S. 76f. unserer Arbeit), wird scheinbar in Frage gestellt durch die im weiteren Verlauf der Romanhandlung des zweiten Bandes berichtete „Tatsache" von Bertrands Selbstmord (S. 348). Jedoch auch dieses gleichsam

Obgleich es am Ende der Szene heißt: „... und sie waren wie zwei Freunde, die alles voneinander wissen“ (S. 325), bleibt die ganze Begegnung – ähnlich wie später die zwischen Vergil und Augustus im „Tod des Vergil“ – von Resignation, Ratlosigkeit und dem Bewußtsein vorläufiger Ausweglosigkeit überschattet. Wiederum wie im „Tod des Vergil“ wird die Erlösung und Erneuerung der Welt „zum Stand der neuen Unschuld“ (S. 324) und damit auch die Möglichkeit der ersehnten Vereinigung der Welt des Irrationalen mit der des Rationalen, der erkennenden Durchdringung der Dämonie und Anarchie des Seins zu neuer Einheit, an die Hoffnung auf das künftige Erscheinen und den Opfertod des „erkennenden“ und „liebenden Erlösers“ geknüpft. (S. 324). Bertrand ist es, der die verworrenen Träume, Visionen und Vorstellungen Eschs vom Kreuz, vom Opfer und der ordnungsstiftenden Erneuerung der Welt in die Helle rationalen Wissens überführt und so seinem dunklen und dumpfen Ahnen zur Klarheit verhilft:

> Das war einleuchtend wie alles, was Bertrand sagte, so einleuchtend und vertraut, ... (S. 324).

Die Vorstellung von einem kommenden Erlöser, der durch seinen Opfertod die Welt erneuern wird, wie sie Bertrand wie aus höherem Wissen heraus verkündet, trägt deutlich christliche Züge[121], wennschon die christlichen Elemente in einer eigenartigen Verschiebung gegenüber ihrem ursprünglichen Sinn in Erscheinung treten[122]. Die Beantwortung der sich an dieser Stelle aufdrängenden grundsätzlichen Frage, – sie kehrt im „Tod des Vergil“ wieder – ob wir die Lösung der in den „Schlafwandlern“ aufgeworfenen Problematik als eine christliche, den Roman mithin als einen christlichen Roman bezeichnen können, möge hier noch zurückstehen. Wir werden auf sie bei der Behandlung der gedanklichen Exkurse des dritten Bandes zurückkommen, in denen die Vorstellung von einem zukünftigen Heilsbringer wieder aufgenommen wird.

dokumentarisch durch die Todesanzeige in der Zeitung, auf die der entrückte Esch durch den Musiker Alfons aufmerksam gemacht wird (S. 348), beglaubigte Ereignis, steht unter dem von uns hinsichtlich der Badenweiler-Szene geltend gemachten „zwielichtigen Modus der Wirklichkeitsauffassung und -darstellung“ (S. 77 unserer Arbeit). Der Perspektivismus und Fiktionalismus der Darstellungsmethode in den „Schlafwandlern“, der zu einer Irrealisierung der faktisch-realen Welt führt, erreicht an dieser Stelle sozusagen ein äußerstes Extrem. Wir stehen hier vor dem auch in der modernen Epik wohl seltenen Fall, daß eine genaue, gleichsam nachrechnende Gesamtinterpretation des Werkes zu Ergebnissen gelangt, die dem verbürgten Augenschein des tatsächlich Berichteten zuwiderlaufen. Aufgrund dieser Gesamtbetrachtung, deren Schlüssel wir in der „Geschichte des Heilsarmeemädchens in Berlin“ zu finden glauben (vgl. S. 147ff. unserer Arbeit), erschließt sich uns die Nachricht vom Selbstmord Bertrands in ihrer symbolischen Funktion als Krisis – das Thema des „Stirb und Werde“ klingt an – innerhalb seines Entwicklungsweges, dessen weiterer Verlauf Gegenstand des dritten Romans wird.

[121] Vgl. die Anspielung auf den neutestamentlichen Kreuzigungsbericht: „Ja, Esch, – ans Kreuz geschlagen. Und in letzter Einsamkeit von der Lanze durchbohrt und mit Essig gelabt.“ (S. 325)

[122] So wird das Auftreten des Antichristen dem erlösenden Opfertod zeitlich vorangestellt. Das entspricht dem Schema der Brochschen Geschichtsphilosophie und steht im Widerspruch zur christlichen Tradition, nach der auf das Erscheinen des Antichristen die Parusie folgt.

c) Der dritte Roman: „1918 – Huguenau oder die Sachlichkeit“

Der dritte Roman, „Huguenau oder die Sachlichkeit“, ist für den Literarhistoriker in gewissem Sinn der interessanteste Teil der Schlafwandlertrilogie. An ihm vor allem läßt sich das, was wir mit der Formel „Krise des modernen Romans“ zu umschreiben gewohnt sind, in beispielhafter Weise zeigen und veranschaulichen. Der progressive Zerfall der Wert- und Wirklichkeitsstruktur, das Kernthema des gesamten Werkes, hat hier auf die Romanform selbst übergegriffen und hat diesen Romanteil zum vielleicht eklatantesten Beispiel für die Destruktion und Auflösung der traditionellen Romanform innerhalb der modernen deutschsprachigen Literatur gemacht. Broch war sich der Tatsache, daß er mit dem „Huguenau“ die Form des traditionellen Romans verlassen und etwas grundsätzlich Neues geschaffen hatte, vollauf bewußt. So schreibt er in einem Brief an seinen Verleger Dr. D. Brody vom 18. Juni 1931:

> Das Buch ist, das ist nicht zuviel behauptet, in sehr vieler Beziehung ein Novum geworden, nicht nur gegenüber dem alten Huguenau[123], der kaum mehr vorhanden ist, sondern für den Roman überhaupt[124].

Es ist eines der vordringlichen Anliegen dieser Arbeit, dem Vorurteil entgegenzutreten, diese für den modernen Roman charakteristische Formauflösung sei gleichbedeutend mit Formlosigkeit, der Zerfall und die Destruktion traditioneller Formschemata sei der Ausdruck einer Bankrotterklärung hinsichtlich der Möglichkeit der formalen Bewältigung einer im Grunde formal nicht mehr darstellbaren Welt. Richtig an dieser Behauptung bleibt nur, daß für modernes Dichten[125] die Ursituation aller schöpferischen Tätigkeit, die Überführung des Ungestalteten und Formlosen in die formschaffende Gestalt, daß dieses Wagnis aller künstlerischen Weltbewältigung eine Verschärfung und Radikalisierung erfahren hat, die den modernen Dichter bis hart an die Grenze der Selbstaufhebung seines Tuns führt. Diese Selbstaufhebung und Infragestellung der Kunst überhaupt aber steht – das zeigen alle großen Werke unserer Epoche, die in vielem als eine Epoche des Endes und des Übergangs betrachtet werden kann – erst am Abschluß eines Weges, der durch die angespanntesten Bemühungen um die Schaffung einer neuen Form gekennzeichnet ist, und darf als die letzte Konsequenz eines Kampfes angesehen werden, der die künstlerische Bewältigung des hereinbrechenden Chaos von der Überspannung und Überanstrengung der immer weiter ins Esoterische vorangetriebenen Ausdrucksmittel sich erhofft. Gottfried Benns so oft mißverstandenes Wort von der „formfordernden Gewalt des Nichts“[126], dieses Wort steht auch über dem Werk Brochs, wennschon die letzten Antriebe, denen beide Dichter folgten und die ihren Weg bestimmten, diametral entgegengesetzt

[123] Gemeint ist die erste, kürzere Fassung der „Schlafwandler“.

[124] Briefe. S. 55; vgl. auch: S. 56/57.

[125] „Modern“ in dem von uns gemeinten Sinne des Verstoßes in bisher unerschlossen gebliebene inhaltliche und formale Bereiche. Vgl. S. 10f. unserer Arbeit.

[126] Gottfried Benn. Gesammelte Werke in vier Bänden. Hg. von Dieter Wellershoff. Bd. 1. Essays, Reden, Vorträge. Wiesbaden 1959. S. 438.

sind und sie zu den vielleicht extremsten Vertretern einander antitypisch gegenüberstehender Auffassungen vom Sinn der Dichtung und vom Amt des Dichters in der modernen deutschen Literatur machen. Während für Benn das Ziel der Dichtung die Gewinnung der Form in ihrer absoluten Reinheit und konstruktiven Artistik gewesen ist, war das Dichten Brochs von Anfang an auf die Überwindung der Form durch die Form gerichtet. In dieser paradoxen Formel ist beides inbegriffen: höchste Formbewußtheit und das Wissen um die letzte Unzulänglichkeit der Form in einer Zeit, die den brennenden Problemen, die auf ihr lasten, den Umweg ihrer Gestaltung im Kunstwerk nicht mehr erlaubt, sondern auf die direkte und unmittelbare Aussage drängt. Dieses Nebeneinander von Formwille auf der einen und von formaufhebender gedanklicher Intention auf der anderen Seite, anders ausgedrückt, der Zwiespalt zwischen Gestaltung und Reflexion, der dem gesamten Werk Brochs seinen Stempel aufgeprägt hat, dieser Zwiespalt findet im dritten Band der Schlafwandlertrilogie seinen exemplarischen Ausdruck. Hier zerfällt der noch in den beiden ersten Teilen vorhandene einheitliche Aufbau, ein einheitliches Handlungsgerüst gibt es nicht mehr, der Roman löst sich auf in ein Nebeneinander von inhaltlich unverbundenen oder nur lose miteinander verknüpften Handlungssträngen, die nur noch in der kontrapunktischen Bezogenheit auf eine gemeinsame Sinnmitte miteinander in Verbindung stehen. In einem großen erkenntnistheoretischen Essay, „Vom Zerfall der Werte", der sich abschnittsweise über den ganzen Band erstreckt, werden die einzelnen Handlungsfäden in die Reflexionsform einer subtilen philosophischen Untersuchung hineingezwungen. Die Handlung selbst erhält jetzt vollends parabolischen Charakter, sie dient nur noch als Exempel für die gedankliche Durchdringung. Aphoristisch nimmt der Erzähler zu Personen und Vorgängen Stellung, jegliche Illusion des Lesers oder sein Verlangen nach Identifikation mit dem Dargestellten wird zerstört in dem harten, das eigentlich Erzählerische geradezu entwertenden Zugriff des scheinbar nur noch geschichtsphilosophisch an seinem Werk interessierten Dichters.

Der Roman gliedert sich in fünf selbständige Erzählgruppen, denen der große gedankliche Exkurs zur Seite tritt. Von den – hier im Unterschied zu den beiden ersten Romanen durchnumerierten – 88 Abschnitten entfallen nur mehr 36 auf die eigentliche Huguenau-Handlung; die übrigen Abschnitte verteilen sich auf die das Grundthema variierenden oder kontrapunktisch ergänzenden Erzählteile: die Geschichte des Heilsarmeemädchens in Berlin" (16 Abschnitte); die Lazarett-Handlung (10 Abschnitte); die Hannah Wendling-Studie (9 Abschnitte) und die Geschichte des Landwehrmannes Gödicke (7 Abschnitte). Dem großen erkenntnistheoretischen Exkurs, der nicht als geschlossenes Ganzes, etwa in der Form eines abschließenden Kommentars wie in dem berühmten Beispiel von Tolstoj's „Krieg und Frieden", neben den erzählerischen Teil tritt, sondern in diesen eingebaut ist und die ganze Handlungsentfaltung begleitet, sind 10 Abschnitte gewidmet. Die Exkurse bilden dabei mit der „Geschichte des Heilsarmeemädchens" in gewissem Sinne eine Einheit, die deutlich gegen die übrigen Romanteile, die ihren perspektivischen Mittelpunkt in der Huguenau-Handlung finden, abgegrenzt ist.

Das enge Aufeinanderbezogensein von Theorie und erzählerischer Veranschaulichung, das für den dritten Band charakteristisch ist, erzwingt von vornherein ein anderes Verfahren der Auslegung. Das Bemühen um deutendes Verstehen des in den erzählerischen Teilen Dargestellten scheint hier weitgehend überflüssig zu werden, übernimmt doch der Autor jetzt die Rolle des Interpreten seiner eigenen Erzählung. In zunehmendem Maße schaltet er sich als herrischer Kommentator in das Romangeschehen ein, um im letzten Abschnitt Erzählhandlung und geschichtsphilosophische Reflexion völlig ineinander übergehen zu lassen und miteinander zu verschmelzen. Während in den beiden ersten Bänden der Schein der Selbständigkeit des Erzählten gewahrt wurde, ist im dritten Band die Handlung des Romans zum unmittelbaren Exempel der gedanklichen Exkurse geworden. Dabei greift die Deutung, die im „Pasenow“ und im „Esch“ – betrachtet man diese beiden Romane als in sich abgeschlossene Gebilde – noch dem Leser überlassen wurde, jetzt auch auf diese Teile über. So wird in dem Abschnitt über den Buchhalter Esch (S. 394–397) von ihm mit der Objektivität und in der Distanzhaltung eines Historikers oder eines Soziologen gesprochen. Im Blickfeld dieser Betrachtungen steht nicht mehr der Buchhalter Esch als Individuum, sondern als der zufällige Vertreter eines bestimmten Wertsystems, dessen immanenter Gesetzlichkeit der einzelne Mensch bedingungslos ausgeliefert ist und an der gemessen scin individuelles Sosein bedeutungslos wird[127]. Die Tendenz zur Abstraktion, zum Typus, die Abwendung vom Individuellen und die Hinwendung zum Allgemeinen, die wir als charakteristisch bereits für die beiden ersten Romanteile aufweisen konnten, tritt jetzt, im dritten Teil, in aller Deutlichkeit zutage. Daß wir es trotz dieser recht eigentlich undichterischen und unepischen Erzählhaltung, die das Erzählen rückhaltlos in den Dienst philosophischer, also erzählfremder Intentionen stellt, mit einem Erzählwerk von hoher dichterischer Ausdruckskraft, kurz mit einem sprachlichen Kunstwerk zu tun haben, macht die Eigentümlichkeit nicht nur des dritten Romans, sondern der ganzen Schlafwandlertrilogie aus. Obschon es also unsere Aufgabe sein wird, das in vielem Betracht für den modernen Roman so bedeutungsvolle Verhältnis von Gestaltung und Reflexion im „Huguenau“ aufzuzeigen, bleibt das vorwaltende Interesse einer literarhistorischen Betrachtungsweise auf das im eigentlichen Sinn Erzählerische des Werkes gerichtet. Daß bei der Behandlung eines erzählenden Werkes der modernen Literatur diese hier gemachten Vorbemerkungen notwendig geworden sind, weist zurück auf die grundlegende Wandlung, der die Funktion des Erzählens unterworfen worden ist gegenüber einer Zeit, in der das Erzählen das Telos des Erzählens war, eine Grundhaltung, die seit Flaubert und dem nachfolgenden Naturalismus in zunehmendem Maße fragwürdig wurde und das Erzählen nur noch unter Vorbehalten und Anführungszeichen möglich zu machen scheint.

Das Überwiegen der reflexiven und gedanklichen Komponente in diesem Teil bedingt nicht, wie man erwarten könnte, ein Zurücktreten der dichterischen Aus-

[127] In ähnlicher Weise wird im dritten Band auch über Joachim v. Pasenow reflektiert.

drucksmittel, eine Verarmung der stilistischen und sprachlichen Möglichkeiten. Gerade das Gegenteil ist der Fall. Die Steigerung der stilistischen und architektonischen Vielfalt, die wir bereits für den zweiten Band gegenüber dem ersten feststellen konnten, erreicht im dritten Band gewissermaßen ihren Höhepunkt, indem der Roman hier zum Gefäß aller dichterischen Darstellungsformen wird. Neben die epische Form des Erzählens tritt das Gedicht und die Transformierung der Erzählhandlung in die dramatische Szene. Diese Verbindung epischer, lyrischer und dramatischer Bauformen gibt dem Roman scin auf Totalität der dichterischen und gedanklichen Aussage zielendes Gepräge, ein Bestreben dokumentierend, das bereits in der Romantheorie der deutschen Romantik seinen Ausdruck gefunden hat[128]. Broch hat sich auch in diesem Punkt, in der Frage der Einformung lyrischer und dramatischer Darstellungsmittel in das epische Werk, an seinem literarischen Vorbild, dem „Ulysses" von Joyce, orientiert[129]. Die Mannigfaltigkeit stilistischer Formen, die den „Ulysses" zu einem Arsenal fast aller nur möglichen dichterischen Ausdrucksmittel macht, bot Broch das Anschauungsmaterial für eine auf Universalität und Totalität der Welterfassung abzielende erzählerische Methode. Die Technik der beständigen Variation des sprachlichen und stilistischen Ausdrucks, die es unmöglich macht, von einem Joyce'schen Stil schlechthin zu sprechen, es sei denn, man bezeichnc damit gerade jenen Verzicht auf eine einheitliche Stilgebung, der jedes der 18 Kapitel zu einem in sich geschlossenen und scharf von den anderen abgegrenztes Formgebilde sui generis macht, diese Technik schließt sowohl den einfachen Bericht wie den hochspekulativen philosophischen Dialog, die erlebte Rede und den inneren Monolog, die Satire und die Parodie ein, sie bedient sich der dramatischen[130] wie auch der lyrischen Form. Die Frage, ob ein Werk, in dem alle gattungsmäßigen Begrenzungen in einer Weise gesprengt und aufgelöst sind wie im „Ulysses", noch als Roman bezeichnet werden kann, diese wichtige gattungspoetische Frage, die

[128] Vgl. Friedrich Schlegels „Brief über den Roman": „Sie behaupteten zwar, der Roman habe am meisten Verwandtschaft mit der erzählenden ja mit der epischen Gattung. Dagegen erinnre ich nun erstlich, dass ein Lied eben so gut romantisch seyn kann als eine Geschichte. Ja ich kann mir einen Roman kaum anders denken, als gemischt aus Erzählung, Gesang und andern Formen." (Friedrich Schlegel. 1794–1802. Seine prosaischen Jugendschriften. Hg. v. J. Minor. Zweite (Titel-)Auflage. Wien 1906. Zweiter Band. S. 373) Ähnlich bei Novalis: „Sollte nicht der Roman alle (Arten) Gattungen des Stils in einer durch den gemeinsamen Geist verschiedentlich gebundnen Folge (enthalten) begreifen?" (Novalis. Schriften. Im Verein mit Richard Samuel hg. von Paul Kluckhohn. Leipzig. o. J. (1929) Bd. 3. S. 88. = Meyers Klassiker.) Egon Vietta hat in einem 1934 geschriebenen Aufsatz über H. Broch auf die Verwandtschaft der Kompositionsform der „Schlafwandler" mit der Romantheorie der deutschen Romantik hingewiesen. (a. a. O. S. 577).

[129] In einem Brief an den Rhein-Verlag vom 5. 10. 1930 heißt es: „..., was das Wesentliche bei Joyce ist, was ich (im gebührenden Abstand) gleichfalls angestrebt und zum Teil immerhin verwirklicht habe, nämlich die architektonische Vielstimmigkeit." (Briefe. S. 33) In seinem Joyce-Aufsatz kommt Broch ausführlicher auf die für Joyces „Ulysses" kennzeichnende Verschmelzung der „althergebrachten Darstellungsformen" zurück. (Essays. Bd. 1. S. 190)

[130] Vgl. Kap. 15 des „Ulysses", das sog. Bella-Cohen-Kapitel.

für den modernen Roman überhaupt große Bedeutung gewonnen hat, ist, wie wir bereits gesehen haben[131], nicht ohne Berechtigung gestellt worden. E. R. Curtius, der diese Frage ebenfalls aufgeworfen hat, beantwortet sie in der Form einer Umschreibung, die bestimmt ist von einer Unsicherheit, der wir bei der Betrachtung des „Ulysses" wohl kaum entraten können:

> Welcher literarischen Gattung ist „Ulysses" zuzurechnen? Das Buch ist Chronik ... – Roman – Drama – Epos – Satire – Parodie – Summa. Es ist ein neues Inferno und eine neue Comédie Humaine[132].

Dieser kurze Blick auf den „Ulysses" war notwendig, stehen wir doch bei der Betrachtung des „Huguenau", der in bewußter Anlehnung an das Joyce'sche Werk komponiert worden ist, vor einem ähnlichen Problem, der Frage nämlich nach seinem gattungspoetischen Ort, eine Frage, die durch die Überfremdung des Romans durch die Elemente des Gedanklichen und Reflexiven noch verschärft wird. Wir stellen ihre Beantwortung vorerst zurück und beziehen das mit dieser Fragestellung aufgeworfene Problem in die nun folgende Einzelinterpretation ein.

Der komplizierte architektonische Aufbau des „Huguenau" macht eine fortlaufende Interpretation, wie wir sie für die beiden ersten Bände versucht haben, unmöglich. Der einzige Ausweg, der sich uns für die Darstellung der erzählerischen Struktur des Werkes bietet, die isolierte Betrachtung der einzelnen Erzählgruppen, birgt die Gefahr in sich, das Gefüge dieses Romans auflösen zu müssen und ihm damit gerade das zu nehmen, was seinen Wert als Kunstwerk ausmacht: ein bis in die Abfolge und die Anordnung der einzelnen Abschnitte hinein genau ausgewogenes und streng komponiertes Erzählganzes zu sein, das unter der Oberfläche scheinbarer Formlosigkeit und Zusammenhanglosigkeit ein tieferes Formgesetz sichtbar werden läßt. Indem wir diesen Weg einschlagen, teilen wir das Schicksal jener Analyse, Trennung des seinem Wesen nach Zusammengehörigen zu sein, und wollen, der Problematik dieses Weges eingedenk, zunächst den Weg der Huguenau-Handlung verfolgen, die in gewisser Weise an die Handlung der beiden ersten Bände anknüpft, sie weiterführt und in der Verbindung mit dem neu hinzutretenden Erzählgeschehen, das sich um die Gestalt Huguenaus herum aufbaut, zu einem symbolischen Ende bringt.

Hatten die beiden ersten Bände das Thema des Wert- und Wirklichkeitszerfalls an zwei entwicklungsgeschichtlich bedeutsamen Zeitabschnitten erzählerisch zu veranschaulichen gesucht, die vom äußeren Bild her gesehen noch den Eindruck eines relativ intakten und geschlossenen gesellschaftlichen Gefüges machen, so ist im dritten Band die unterschwellig gärende Revolution zur äußeren Realität geworden. 1918 –, das Jahr in dem die liberale und bürgerliche Gesellschafts- und Kulturepoche ihr Ende fand, ist das Stichjahr, in dem die Handlung des „Huguenau" spielt. Ihr Inhalt, so darf verallgemeinernd gesagt werden, ist der Krieg und die Wirkung, die er auf verschiedenen Lebensbereiche und die

[131] Vgl. S. 55 unserer Arbeit.

[132] Ernst Robert Curtius. Kritische Essays zur europäischen Literatur. Zweite, erweiterte Auflage. Bern 1954. S. 314.

Menschen, die ihnen angehören, ausübt. Handlungsträger ist der Kaufmann und Deserteur Wilhelm Huguenau, der Repräsentant einer neuen Wert- und Wirklichkeitsauffassung. Sein Zusammenstoß mit den Titelhelden der beiden ersten Romane, Pasenow und Esch, besiegelt symbolisch das Ende einer Epoche, deren schonungslose und unbarmherzige Krankheitsgeschichte zu geben das Ziel der „Schlafwandler" gewesen ist. Dem pessimistischen Ausgang der Trilogie auf der erzählerischen Ebene – die rücksichtslose Liquidation der Schlafwandler Esch und Pasenow durch Huguenau, den Vertreter der „Sachlichkeit" – steht eine versöhnliche und das Negative ins Positive wendende Schlußbetrachtung auf der gedanklichen Ebene des Werkes gegenüber.

Die in dem Handlungsträger Huguenau verkörperte „Sachlichkeit", jenes nur noch nach Zwecken ausgerichtete, ornament- und wertfreie (vgl. S. 444) Denken und Handeln, findet ihre atmosphärische Spiegelung in einer um den „Helden" der Handlung sich gruppierenden Erzählwelt, der sowohl die romantischen Hypostasen Pasenows als auch die ekstatischen Visionen Eschs fremd sind. Dem der gesamten Trilogie zugrundeliegenden Formprinzip, der nicht nur im Erzählinhalt, sondern auch in der Erzählform sich manifestierenden Abfolge dreier Epochen, die durch die Begriffe Romantik – Anarchie – Sachlichkeit näher umrissen sind, begegnen wir auch im „Huguenau" wieder. Die nüchterne, nur auf kommerzielle Ausbeutung und bürgerliches Wohlansehen gerichtete Weltanschauung Huguenaus findet in dem Stil, in dem seine Lebenswelt sich erzählerisch darstellt, ihren adäquaten Ausdruck. So beginnt etwa der fünfte Abschnitt folgendermaßen:

> Huguenau erwachte zeitig. Er ist ein fleißiger Mensch. Anständiges Zimmer; keine Knechtkammer wie bei dem Pfaffen; gutes Bett. Huguenau kratzte seine Schenkel. Dann versuchte er, sich zu orientieren.
> Gasthof, Marktplatz, drüben liegt das Rathaus. (S. 379).

Dieser reportagehafte, nüchterne und „sachliche" Stil, der auf jede Arabeske und jedes Ornament verzichtet, steht im äußersten Gegensatz zu dem stark mit stimmungshaften Bildern durchsetzten „romantischen" Stil des „Pasenow" und dem den Zerfall der Wirklichkeit widerspiegelnden „anarchischen" Stil des „Esch". Im Unterschied zu der Dynamisierung und Auflösung der Realität in den schlafwandlerischen Visionen Pasenows und Eschs, die der Leser infolge der perspektivischen Einverwandlung in die sich sukzessiv entfaltende Erzählung schwindelnd miterlebt hatte, ist die Welt Huguenaus wieder fest und sicher geworden. Es ist jedoch jene eisige Unbewegtheit eines luftleeren Raums, an dessen Rändern bereits die Risse sichtbar werden als Mahnzeichen kommender katastrophaler Entladungen. Wie bei einem bevorstehenden Gewitter die Natur für einen Augenblick in Unbewegtheit erstarrt zu sein scheint, so befindet sich auch die Welt, wie sie uns im „Huguenau" entgegentritt, in einem Zustand unheilschwangerer Erstarrung und scheinbarer Befriedigung. Die Verlagerung des Schauplatzes der Handlung von der Stadt (Berlin – Köln – Mannheim) in ein von Weinbergen umgebenes „Städtchen . . . in einem Nebental der Mosel" (S. 375) gewinnt unter diesen Voraussetzungen sinnbildliche Bedeutung. Die vom Krieg fast unberührt gebliebene kleinstädtische Behaglichkeit und Beschränktheit[133] ist nicht nur äußere Kulisse der Huguenau-Wandlung und der auf sie kontrapunktisch bezogenen Nebenhandlungen, sondern zugleich symbolischer Hintergrund für die erzählerische Vergegenwärtigung der wie in einem Starrkrampf liegenden Welt in der Zeit der letzten Kriegsmonate. Huguenau, der als ein Fremder in die Abgeschiedenheit dieses scheinbaren Idylls einbricht, wird zum Gegenspieler der wie in einer Narkose liegenden Bewohner des Städtchens, vor allem aber der beiden Schlafwandler Pasenow und Esch. Der äußere Handlungsablauf bewegt sich um die raffinierten und rücksichtslosen Manipulationen, mit Hilfe derer es der mittellose Deserteur Huguenau erreicht, sich in den Besitz des „Kurtrierschen Boten" zu bringen, als dessen Inhaber und Redakteur wir den ehemaligen Buchhalter August Esch wiederfinden. Die bis in alle kaufmännischen Details hinein dokumentarisch genaue Schilderung der geschäftlichen Kniffe, mit denen Huguenau Tag um Tag seinen Gegner überrumpelt, – hier konnte Broch sein ganzes Fachwissen als ehemaliger Industrieller einfließen lassen – ist jedoch nur Vordergrundsgeschehen, hinter dem sich ein tieferer symbolischer Zusammenhang auftut, nämlich die Auseinandersetzung einer neuen Zeit, als deren Vertreter Huguenau auftritt, mit dem in restaurativer Verhärtung sich noch behauptenden Geist der „Romantik" und der „Anarchie", der in Pasenow und Esch ein fragwürdiges Scheindasein weiterführt. Bevor wir uns den beiden Schlafwandlern Pasenow und Esch, die jetzt zum erstenmal zusammentreffen, zuwenden, müssen wir unseren Blick auf den „Helden" der Erzählung, auf Huguenau, lenken.

Die Gestalt Huguenaus ist in deutlicher Antithese zu dem Typ des Schlafwandlers, wie wir ihn in Pasenow und Esch verkörpert finden, komponiert. Er ist gefeit gegen die schlafwandlerische Erfahrung des Wirklichkeitszerfalls, die Pasenow und Esch beständig aus der Bahn ihres alltäglichen Lebens herausreißt und ihre Fähigkeit und Möglichkeit zu überlegtem und logisch geordnetem Handeln lähmt. Zwar senkt sich auch über seine Welt der Schatten des Unwirklichen und Ungereimten; auch Huguenau hat teil an jener entscheidenden Erfahrung, daß die Welt wie unter einem „Vakuumsrezipienten" liegt (S. 372), der Bertrand im Gespräch mit Esch in Badenweiler Ausdruck verleiht (S. 324), er entgiftet und neutralisiert sie jedoch, indem er sie ins vertraut harmlose Bild einer Käseglocke bannt:

> Aber die Welt lag wie unter einem Vakuumsrezipienten – Huguenau mußte an eine Käseglocke denken – die Welt lag grau, madig und vollkommen tot in unverbrüchlichem Schweigen. (S. 372).

Huguenau findet sich in dieser grauen, madigen und toten Welt sehr gut zurecht. Ausdrücklich heißt es von ihm: „er sah klar in die Welt". (S. 623) Darum auch „machte (er) sich keine Gedanken". (S. 374) Ihm fehlt nicht nur das visionär-ekstatische Moment, sondern auch das auf Erlösung zielende Verhältnis zur Frau, das im Mittelpunkt der beiden ersten Romane stand und seine Durchführung in dem eigenartigen Parallelismus ihres erzählerischen Aufbaus gefunden hatte. Huguenau hat keine „erotischen" Beziehungen, er geht bezeichnenderweise ins

[133] Vgl. die Schilderung von Huguenaus Einzug in die Stadt: S. 375.

Bordell. Ein weiterer Zug, der ihn zum Antityp des Schlafwandlers macht, ist seine Abneigung gegen das Bild des Kreuzes:

> Dann erinnerte er sich an Colmar und daß man seine Schulklasse einmal ins Museum geführt und mit Erklärungen gelangweilt hatte; aber vor dem Bild, das wie ein Altar in der Mitte stand, hatte er sich gefürchtet: eine Kreuzigung, und Kreuzigungen liebte er nicht. (S. 371).

Diese Stelle ist deutlich auf die Kreuzessymbolik bezogen, die für Eschs visionäres Denkschema entscheidende Bedeutung hat. Der wichtigste Hinweis jedoch auf die im Vergleich mit den Schlafwandlern grundsätzlich andere Weltauffassung und das andere Lebensgefühl Huguenaus findet sich in seinem Verhältnis zur Maschine:

> Die Druckmaschine liebte er noch immer. Denn ein Mann, der zeitlebens von Maschinen erzeugte Waren verkauft hat, dem aber die Fabriken und die Maschinenbesitzer etwas im Range Übergeordnetes und eigentlich Unerreichbares sind, ein solcher Mann wird es sicherlich als besonderes Erlebnis empfinden, wenn er selber plötzlich Maschinenbesitzer geworden ist, und es mag wohl sein, daß sich dann in ihm jenes liebevolle Verhältnis zur Maschine herausbildet, wie man es bei Knaben und jungen Völkern fast immer findet, ein Verhältnis, das die Maschine heroisiert und sie in die gehobene und freiere Ebene eigener Wünsche und mächtiger Heldentaten projiziert. Stundenlang kann der Knabe die Lokomotive am Bahnhof betrachten, tief erfreut, daß sie die Waggons von einem Gleis auf das andere überstellt, und stundenlang konnte Wilhelm Huguenau vor seiner Druckmaschine sitzen und mit ernsthaftem leeren Knabenblick hinter den Brillengläsern ihr liebevoll zusehen, restlos befriedigt, daß sie sich bewegte, Papier schluckte und wieder herausgab. Und das Übermaß seiner Liebe zu diesem lebendigen Wesen erfüllte ihn so sehr, daß kein Ehrgeiz in ihm aufkeimen oder gar der Versuch entstehen konnte, diese unverständliche und wunderbare Maschinenfunktion je zu begreifen; bewundernd und zärtlich und fast ängstlich nahm er sie hin, wie sie war. (S. 469/470).

Wir haben diese längere Stelle hier ohne Kürzungen zitiert, weil ihr im Zusammenhang mit der Gestalt Huguenaus größte Bedeutung zukommt, ist die Maschine doch der adäquate symbolische Ausdruck seiner auf Zweckmäßigkeit, Rationalität und Sachlichkeit ausgerichteten Existenzform. Das Motiv der Maschine gehört zu jenen Themen, die leitmotivisch und in jeweils anderer Beleuchtung und mit anderem Vorzeichen in allen drei Romanen wiederkehren. Im „Pasenow“ vertritt die Maschine unter dem Bilde von Borsigs Maschinenfabrik für Joachim die dunkle und anarchische Welt der Großstadt, in die er sich verstrickt weiß, und aus der er in die helle Welt ländlicher Geborgenheit auf Elisabeths Gut in Lestow flüchtet. Das Park-Motiv wird demzufolge in „Pasenow“ das eigentliche Gegenmotiv zum Motiv der Maschine. Dieses gipfelt in der Vorstellung eines Gottes, der in „absoluter Kälte“ thront und dessen Gebote „erbarmungslos“ sind und „ineinander (greifen) wie die Zahnräder an den Maschinen bei Borsig ...“ (S. 150) Während Pasenow beständig auf der Flucht sich befindet vor einer Welt, als deren bedrohliches Sinnbild ihm die Maschine vor Augen steht, weiß Bertrand im Gespräch mit Pasenow um die unabdingbare Realität der Maschine in einer Zeit fortschreitender Industrialisierung und setzt die mit ihr geschaffene Situation einer unzeitgemäßen Gefühlskonvention entgegen, die noch dem Duell Raum geben kann:

Das Merkwürdigste ist es doch, daß man in einer Welt von Maschinen und Eisenbahnen lebt, und daß zur nämlichen Zeit, in der die Eisenbahnen fahren und die Fabriken arbeiten, zwei Leute einander gegenüberstehen und schießen. (S. 53)[134].

Gegen die hier von Bertrand wie selbstverständlich postulierte „Welt von Maschinen und Eisenbahnen" erhebt der Schlafwandler Esch Protest. In dem Schlafwandlerabschnitt entzündet sich der Haß Eschs auf eine Ordnung, deren Gesetz die Maschine ist, an der Eisenbahn (!) als der Verkörperung einer technisierten Welt:

Unschlüssigkeit und Atemlosigkeit genügen sicherlich, einen Menschen von zorniger Gemütsart zum Fluchen zu bringen, noch dazu, wenn er, gehetzt vom Abfahrtssignal, in Windeseile die unbequemen Stufen des Wagens hinaufklimmen muß und sich das Schienbein an das Trittbrett anschlägt. Er flucht, flucht auf die Stufen und auf ihre dämliche Konstruktion, flucht auf das Schicksal. Indes hinter solcher Ungehobeltheit steckt eine richtigere, ja aufreizendere Erkenntnis, und wäre der Mensch helldenkend, er könnte es wohl aussprechen: bloßes Menschenwerk ist dies alles, ach, diese Stufen, angepaßt der Beugung und Streckung des menschlichen Knies, dieser unermeßlich lange Bahnsteig, diese Tafeln mit Worten darauf und die Pfiffe der Lokomotiven und die stählern glitzernden Gleise, Fülle von Menschenwerken, sie alle Kinder der Unfruchtbarkeit. (S. 315).

Wiederum ist es Bertrand, der im Gespräch mit Esch in Badenweiler die Unausweichlichkeit einer Ordnung, die von der Maschine bestimmt ist, vertritt. Auf die Feststellung Eschs: „... es muß Ordnung gemacht werden ...", erwidert er: „Mord und Gegenmord ist diese Ordnung, Esch, – die Ordnung der Maschine". (S. 324) Diese deutliche Verschärfung des Problems, die in der Antwort an Esch gegenüber der an Pasenow beschlossen liegt, weist bereits in den dritten Teil hinüber, in die Welt Huguenaus, in der die Maschine und der Mord eng benachbart sind. Die Abwehr, mit der die Schlafwandler Pasenow und Esch der Maschine entgegentreten, kennt Huguenau nicht. Sein Verhältnis zur Maschine ist ein sentimentales, es tritt an die Stelle der Bindung an das mitmenschliche Du. Die „Sachlichkeit" Huguenaus findet so ihr psychologisches Äquivalent in einer fast als „erotisch" zu bezeichnenden Gefühlsbeziehung zur Maschine. Der weite Problemhorizont, der von Broch hier anvisiert worden ist, indem er die sentimentale und erotische Haltung zur Maschine in Verbindung setzt mit dem Vertreter einer mit dem Jahr 1918 anbrechenden Epoche, bedarf keiner weiteren Erklärung in einer Zeit, die die Vergötzung der Maschine, gerade und besonders dann, wenn ihre Funktion der Begreifbarkeit entrückt ist wie im Falle Huguenaus, bis zu einem Extrem vorangetrieben hat wie die unsrige.

[134] Nur am Rande sei hier auf eine bemerkenswerte Parallelstelle aufmerksam gemacht, in der ebenfalls die Überlebtheit des Duells mit der fortschreitenden Technisierung in Zusammenhang gebracht wird. In Joseph Roths 1932 erschienenem Roman „Radetzkymarsch" sagt Knopfmacher zu Trotta: „Es ist etwas nicht mehr Zeitgemäßes, entschuldigen Sie schon, an diesem Ehrenkodex! Wir sind immerhin im zwanzigsten Jahrhundert, bedenken Sie! Wir haben das Grammophon, man telephoniert über hundert Meilen, und Blériot und andere fliegen sogar schon in der Luft!" (Joseph Roth. Werke in drei Bänden. Bd. 1. Köln-Berlin 1956. S. 113).

Die Schlafwandler Pasenow und Esch, die im Kampf mit dem maschinenseligen Vertreter der „Sachlichkeit“ die Unterlegenen bleiben, finden wir im dritten Band als die versteinerten Kopien ihrer einstigen Wünsche, Hoffnungen, Ängste, Meinungen und Träume wieder. Trotz aller menschlichen Teilnahme, die Broch in die Gestalten Pasenow und Esch, wie sie uns im „Huguenau“ wiederbegegnen, hat einfließen lassen, ist das Bild, das er hier von ihnen entworfen hat, ein zutiefst pessimistisches, ja, trostloses geworden. In einem gewissen Sinne wird man sie als tragische Figuren ansprechen dürfen, wennschon das Geschick, das erbarmunglos über sie hereinbricht, ihnen jegliche Möglichkeit tragischer Bewährung aus der Hand schlägt.

Der Anarchist, Rebell, Vertreter eines mystischen Irrationalismus und Träger einer religiösen Rolle Esch ist noch immer besessen von den Ideen und Vorstellungen, wie wir sie aus dem zweiten Band kennen. Er träumt weiterhin von einem Opfer, das gebracht werden muß, damit Ordnung in die Welt komme. Seine Reden sind durchsetzt mit Assoziationen, die auf seine schlafwandlerischen Visionen zurückweisen, etwa wenn er in der Unterhaltung mit Huguenau auf die Falschheit aller Namen (vgl. dazu: S. 316) zu sprechen kommt:

> Huguenau steuerte sein Schiff ins Oberwasser: „Schon wieder diese vagen Anwürfe, Herr Esch, wollen Sie sich wenigstens präziser ausdrücken, wenn Sie mir etwas vorzuwerfen haben.“
>
> Allein Herrn Eschs sprunghaftes und reizbares Denken war nicht so leicht zu bändigen: „Präzise Ausdrücke, präzise Ausdrücke, auch das wieder so ein Gerede, ... als ob man alles beim Namen nennen könnte ...“ er schrie Huguenau ins Gesicht, „junger Mann, ehe Sie nicht wissen, daß alle Namen falsch sind, wissen Sie gar nichts, ... nicht einmal die Kleider an Ihrem Leib sind richtig.“
>
> Huguenau war es unheimlich. Das begreife er nicht, sagte er. (S. 386).

Diese Stelle ist aufschlußreich, sie hilft uns die veränderte Funktion erkennen, in der Esch jetzt gegenüber dem zweiten Band auftritt. Was sich ihm dort in der Ursprünglichkeit und Unmittelbarkeit einer Vision offenbart hatte, die Urbildlichkeit des Irrationalen, das versucht er jetzt in der Form rationalen Wissens („... ehe Sie nicht wissen, daß alle Namen falsch sind, wissen Sie gar nichts, ..“) weiterzuvermitteln. Damit aber wird der ihm gewordene Auftrag, Träger einer urreligiösen Rolle zu sein, fragwürdig. Aus dem ekstatischen Visionär, der für sich und damit zugleich stellvertretend für seine Zeit den Durchbruch des Irrationalen erlebt, ist der unduldsame Prediger geworden. Folgerichtig nennt ihn daher Huguenau auch den „Pastor“ oder den „Lehrer“[135].

Auch der Major und Stadtkommandant, als der uns Joachim v. Pasenow im dritten Band wiederbegegnet, ist charakterisiert durch sein starres und krampfhaftes Festhalten an den einstigen Begriffen und Vorstellungen. Das uns aus dem ersten Band bekannte verschwommene und unklare Denkschema, mit Hilfe dessen er sich aus der Wirrnis einer ihn bedrohenden Welt zu retten versucht hatte, ist jetzt noch enger an Konventionalismen gebunden, noch stärker mit

[135] Während die Bezeichnung Pastor ständig wiederkehrt, findet sich die des Lehrers nur S. 472 (hier viermal) und S. 524.

restaurativen Elementen durchsetzt als vorher. Die romantische Erosreligion, in der Pasenows Heils- und Erlösungsverlangen seinen individuellen – wenngleich zeittypischen – Ausdruck gefunden hatte, ist im dritten Band einem abstrakten und formelhaften Protestantismus gewichen, für den der „kategorische Imperativ der Pflicht" (S. 617) identisch ist mit dem „strengen Pfad der evangelischen Pflicht" (S. 607) und in dem die Schriften Luthers neben denen des Generals von Clausewitz ihren Platz haben. Unter dieser konfessionellen Hülle jedoch finden wir die Poblematik, das Lebensgefühl und die Weltanschauung des jungen Pasenow wieder, und es stellt sich uns mit erschütternder Eindringlichkeit das Bild eines Menschen dar, der scheinbar entwicklungslos auf der Stufe seiner frühen Mannesjahre stehengeblieben ist. Wie dem jungen Leutnant, so teilt sich auch dem alten Major noch die Welt in Hell und Dunkel, in Uniformiert und Nichtuniformiert. Die alten Vorstellungen vom „Pfuhl" (S. 484; 508; 604; 616), in den die Welt zu versinken droht, vom „Verrat" und vom „Verräter", dem man machtlos ausgeliefert ist (S. 606; 615), von einer „unabwendbare(n) Prüfung" (S. 581), die einem geschickt wird, kehren wieder und lassen den Major noch immer als das verstörte und heimatlos gewordene Opfer des Wert- und Wirklichkeitszerfalls erscheinen, als dem wir ihm schon im ersten Roman begegnet waren. Das Marionettenhafte der Gestalt Joachims wird noch dadurch unterstrichen, daß er in zunehmendem Maße Züge seines Vaters annimmt[136]. Von dieser leitmotivisch durchgeführten Parallele zwischen Vater und Sohn her fällt Licht auf Joachims Emanzipationsbestrebungen, wie sie im ersten Band dargestellt sind. Sie entlarven sich nun als ohnmächtige und mißlungene Versuche, dem – um in der Terminologie der Exkurse zu sprechen – Partialwertsystem, dem er angehört und das sein Vater für ihn stellvertretend repräsentiert, zu entrinnen. Eine Art Summe der aus seinen Wahnbildern, aus Worten Luthers und Clausewitz', aus Bibelzitaten und Reminiszenzen an Aussprüche Bertrands sich zusammensetzenden Gedankenwelt Pasenows gibt der „Leitartikel des ‚Kurtrierschen Boten' vom 1. Juni 1918" (S. 446–449), in dem der Major zu dem Thema „Des Deutschen Volkes Schicksalswende" Stellung nimmt. Das Verworrene und Unzusammenhängende der in dem Artikel entwickelten Gedankenfolge, über das die sich anschließende versöhnliche Betrachtung des Erzählers kaum hinwegzutäuschen vermag, wird noch verstärkt durch die perspektivische Darbietungsform, die einen flüchtigen Leser imaginiert, der den Aufsatz unter Auslassung notwendiger Verbindungsglieder überfliegt, so daß – auch optisch – der Eindruck des Fragmentarischen und Zusammengewürfelten entsteht. Egon Vietta hat in einem 1934 erschienenen Aufsatz über Herman Broch, der vornehmlich auf die

[136] Vgl. das beiden gemeinsame „Na, ist ja egal" (S. 16 passim = 506 passim); ferner den Ausruf „Packt euch" (S. 109 = S. 566; 619); zu dem Ausspruch Joachims: „... man muß dem König geben, was des Königs ist ...", vgl. S. 464; die „Geradlinigkeit", von der in Bezug auf den Gang des alten Pasenow die Rede ist (S. 8), kehrt im dritten Band wieder (S. 582); mit der Wiederholung der Szene endlich, in der dem alten Pasenow die Feder zerbricht (S. 110 = 619/20), wird die Parallele zwischen Vater und Sohn ins Symbolische erhöht.

„Schlafwandler" Bezug nimmt, die charakterisierende Bedeutung dieses Leitartikels für seinen Autor umrissen. Er schreibt:

> Es spricht für die überaus substantielle Wertung des Dichters, daß in dem Niedergang, um dessen Deutung die ganze Trilogie ringt, der Offizier – im Krieg Major von Pasenow – die schwere Prüfung dank seinem geraden Charakter besteht. Die „Betrachtungen des Stadtkommandanten Majors von Pasenow", die als „Leitartikel" dem Werk eingefügt sind, sind zwar nicht geistreich oder bestechend. Aber gerade das ist ihre Stärke. Denn sie sind unbedingt – aufrichtig[137].

Wir wüßten aus der gesamten bisher vorliegenden und ernstzunehmenden Broch-Literatur kein Beispiel eines gröberen Mißverstehens der in den „Schlafwandlern" veranschaulichten Problematik anzugeben als diese Interpretation Viettas[138]. Es war gerade nicht die Absicht Brochs, in der Gestalt des alten Majors v. Pasenow einen „geraden Charakter" darzustellen, und die Bedeutung des Leitartikels liegt gerade nicht in dem psychologischen Aspekt beschlossen, die unbedingte Aufrichtigkeit des Offiziers zu zeigen. Der Major ist vielmehr ein „gebrochener Charakter" in des Wortes reinster Bedeutung, und es zeugt von der starken epischen Kraft und dem großen erzählerischen Vermögen des Dichters, daß er eine Gestalt, die auf der gedanklichen Ebene des Werkes eine durchaus negative Beurteilung erfährt, in einem Grade erzählerisch verlebendigen und plastisch verdichten konnte, daß wir ihr unsere echte Sympathie nicht versagen können. Mit ihr hat Broch den Typus des im Mahlstrom der Revolution steuerlos umhergeworfenen Offiziers, der den Übergang zu einer neuen Zeit nicht mehr begreift und sich ängstlich in den Trümmern einer zerschlagenen Wertordnung bergen will, in ein dichterisches Symbol von zeitüberdauernder Gültigkeit erhoben.

Die drei Akteure in dem zwischen ihnen sich abspielenden Drama, dessen übergreifendes Thema der Zusammenbruch der alten europäischen Wertordnung und die Heraufkunft eines neuen Geistes ist, treten zueinander in ein wechselseitiges Verhältnis, das auf seiten Pasenows und Eschs zu einem eigenartigen Rollentausch führt in der Weise, daß Huguenau für Pasenow und Pasenow für Esch in vielem die Funktion erhält, die in den ersten beiden Bänden Bertrand innegehabt hatte.

Es ist nicht ohne symbolische Bedeutung, daß Huguenau als Deserteur in den abgeschiedenen Kreis der Kleinstadtbewohner eintritt. Der Deser-

[137] Egon Vietta. Hermann Broch. a. a. O. S. 579.

[138] Dieses fehlende Verständnis ist umso erstaunlicher und bedauerlicher, als Vietta zu dem intimsten Bekanntenkreis Brochs gehört hat und mit dem Dichter seit 1933 im Briefwechsel stand, dem wir auf seiten Brochs wichtigste Zeugnisse über seine erzählerischen und gedanklichen Intentionen verdanken. Über den Aufsatz, dem das obige Zitat entnommen ist, schreibt Broch an Vietta: „Denn niemand vor und neben Ihnen – das ist wörtlich zu nehmen – hat mit solcher Schärfe, wie Sie es taten, das herausgehoben, um was es mir ging und geht." (Briefe. S. 93/94) Eine wahrhaft höfliche Verhüllung des Ungenügens, das Broch angesichts einer derartigen Verzerrung seiner Absichten hat empfinden müssen. Das Bewußtsein und die Tatsache des Nichtverstandenwerdens war eben die fast notwendige Begleiterscheinung seiner esoterischen Romankunst.

teur, der aus einem festen Ordnungsgefüge ausgebrochen und dem übergreifenden Wertverband gegenüber eidbrüchig geworden ist, darf als die vielleicht treffendste Verkörperung einer wertfreien, bindungslosen und in einem höheren Sinne verantwortungslosen Lebensform angesehen werden. Daß Broch den Vertreter der „Sachlichkeit" zum Deserteur macht und ihn als Fahnenflüchtigen und Eidbrüchigen in die Handlung einführt, ist nur die äußere Spiegelung seiner ohne Bindung an Tradition, Konvention, überhaupt irgendwelche verbindlichen Werte gleichsam im luftleeren Raum schwebenden Existenz, die sich daher auch ohne jede hemmende Rücksichtnahme skrupellos gegenüber den mit Skrupeln behafteten Trägern einer absterbenden Wertordnung durchsetzen kann. In gewissem Sinne rückt Huguenau dabei mit Bertrand auf eine gleiche Ebene. Denn auch Bertrand ist ein Deserteur, der, wie uns im ersten Band berichtet wird, die ihm vorgezeichnete militärische Laufbahn plötzlich verlassen und sich dem freien und bindungslosen Leben eines abenteuerlich umherschweifenden Kaufmannes zugewandt hatte. Jedenfalls empfindet Pasenow sein Ausscheiden aus dem Dienst als Eidbruch gegenüber einer verpflichtenden Lebensnorm[139] und er hat das Gefühl, „einem Verräter gegenüberzustehen ..." (S. 21) Genau diese Situation aber wiederholt sich für Pasenow im dritten Band im Zusammentreffen mit dem Deserteur Huguenau:

> – oh, die Dunkelheit stieg, es stieg das Chaos, aber aus dem Chaos im Pfuhle giftiger Gase grinste die Fratze Huguenaus, die Fratze des Verräters, Werkzeug der göttlichen Strafe, Urheber des wachsenden Unglücks. (S. 616).

Huguenau übernimmt im Bewußtsein Pasenows gleichsam den negativen Teil der Rolle, die Bertrand bisher für ihn spielte. Die Kennzeichnungen, die Pasenow Huguenau gibt, stimmen in auffälliger Weise mit denen überein, die er im ersten Band Bertrand gegeben hatte. Neben die des „Verräters" tritt die des „agent provocateur" (S. 485; vgl. 156) und des „Abenteurers" (S. 607; vgl. S. 27); Huguenau erscheint ihm als der „Leibhaftige" (S. 566; vgl. S. 168) und er macht ihn – wie vorher Bertrand für den Einbruch des Ungeordneten, Zivilistischen und Anarchischen in die Welt – „für das Unglück des Vaterlands verantwortlich". (S. 607).

Während die Rolle, die Bertrand bisher für Pasenow spielte, zu einem Teil auf Huguenau übergeht, vertritt ihn jetzt Pasenow im Bewußtsein Eschs. Esch, dessen Gralssuche im zweiten Band im Gespräch mit Bertrand in Badenweiler gewissermaßen zu einem negativen oder zumindest enttäuschenden Resultat geführt hatte, befindet sich auch im dritten Band noch immer auf der Suche nach einem Führer, der seinen dumpfen, irrationalen Träumen, Visionen, seiner unklaren Sehnsucht nach Heil und Erlösung zur Klarheit rationalen Wissens verhelfen könnte. Der schlafwandlerische Instinkt jedoch, der ihn im zweiten Band die Spur Bertrands verfolgen und diesen auf seinem Schloß aufsuchen ließ, ist jetzt einer hilflosen Täuschung gewichen, die auf Pasenow die Züge und den

[139] Vgl. das Zitat auf S. 77 unserer Arbeit. Das Motiv des Deserteurs im Zusammenhang mit Bertrand kehrt im zweiten Band wieder. Balthasar Korn nennt Bertrand einen „weggelaufene(n) Offizier" (S. 200), und Esch fragt wenig später Geyring: „... ist es wahr, daß er ein entlaufener Offizier ist? ..." (S. 214).

Auftrag Bertrands überträgt. Es geschieht dies nicht ohne eine – ironisch zu verstehende – Berechtigung, denn Pasenow wie auch Esch selbst zehren in ihren Gedanken, Vorstellungen und Meinungen von dem Fond, den ihnen Bertrand überlassen hat, so daß Pasenow wiederum jene Beruhigung und jenes Gefühl der Geborgenheit, d. h. die positive Funktion Bertrands auf Esch übertragen kann. Der Rollentausch, durch den Pasenow und Esch die Stelle und die Funktion zu besetzen und zu übernehmen trachten, die Bertrand in den beiden ersten Bänden für sie innehatte, erstreckt sich bis in die Imitation äußerer Gebärden. So übernimmt Esch im dritten Band die für Bertrand typische abweisende und hoffnungslose Handbewegung (vgl. S. 325):

> Esch schüttelte den Kopf, machte eine wegwerfende und ein wenig hoffnungslose Handbewegung: ... (S. 456).

Die Gedanken, die sich Esch über den Major v. Pasenow macht, gleichen bis in die Formulierung hinein denjenigen, die er im zweiten Band über Bertrand angestellt hatte:

> Aber seine Impetuosität schob ihm oftmals die Person vor die Sache, und er war schon nahe daran, nicht den kalten grausamen Militarismus, sondern den Major für die Unmenschlichkeit, die an dem armen Deserteur verübt werden würde, verantwortlich zu machen, und schon wollte er zu Huguenau sagen, daß der Major ein Schwein sei, – als es plötzlich nicht stimmte: plötzlich kannte man sich nicht aus, denn plötzlich war es unfaßbar, daß der Major und der Verfasser jenes Artikels identisch sein sollten.
>
> Der Major war kein Schwein, der Major war etwas Besseres, ... (S. 456). (vgl. S. 287; vgl. auch: S. 200; 211; 247; 255).

Die ersehnte Führung, die Esch bei Bertrand gesucht hatte und die dieser ihm versagen mußte, glaubt er jetzt bei Pasenow zu finden:

> Und er verlangte nicht mehr und nicht weniger, als daß der Major ihm und seinen Freunden – oder wie er sich in seiner Erregung ausdrückte, den Brüdern – den Weg zum Glauben weisen möge. (S. 506).

In Erinnerung an den Ausgang seines Besuchs in Badenweiler („... doch er verstößt mich." S. 325) fügt Esch seiner Bitte die mahnende Beschwörung hinzu:

> „... Herr Major, es war Ihnen doch ernst ums Herz, als Sie Ihren Artikel schrieben, da dürfen Sie uns jetzt nicht verstoßen." (S. 507).

Der Besuch des Majors bei der Bibelstunde, die der inzwischen zum protestantischen Glauben übergetretene Esch in einem sektenähnlichen Kreis Gleichgesinnter abhält, ist eine deutliche Parallele zum Besuch Eschs bei Bertrand. (S. 559/568) Durch zahlreiche Motivverkettungen miteinander verbunden, sind diese beiden Abschnitte sowohl inhaltlich als auch kompositorisch aufeinander bezogen. Während Pasenow am Beginn dieser Szene die Rolle Eschs beim Eintritt in den Park in Badenweiler innehat[140], übernimmt er im weiteren Verlauf für Esch die Rolle Bertrands:

[140] „... es war wie ein beglückendes und beruhigendes, dennoch beunruhigendes Heimfinden ..." (S. 560) vgl.: „... denn in ihm war die Sicherheit und die Gelöstheit des Reiters, der sein Ziel erreicht hat ..." (S. 320); „... und der Major, den Hof betretend, wußte sogleich, wohin sich wenden." (S. 560) vgl.: „... ohne Aufenthalt und ohne zu fragen, wußte er, wohin er sich zu wenden hatte." (S. 320)

> Nun aber erfolgte durchaus nichts, denn Esch sah auf den weißen Scheitel des Majors, er hörte des Majors leise Stimme, und es war, als wüßte der Major alles von ihm, als wüßte er alles von dem Major[141], zwei Freunde, die viel voneinander wissen[142]. ... Den Finger zwischen die Seiten des zugeklappten Buches gelegt und vorsichtig sich räuspernd, wartete Esch. Er wartete, daß die Grundfesten des Gebäudes erzittern sollten, er wartete, daß eine große Erkenntnis sich jetzt auftun werde, er wartete, daß jener den Befehl erteilen werde, die schwarze Fahne zu hissen, und er dachte: ich muß Platz machen für den, nach dem die Zeit gezählt werden wird[143]. (S. 561).

Die Technik der Wiederholung, sei es in der Form der Wiederaufnahme von Handlungskonstellationen oder Erzählsituationen, wie wir sie bereits für den strukturellen Parallelismus der beiden ersten Bände nachzuweisen versucht haben, sei es in der Form des Leitmotivs, wie sie von uns am Beispiel des Park-Schloß-Motivs dargestellt wurde, diese Technik finden wir auch im dritten Band wieder, wo sie in einem Grade, der beständig die Grenzen des Artistischen und Manierierten streift, die erzählerische Struktur des Werkes bestimmt. Zahllos sind die motivischen Anspielungen und die fast wörtlichen Wiederholungen und Zitate, mit denen der dritte Band auf die beiden ersten Bände bezogen und mit ihnen verklammert ist. Pasenow und Esch sind hier vollends zu Rollenträgern geworden, die ihre eigene oder die Rolle eines anderen noch einmal durchspielen. Die erzählerische Darbietung des Handlungsablaufs erhält damit etwas Starres und Schematisches, das auf die Unbeweglichkeit und Starrheit der zu Marionetten ihrer selbst gewordenen Schlafwandlergestalten zurückweist. Die Tendenz zum Abstrakten in der Personengestaltung findet so ihr Korrelat in einem Handlungsaufbau, der sich aus abstrakten, typischen und damit wiederholbaren Situationen und Konstellationen zusammensetzt, hinter deren Anordnung und Abfolge ein gedankliches Schema kaum verhüllt sichtbar wird.

Der Mensch als Träger einer Rolle, die Welt als Theater, auf dem die handelnden Personen zu ohnmächtigen Marionetten werden oder als Schauspieler auftreten, die einen ihnen unverständlich bleibenden Text zu sprechen haben: dieser Grundgedanke, der der Konzeption der ganzen Schlafwandlertrilogie zugrundeliegt und der im dritten Band in aller Deutlichkeit zum Durchbruch kommt, findet in dem dramatischen Zwischenspiel „Das Symposion oder Gespräch über die Erlösung“ seine adäquate Formgestalt. Die Personenen des Romans werden hier zu Theaterfiguren, indem sie auf erhöhter Bühne das ihnen vom Zeitschicksal zugeschriebene Stück spielen: die hilflose, heimatlose, der Einsamkeit ausgesetzte und der Hilfe und der Erlösung bedürftige Stellung des Menschen in der Stunde einer Weltenwende. Auch diese Szene wird in den Rahmen gedanklicher Erwägungen eingespannt. In der Einleitung, die der Autor dem „Symposion“ voranstellt, bekommt der Leser gleichsam die theoretische Anweisung darüber, wie die nun folgende Theaterszene zu verstehen ist

[141] Vgl. „Bertrand aber, der Erkennende und Erkannte, ...“ (S. 323)

[142] Vgl. „... und sie waren wie zwei Freunde, die alles voneinander wissen.“ (S. 325)

[143] Vgl. „Er wartete, daß jener den Befehl erteilen werde, die schwarze Fahne auf der Zinne zu hissen, und er dachte: er muß Platz machen für den, nach dem die Zeit gezählt werden wird.“ (S. 324)

und wie sie in das Ganze der erzählerischen und gedanklichen Intentionen des Romans sich einfügt:

> Unfähig, sich selber mitzuteilen, unfähig, seine Einsamkeit zu sprengen, verdammt, Schauspieler seiner selbst, Stellvertreter des eigenen Wesens zu bleiben, – was immer der Mensch vom Menschen erfahren kann, bleibt bloßes Symbol, Symbol eines unfaßbaren Ichs, reicht über den Wert eines Symbols nicht hinaus: und alles, was auszusagen ist, es wird zum Symbol des Symbols, wird zum Symbol zweiter, dritter, n-ter Ableitung und verlangt im wahren Doppelsinn des Wortes nach der Vorstellung. Es wird daher niemandem Schwierigkeiten bereiten und wird höchstens der Kürze der Erzählung dienen, wenn man sich vorstellen wollte, wie das Ehepaar Esch zusammen mit dem Major und Herrn Huguenau sich auf einer Theaterszene befindet, in eine Darbietung verstrickt, der kein Mensch entgeht: als Schauspieler zu agieren. (S. 527/528).

Der Transponierung der Erzählhandlung in eine dramatische Szene wird hier die Absicht unterlegt, eine Experimentalsituation herbeizuführen in der Weise, wie auch der Naturwissenschaftler die Elemente für ein wissenschaftliches Experiment bereitstellt. So wird auch bewußt der bloß fiktive Charakter dieses szenischen Einschubs unterstrichen („... wenn man sich vorstellen wollte, wie das Ehepaar Esch zusammen mit dem Major und Herrn Huguenau sich auf einer Theaterszene befindet ..."). Die Szene selbst ist ein Sammelbecken aller Vorstellungen, Motive und Symbole, wie wir sie aus den ersten beiden Bänden bereits kennen. Die Reden der einzelnen Personen wirken wie Spruchbänder, deren Texte zumeist Zitate aus früheren Zusammenhängen sind. Dabei folgen Rede und Antwort ohne eigentlichen Bezug aufeinander; jeder spricht aus der Isoliertheit seines Traums und seines Erinnerns heraus, und erst am Ende finden sich die Gesprächspartner in dem trügerischen unisono des Liedes „Herr Gott, Zebaoth, Rette meine Seelen, ...", das eine Gemeinsamkeit und eine Gemeinschaft vortäuscht, die es nicht mehr gibt.

In dem Bibelstundenabschnitt wird das Thema des „Symposions", die Verlorenheit des Menschen und seine Sehnsucht nach Erlösung, wiederaufgenommen. Seine kompositorische Entsprechung zur Badenweilerszene im zweiten Band haben wir schon erwähnt. Kreuz-, Erlöser- und Opfersymbolik sind die verbindenden inhaltlichen Zwischenglieder. Das von Bertrand im Gespräch mit Esch in Badenweiler prophetisch vorausgesagte Auftreten des „Antichristen", bevor die Welt zum „Stand der neuen Unschuld" erlöst werde, – „Vorher aber muß der Antichrist kommen, – der Wahnsinnige, der Traumlose. Erst muß die Welt luftleer werden, ausgeleert wie unter einem Vakuumrezipienten, ... das Nichts." (S. 324) – findet mit dem plötzlichen Eintritt Huguenaus in die Bibelgemeinschaft (S. 566) gewissermaßen den symbolischen Rahmen seiner Erfüllung. Huguenau, der „Wahnsinnige" und „Traumlose", als der er von Bertrand vorausdeutend charakterisiert worden war, bricht in die hilflose und im Wort der Bibel Hilfe suchende Versammlung ein und findet für sie nur Worte des Spottes und der Verachtung. Schroff trennen sich hier die Wege der Schlafwandler Pasenow und Esch und des auf seine Weise schlafwandlerisch handelnden Huguenau, die Trennung und das Auseinandertreten zweier Zeitepochen markierend. Während Huguenau unbeirrt und siegessicher auf sein Ziel zuschreitet, bleiben Pasenow und Esch in hilfloser und hoffnungsloser Einsamkeit zurück, unfähig, einander zu helfen und einander Trost zu spenden. Resignation und Ratlosigkeit auf seiten der Vertreter einer dem Untergang geweihten Zeit sind – wie im Gespräch Eschs mit Bertrand – der Inhalt auch dieses Abschnittes:

> Es ist wie eine Galgenfrist, dachte Esch. Und so gingen sie schweigend. (S. 568).

Die makabre und düstere Stimmung, die eschatologische Gespanntheit, die den Abschnitt, der den Besuch des Majors v. Pasenow bei der Bibelgemeinschaft zum Inhalt hat, kennzeichnen, steht im äußersten Gegensatz zu der nüchternen, eisigen und klaren Atmosphäre, die Huguenau umgibt. Das führt uns auf ein spezielles Formproblem des dritten Bandes. Der Zusammenstoß der beiden Welten des Irrationalen, Religiösen und Visionär-Traumhaften und des Nüchternen, Sachlichen und Rationalen findet sein formales Äquivalent in dem Nebeneinander und Gegeneinander zweier Stilebenen. Während die Welt, wie sie aus der Perspektive Huguenaus sich darstellt, in einer naturalistischen, fast reportagemäßigen Erzähltechnik ihren adäquaten Ausdruck findet, bietet sich uns die Welt Pasenows und Eschs in jener oben näher umschriebenen Technik leitmotivischer Wiederholungen dar, die in ihrer Rückbezogenheit auf frühere Ereignisse, Motive und Symbole den Eindruck des Formelhaften und Archaischen hervorruft. Die Irrealisierung der natürlichen Welt dagegen, wie sie für die Weltauffassung Pasenows und Eschs als die Erfahrungsträger des Wirklichkeitszerfalls kennzeichnend ist, spielt im dritten Band, auf der Folie der „natürlichen" Sachlichkeit Huguenaus, der das Element des Traums und der Vision fremd ist, vollends ins Groteske hinüber.

Die Romanhandlung des dritten Bandes endet mit dem Ausbruch der Revolution im November 1918. In diesem Ereignis laufen die getrennten Erzählstränge zusammen als in den geheimen Mittelpunkt, auf den hin die ganze schichtenreiche Erzählwelt der Schlafwandlertrilogie kontrapunktisch angelegt ist. Während Huguenau als der scheinbare Sieger aus der Katastrophe hervorgeht, werden Pasenow und Esch die schuldlos-schuldigen Opfer eines mit unerbittlicher Konsequenz über sie hereinbrechenden schicksalhaften Prozesses. Ihr Ende folgt einem vorgegebenen „Muster", es entspricht der „Rolle", die ihnen auferlegt worden ist und die nun gleichsam ihre symbolische Erfüllung findet. Wir haben diesen Sachverhalt für Joachim v. Pasenow bereits in unserer Interpretation des ersten Bandes erörtert[144]. Der Bergung Pasenows durch Esch (S. 648), die auf die Gruftsymbolik des ersten Bandes bezogen ist[145], steht die Ermordung Eschs durch Huguenau gegenüber, die auf die Opfer- und Kreuzigungssymbolik der Varieté-Ilona-Szene zurückweist. Die Art seiner Ermordung entspricht der Vorstellung des aufgespießten Käfers, die Esch in der Varietészene mit der Vision der „gekreuzigten" Ilona verbunden hatte:

> Ja, es war ihm fast ein wollüstiger Gedanke, daß er allein und verlassen dort stünde, und daß die langen Messer ihn an das Brett anheften könnten wie einen Käfer, doch müßte er dann, korrigierte er, mit dem Gesicht gegen das

[144] Vgl. S. 86f. unserer Arbeit.
[145] Vgl. dazu auch die Symbolik des gestürzten Pferdes: S. 647: S. 12 und S. 99.

> Brett gewendet sein, da kein Käfer vom Bauche her aufgespießt wird: ... (S. 193).
> Und da übermächtigt es ihn wie eine Erleuchtung, – er senkt das Gewehr, ist mit ein paar tangoartigen katzigen Sprüngen bei Esch und rennt ihm das Bajonett in den knochigen Rücken. Esch geht, zu des Mörders großer Verwunderung, noch ein paar Schritte ruhig weiter, dann stürzt er lautlos vornüber aufs Gesicht. (S. 650).

Der beherrschende Platz, den die Gestalt Bertrands in den beiden ersten Bänden als der Fluchtpunkt aller divergierenden Perspektiven innegehabt hatte, bleibt im dritten Band scheinbar leer. Durch Rollentausch, Imitation und Identifikation versuchen die Schlafwandlergestalten Pasenow und Esch diesen Platz auszufüllen, einer unbewußten Sehnsucht folgend, über die der Major während des von den Ärzten des Lazaretts veranstalteten Musikabends sich Klarheit zu verschaffen sucht:

> In seiner Jugend hatte er einen Freund gehabt, war es ein Freund gewesen? der hatte Geige gespielt, aber es war kein Arzt, obwohl er ... mag sein daß er Arzt gewesen war oder hatte werden wollen. (S. 606).

Exkurs:

Die „Geschichte des Heilsarmeemädchens in Berlin“

Die sechzehn Abschnitte, die von der „Geschichte des Heilsarmeemädchens in Berlin“ berichten, nehmen innerhalb des Erzählganzen des dritten Bandes der Schlafwandlertrilogie eine eigenartige Sonderstellung ein. Während die anderen episodischen Romanteile mit dem Komplex der Huguenau-Handlung – und sei es auch nur in sehr lockerer Form – verbunden sind, erscheint die etwas abwegige und sonderbare Erzählung von der Heilsarmeemarie wie ein Fremdkörper im Gesamtaufbau der „Schlafwandler“ und stellt die Deutung vor ein schwieriges Problem. Schon die Darbietungsform rückt die „Geschichte des Heilsarmeemädchens“ in ein besonderes Licht und grenzt sie deutlich von dem übrigen Werk ab. Ohne vermittelnden oder erklärenden Übergang beginnt der erste Abschnitt in der Wir-Form mit philosophischen Reflexionen, die eine Art Einleitung zu dem Thema der nun folgenden Erzählreihe, die sich kontrapunktisch und den Gang der Haupthandlung beständig unterbrechend in das Erzählgefüge des dritten Bandes eingliedert, bilden, um wenig später in die Ich-Form des persönlichen Berichts und des persönlichen Bekenntnisses überzugehen:

> Heute geselle ich mich zu jeder Heilsarmeeversammlung, die ich auf der Straße antreffe, ich lege gerne etwas auf den Sammelteller und oft lasse ich mich in Gespräche mit den Heilssoldaten ein. Nicht, als ob ich von den etwas primitiven Heilslehren bekehrt worden wäre, doch ich meine, daß wir, die wir einst in Vorurteilen befangen waren, die ethische Pflicht haben, unsere Verfehlungen, wo immer es angeht, wieder gut zu machen, auch wenn diese Verfehlungen bloß den Anschein ästhetischer Verworfenheit hätten und wir überdies die Entschuldigung unserer damaligen großen Jugend ins Treffen führen können. (S. 399)

Wer steht hinter dem Ich, das sich in diesem Text bekenntnishaft ausspricht, und der „Geschichte des Heilsarmeemädchens“, die von diesem Ich erzählt wird, einen persönlichen, tagebuchartig intimen Ton verleiht, der um so stärker mit den anderen Erzählteilen kontrastiert, als ihnen gerade jedes persönliche Element, wie es mit der Einführung eines Erzählers gegeben ist, fehlt? Diese, wie sich zeigen wird, für die Gesamtbeurteilung der „Schlafwandler" schlechthin zentrale Frage ist in der Broch-Literatur bisher noch nicht gestellt worden. Ihre Beantwortung wird uns zugleich die Funktion aufschließen helfen, die der Heilsarmeemädchen-Episode innerhalb der erzählerischen Struktur des dritten Bandes zukommt.

In unserem Text spricht der Erzähler – im Wechsel von Ich- und Wir-Form auf die Gemeinsamkeit einer Gruppe oder einer Generation anspielend – von „Vorurteilen", in denen er „einst" befangen war, von „Verfehlungen", deren, „auch wenn diese ... bloß den Anschein ästhetischer Verworfenheit hätten", er sich schuldig fühlt, und er begründet seinen beabsichtigten Besuch bei einer Heilsarmeeversammlung mit der „ethische(n) Pflicht", diese Verfehlungen „wieder gut zu machen". Das Heilsarmeethema, das mit den tagebuchartigen Aufzeichnungen über die Heilsarmeemarie so unvermittelt in den dritten Band eingeführt wird und in kontrapunktische Spannung zur „sachlichen" Welt Huguenaus einerseits und in kontrapunktische Ergänzung zur „religiösen" Welt der um Esch und seinen Bibelkreis Versammelten anderseits tritt, begegnet uns bereits im zweiten Band, wo Esch mit seinem „Freund" Korn den Zigarrenhändler Lohberg zu einer jener öffentlichen Heilsarmeekundgebungen am Rande der Stadt begleitet. Beim Spiel der Trommeln, Becken und Tamburins der Heilsarmeesoldaten und -mädchen und den Worten des Leutnants: „Kommet zu uns, lasset euch retten, der Erlöser ist nahe, rette die gefangene Seele" (S. 205), widerfährt dem Buchhalter Esch eine ähnliche Überhöhung seines Selbst wie kurz zuvor in dem Varietétheater beim Anblick der „gekreuzigten" Ilona, und

> es hätte nicht viel gefehlt und auch Esch hätte seine Stimme erhoben zum Preise des Herrn und der erlösenden Liebe, ... (S. 206)

Doch auch dieses Ereignis bleibt dem bewußten Zugriff Eschs ebenso „unverständlich" (S. 206) wie die visionär erfahrene Ilona-Symbolik in der Varietészene. Zurück bleibt das „Gefühl verwaister Einsamkeit" (S. 206), das auch durch die Identifizierung Ilonas mit einem der Heilsarmeemädchen nicht betäubt und aufgehoben werden kann, und der Buchhalter Esch, für den „wieder eine Brücke zum Nebenmenschen abgebrochen worden" ist (S. 207), begibt sich erneut auf die Suche nach der „Erlösung", ein Weg, der ihn mit schlafwandlerischem Instinkt zum Schlosse Bertrands führt.

Der Schreiber der „Geschichte des Heilsarmeemädchens" steht dem Phänomen der Heilsarmee in einer völlig anderen Haltung gegenüber als Esch im zweiten Band. Er begegnet ihm mit nüchterner Skepsis („... den etwas primitiven Heilslehren ...") und will dennoch einstige Verfehlungen durch seine Anteilnahme an dem Sein und Tun dieser Leute „wieder gut machen". Er begegnet dem Heilsarmeemädchen Marie, deren „Geschichte" er in den folgenden Abschnitten berichtet. Schauplatz des Geschehens ist bezeichnenderweise – wie im ersten Band – Berlin, vor allem jene Vorstadtgegend, die für Joachim v. Pasenow der Inbegriff und das Sinnbild des Verworren-Anarchischen, des Zerfließenden und Zivilistischen gewesen war:

> Der welke Frühling steinerner Gesetze,
> Der welke Frühling einer Judenbraut,
> Der welke Lärm der Stadt, der gleichsam ohne Laut
> Gefangen liegt im unsichtbaren Netze,
> Ein Sommertag aus Stein, dem keine Milde taut,
> Ein welker Himmel blickt auf Asphaltplätze,
> In Straßenschluchten, und wie eine Krätze
> Breitet sich Stein auf grauer Erdenhaut.
> Oh, Stadt voll falschem Licht, oh, Stadt voll falschem Gröhlen, ...
> . . .
> Oh, graue Stadt, Station blasser Nomaden
> Am Zionswege, der zu Gott hinführt,
> Gottlose Stadt, ins leere Netz geschnürt,
> Der leere Steinraum, fluch- und schmerzbeladen,
> In dem die Heilsarmee die dünne Trommel rührt, ... (S. 460)

Schon bei der Interpretation des „Pasenow" haben wir auf die symbolische Bedeutung hingewiesen, die der Stadt in den „Schlafwandlern" und über sie hinaus im gesamten Werk Brochs zukommt. Die Stadt ist für Broch der Ort, an dem sich vornehmlich jener Einbruch der chaotischen, jede feste Ordnung auflösenden Mächte des Irrationalen ereignet, der den heimatlos gewordenen modernen Menschen überfällt und zur schlafwandlerischen Marionette eines ihm unbegreiflichen Schicksals macht. So ist der Erzähler des „Versuchers" aus der „lärmenden Stummheit"[1] der Stadt als Landarzt in die Abgeschiedenheit eines einsamen Alpendorfs geflohen, „um das Gestaltlose wieder zur Geltung zu bringen"[2], während der sterbende Vergil, „ein Landmann ... von Geburt, einer, der den Frieden des irdischen Seins liebt, einer, dem ein schlichtes und gefestigtes Leben in der ländlichen Gemeinschaft getaugt hätte"[3], im brodelnden Massengeschehen der sich ihm im Fiebertraum als vieltausendköpfiges Ungeheuer enthüllenden Hafenstadt Brundisium die „Unstimmigkeit"[4] der Welt und ihre Auflösung ins Ungestaltbar-Unwirkliche erfährt. Mit dieser Überhöhung der Stadt ins symbolisch Bedeutungsvolle fügt sich das Werk Brochs in eine literarische Überlieferungskette ein, die von der Entdeckung der Großstadt im Naturalismus über ihre apokalyptische Vision im Expressionismus in die Dichtung der zwanziger Jahre führt und im Bereich des Romans in A. Döblins „Berlin Alexanderplatz" (1929) gewissermaßen ihren Höhepunkt erreicht.

Die eigentliche „Geschichte des Heilsarmeemädchens" ist in Versen geschrieben, deren bewußt stilisierte, künstlich anmutende Monotonie dem Ton und dem Charakter von Heilsarmeegesängen entsprechen soll[5]. Ihr Inhalt ist die Liebe

[1] Versucher. S. 6.

[2] Versucher. S. 8. Das „Vorwort des Erzählers" (S. 5–8) ist ganz auf den Gegensatz von Stadt und Land abgestimmt.

[3] Tod des Vergil. S. 11.

[4] Ebd. S. 29.

[5] Dem Reimschema nach handelt es sich durchweg um Sonette. Dabei tritt die eintönige Sprachmelodie, die im zweiten, fünften und fünfzehnten Abschnitt (S. 411f., 460f., 630f.) noch durch die Gleichheit des Reims in den Schlußcouplets verstärkt wird, sowie

Maries zu dem Juden Nuchem Sussin. Bevor wir uns dieser Versgeschichte zuwenden, müssen wir die Gestalt ihres Chronisten näher ins Auge fassen. Er berichtet von seinem zurückgezogenen Leben im Berlin der Kriegszeit, von seiner Wohnung, die er mit „jüdischen Flüchtlingen aus der Lodzer Gegend" teilt (S. 415); wir erfahren von seiner Bekanntschaft mit dem Hausgenossen Dr. Litwak, einem jüdischen Arzt, und haben teil an den Gesprächen, die beide miteinander führen. Stil und Inhalt seiner tagebuchartigen Aufzeichnungen verraten den Erzähler der „Geschichte des Heilsarmeemädchens" als einen philosophisch geschulten und interessierten Mann, und der erst im sechsten Abschnitt von ihm mitgeteilte Plan, sich wieder mit „geschichtsphilosophischen Arbeiten über den Wertzerfall zu beschäftigen" (S. 467), fügt sich ohne Widerspruch in das Bild ein, das wir von ihm im Vorangegangenen schon gewonnen haben. Außer seinem Namen, Dr. phil. Bertrand Müller (S. 431), erfahren wir sonst über die Herkunft, die Geschichte und den Beruf des eigentümlichen Erzählers, der sich so unvermittelt in den Gang der Romanhandlung einschaltet, fast nichts. Auch er hat, wie die anderen Gestalten des Romans, teil an der Erfahrung des Wirklichkeitszerfalls, nur vermag er sie im Unterschied zu den Schlafwandlern Pasenow, Esch und Huguenau ins deutend begreifende Wort zu zwingen und sich damit von ihr zu distanzieren. In der biographischen Einleitung haben wir bereits den entscheidenden Passus angeführt[6], der die Situation und die Problematik des philosophierenden Menschen angesichts des Zerfalls der Wirklichkeit – und damit des Objekts allen Philosophierens – zum Gegenstand hat. Er steht am Beginn des dreizehnten Abschnitts der „Geschichte des Heilsarmeemädchens" und findet dort wenig später eine ins Biographische des Erzählens weisende Ergänzung:

> ... war ich ein Baumwollpflücker in den Plantagen Amerikas, war ich der weiße Jäger in indischen Elefantendschungeln? alles ist möglich, nichts ist unwahrscheinlich, nicht einmal ein Schloß im Park wäre unwahrscheinlich, Höhe und Tiefe, alles ist möglich, denn nichts ist geblieben in dieser Dynamik, die um ihrer selbst willen da ist, scheinbar in Arbeit, scheinbar in Ruhe und Klarheit: nichts ist geblieben, – hinausgeschleudert mein Ich, hinausgeschleudert ins Nichts, unerfüllbar die Sehnsucht, unerreichbar das gelobte Land, unsichtbar die immer größere, niemals erreichbare Helligkeit, und die Gemeinschaft, welche wir suchen, ist eine Gemeinschaft ohne Kraft, doch voll des bösen Willens. Vergebliches Hoffen, oftmals grundloser Hochmut, – es blieb die Welt ein fremder Feind, weniger noch als ein Feind, ein Fremdes, dessen Oberfläche ich wohl abtasten konnte, in das einzudringen mir doch niemals gelang, ein Fremdes, in das ich niemals eindringen werde, fremd in stets zunehmender Fremdheit, blind in stets zunehmender Blindheit, vergehend und zerfallend

die oft bänkelsängerische Sprechweise („Die Uniform des Heils saß schlecht, der Strohhut tat nicht passen, / Sie war ein Mädchen und sie tat verblühn, ..." usw.) in einen eigentümlichen Kontrast zur strengen Sonettform. Auf eine genauere Formanalyse muß hier verzichtet werden. Sie wird Teil einer noch ausstehenden Untersuchung von Brochs Gedichten sein müssen. Ansätze dazu, wenn auch vornehmlich gehaltlicher Art, finden sich in der Einleitung zu Brochs „Gedichten" von E. Kahler. (a. a. O. S. 46—59). Vgl. Brochs Briefe an Willa Muir vom 1. 2. und 10. 2. 1932. In: Die unbekannte Größe. S. 332 u. 334 und die Anmerkungen des Herausgebers.

[6] Vgl. S. 18f. unserer Arbeit.

> im Erinnern an die Nacht der Heimat, und schließlich nur mehr ein zerfallender Hauch des Einstigen. Ich bin viele Wege gegangen, um den Einen zu finden, in dem alle anderen münden, indes sie führten immer weiter auseinander, und selbst Gott war nicht von mir bestimmt, sondern von den Vätern. (S. 591/592)

Dies ist die Schlüsselstelle, mit deren Hilfe wir das Geheimnis der Gestalt des Erzählers im „Heilsarmeemädchen", in der wir nach Ausweis des sechsten Abschnitts (siehe oben) zugleich den Schreiber der über den dritten Band der Trilogie verteilten philosophischen Exkurse sehen müssen, aufdecken können. In der verhüllenden Art dieser Aufzeichnungen wird hier auf Situationen und Bilder angespielt, die in den beiden ersten Bänden in einem teils offenen, teils versteckten und verschlüsselten Bezug zu Bertrand stehen[7].

Die auf Grund einer genauen Textanalyse aufweisbare Identität des Erzählers der „Geschichte des Heilsarmeemädchens" mit Bertrand, die zugleich dessen

[7] Von den drei am Beginn des Zitats erwähnten Vorstellungen (Baumwollpflücker, weißer Jäger, Schloß im Park) scheint auf den ersten Blick hin nur das „Schloß im Park", das unmittelbar die Assoziation mit dem Schloß in Badenweiler wachruft, auf Bertrand Bezug zu haben, doch sind auch die beiden anderen unzweideutige Hinweise auf ihn als dem Ich, das hinter den bekenntnishaften Aufzeichnungen über das „Heilsarmeemädchen" steht. So zögert Joachim v. Pasenow bei jenem Abendessen zu dritt im ersten Band, das Bertrand, Ruzena und Joachim in der Wohnung des letzteren einnehmen, Ruzena die für sie gekauften „Spitzentüchlein" zu geben, da sie den Berichten Bertrands über seine „Reisen" lauscht: „Nun lagen sie noch immer im Schranke und gerne würde er sie Ruzena geben, wenn Bertrand nicht hier wäre und wenn sie nicht so gespannt auf diese Erzählung horchen würde, von den Baumwollplantagen und den armen Negern, deren Väter noch Sklaven waren, freilich, richtige Sklaven, die man verkaufen konnte." (S. 57). Die Vorstellung eines „weiße(n) Jäger(s) in indischen Elefantendschungeln" stammt aus dem „Kaiserpanorama" am Ende des ersten Bandes, in dessen vorüberziehenden Bildern Joachim und Elisabeth auf geheimnisvolle Weise die Stationen von Bertrands „Reisen" ins Sinnbildliche erhöht zu erblicken glauben. Zu dem Bild „Aufbruch zur Elefantenjagd" gibt der anonyme „Besucher" (S. 157), aus dessen Perspektive die Kaiserpanoramaszene erzählt wird, folgenden Kommentar: „... und wenn dein Auge nicht trügt, ist es doch Bertrand, der hinter dem dunklen Elefantenlenker in dem Korbe sitzt, das Gewehr schußfertig in der Rechten und den Tod verheißend." (S. 160). Die folgenden Bilder und Vorstellungen und Motive (Sehnsucht nach dem gelobten Land, die Fremdheit der Welt usw.) entstammen fast sämtlich dem „Kolonistenabschnitt", den wir als eine „symbolische Paraphrase der Existenzform" Bertrands näher bezeichnet hatten. (Vgl. S. 110 unserer Arbeit). Die Übereinstimmung läßt sich bis in die Identität ganzer Satzgruppen hinein verfolgen und liefert ein weiteres Beispiel für die Technik der leitmotivischen Wiederholung und Zitierung, die wir bereits mehrfach als ein für die Erzähltechnik der „Schlafwandler" konstitutives Strukturelement herausgestellt haben: z. B.: „... unerfüllbar die Sehnsucht, unerreichbar das gelobte Land, unsichtbar die immer größere, niemals erreichbare Helligkeit, ..." vgl.: „... und ihre einzige Führerin ist ihre unerfüllbare Sehnsucht ... ihre Sehnsucht ist Fernweh, gilt einer Ferne von immer größerer, niemals erreichbarer Helligkeit." (S. 327) oder: „Vergebliches Hoffen, oftmals grundloser Hochmut" vgl.: „Vergebliches Hoffen, oftmals grundloser Hochmut." (S. 328) oder: „es blieb die Welt ein fremder Feind, ... fremd in stets zunehmender Fremdheit, blind in stets zunehmender Blindheit, vergehend und zerfallend im Erinnern an die Nacht der Heimat, und schließlich nur mehr ein zerfallender Hauch des Einstigen." vgl.: „... in dessen Schlafwandeln die Welt vergeht, zerfallend in dem Erinnern an die Nacht seines Weibes, sehnsüchtig und mütterlich, und schließlich nur mehr ein schmerzlicher Hauch des Einstigen." (S. 328) u. a.

Identität mit dem Schreiber der Exkurse einschließt[8], ist von größter Wichtigkeit für die Beurteilung der Schlafwandlertrilogie und ihrer Stellung innerhalb der Entwicklungsgeschichte ihres Autors und seines gesamten Werkes. Daß Broch selbst diese Identität verschlüsselt hat, so daß sie einem flüchtigen Leser verborgen bleiben muß, hat, wie wir glauben, seinen besonderen Grund. Schon im zweiten Band waren die „Wesenszüge" Bertrands, wie es in einem von uns schon zitierten Brief heißt, „in ein wenig schiefer und verzerrter Projektion, also mit dem notwendigen traumhaften Bruch"[9] erschienen; im dritten Band endlich tritt er uns unter der Maske eines anderen Namens, bewußt mystifiziert und ins fast Anonyme stilisiert, entgegen[10]. Wir gehen wohl nicht fehl, wenn wir aus dem bisher gewonnenen Bild von Bertrand und der Tatsache, daß er als der Philosoph des Wertzerfalls im Roman auftritt, die Vermutung ableiten, Broch habe mit dieser Gestalt ein verkapptes Selbstporträt[11] geben wollen, wobei der Umstand, daß es sich um ein verkapptes, verstecktes und der Aufschlüsselung bedürftiges Porträt handelt, auf die in der Einleitung von uns erwähnte Ich-Verschwiegenheit und Ich-Verleugnung des Dichters zurückweist[12].

Bertrand, der uns im ersten Band als der verantwortungslose „Reisende" und „Abenteurer" entgegengetreten war, den zugleich kraft seiner geistigen Überlegenheit und kritischen Distanzhaltung seiner Zeit gegenüber das Vermögen und der Auftrag, „Arzt" zu sein, auszeichnete, und den wir im zweiten Band in der symbolischen Entrückung auf sein „Schloß" als einen auf die Isolierung und Selbstbewahrung seiner ästhetischen Existenz Bedachten wiederfinden, stellt sich uns nun im dritten Band als der Sühnende und Büßende dar, der sich in die Abgeschiedenheit einer jüdischen Wohnung zurückgezogen hat, um als Philosoph seiner Zeit der wahren, ihm auferlegten Bestimmung Folge zu leisten und dem unerbittlich ihn bedrängenden Zeitschicksal das stellvertretende Opfer des Gedankens entgegenzusetzen. Dabei ist die stolze und überlegene Sicherheit, die den Bertrand der ersten beiden Bände ausgezeichnet hatte, einer Unsicherheit gewichen, die den einstigen „Arzt" jetzt selber als der ärztlichen Hilfe bedürftig erscheinen läßt:

> War ich früher zu Hause geblieben, um meinen Gedanken nachzuhängen, philosophische Monologe zu halten und sie von Zeit zu Zeit in skizzenhafter Form

[8] In den Exkursen selbst wird an einer Stelle darauf angespielt: „Man kann sich dieser brutalen und agressiven Logik, die aus allen Werten und Unwerten dieser Zeit hervorbricht, nicht entziehen, auch wenn man sich in die Einsamkeit eines Schlosses oder einer jüdischen Wohnung verkrochen hat;" (S. 475).

[9] Briefe. S. 21.

[10] Felix Stössinger hat als bisher einziger auf die mögliche Identität des Schreibers der Exkurse, Bertrand Müller, mit der Gestalt Bertrands hingewiesen, ohne jedoch irgendwelche interpretatorischen Schlüsse aus dieser Feststellung zu ziehen. (Felix Stössinger. Hermann Broch. In: Deutsche Literatur im zwanzigsten Jahrhundert. a. a. O. Bd. 2. S. 217).

[11] Dabei darf der Begriff Selbstporträt nicht im Sinne eines naturalistischen und auf die Herausarbeitung individueller Züge bedachten Abbildes mißverstanden werden. Auch hier – wie im ganzen Roman – ging es Broch um die Darstellung typischer Wesenszüge und Verhaltensweisen.

[12] Vgl. S. 15 unserer Arbeit.

> zu notieren, so bleibe ich jetzt in meiner Stube wie ein Kranker, der seinem Arzt und seiner Krankheit gehorsam ist. Alles traf zu, wie Dr. Litwak es wollte. Er besucht mich jetzt ständig, und zuweilen rufe ich ihn sogar selber zu mir herein; und wenn er in plötzlicher Änderung seiner Sinnesart mir nun weismachen will, daß ich nicht krank sei, „A bißl anämisch sind Sie und sonst sind Sie meschugge“, so trifft auch dies zu, denn ich fühle mich wie ausgeblutet. (S. 609)

Der Aufweis des autobiographischen Elements, das die Gestalt Bertrands auszeichnet und zur eigentlichen – wenn auch verkappten – Hauptfigur der Schlafwandlertrilogie macht, bezieht sich jedoch nicht nur auf äußere Analogien (der Kaufmann – der Industrielle – der Philosoph des Wertzerfalls), sondern findet seine entscheidende Stütze allererst in dem Bezug auf die tiefere Existenzproblematik des Menschen und Dichters Hermann Broch, die wir an der Gestalt Bertrands ablesen können. Das wird vollends deutlich, wenn wir uns nun dem eigentlichen erzählerischen Inhalt der „Geschichte des Heilsarmeemädchens“, der Liebe zwischen Marie und Nuchem Sussin und der Beziehung Bertrands zu den beiden Liebenden, zuwenden. Als erstes fällt uns dabei sofort die Parallele zu der Konstellation Pasenow-Ruzena-Bertrand aus dem ersten Band auf. Der entscheidende Unterschied zwischen den beiden Liebesepisoden und dem Verhalten Bertrands zu ihnen vermag uns den Schlüssel zur Deutung der „Geschichte des Heilsarmeemädchens“ in die Hand zu geben. Dabei steht für uns die Frage nach dem Verhältnis Bertrands zu den beiden Liebespaaren im Mittelpunkt des Interesses.

Im ersten Band begleitet Bertrand die „romantische“ Liebesgeschichte zwischen Joachim v. Pasenow und Ruzena in der etwas ironischen Haltung eines freundschaftlichen Vertrauten. Seine „ärztliche“ Funktion dem hilflos und ohne Einsicht in das unerbittliche Gesetz der Zeit ihren romantischen Illusionen hingegebenen Liebespaar gegenüber erstreckt sich im wesentlichen auf die diagnostische Teilnahme am Schicksal Joachims und Ruzenas:

> Joachim und Ruzena schienen ihm Wesen, die nur mit einem kleinen Stück ihres Seins in die Zeit, die sie lebten, in das Alter, das sie besaßen, hineinreichten und das größere Stück war irgendwo anders, vielleicht auf einem andern Stern oder in einer andern Zeit oder auch nur bloß in der Kindheit. Bertrand fiel es auf, daß überhaupt so viele Menschen verschiedener Zeitalter zugleich miteinander lebten, und sogar gleichaltrig waren: deshalb wohl ihrer aller Haltlosigkeit und die Schwierigkeit, sich miteinander rational zu verständigen; ... (S. 83)

Bertrand, der Erkennende, begnügt sich damit, das ihm persönlich begegnende und an sein Arztsein appellierende Einzelschicksal in sein Wissen um ein überindividuelles Epochenschicksal („... daß überhaupt so viele Menschen ...“) aufzunehmen, um es dadurch für sich zu neutralisieren. Er scheut die unmittelbare und den Einsatz seiner Person fordernde Hilfeleistung[13], obschon die „Sorge“ um die von ihm in ihrer Hilflosigkeit erkannten Liebenden (vgl. S. 81) ihn immer wieder beschwichtigend und ratgebend in ihr Verhältnis eingreifen läßt. (vgl.

[13] Vgl. sein Verhalten Elisabeth und dem alten Herrn v. Pasenow gegenüber: S. 125 unserer Arbeit.

S. 127–136). Die in einem tieferen Sinne verantwortungslose, dem fordernden Anspruch des mitmenschlichen Gegenüber ausweichende und sich in ironischer Distanz bergende Haltung Bertrands findet ihren Ausdruck in der Rede, die er bei jenem Abendessen zu dritt in der Wohnung Joachims zu Ehren Ruzenas hält:

> Dann aber klopfte Bertrand ans Glas und hielt einen kleinen Toast, und man wußte wieder nicht, ob er es ernst meinte oder ob er spaßte oder ob die wenigen Glas Sekt für ihn schon zu viel gewesen waren, so außerordentlich schwer verständlich war seine Rede, da er von der deutschen Hausfrau sprach, die am reizendsten als Imitation sei, weil ja das Spiel doch die einzige Realität dieses Lebens bleibe, weshalb auch die Kunst stets schöner sei als die Landschaft, ein Kostümfest netter als echte Trachten und das Heim eines deutschen Kriegers erst dann vollkommen werde, wenn es, gewöhnlicher Eindeutigkeit entrückt, durch einen traditionslosen Kaufmann zwar entweiht, durch das lieblichste Böhmermädchen hingegen geweiht worden ist, und darum bitte er die Anwesenden, mit ihm auf das Wohl der schönsten Hausfrau anzustoßen. (S. 58/59).

Unter der Maske eines spaßhaft und ironisch gemeinten Toastes gibt der „verschlossene" Bertrand hier für einen Augenblick sein Existenzgeheimnis preis. Indem er die Imitation und das Spiel als die „einzige Realität dieses Lebens" bezeichnet, entlarvt er sich als Vertreter einer ästhetischen Lebensform, der folgerichtig auch der Kunst einen höheren Platz einräumt als der Wirklichkeit. Es bedarf kaum des erläuternden Hinweises, daß wir hier bereits auf das Kern- und Urthema von Brochs gesamtem Schaffen stoßen, auf das Thema, das erst vierzehn Jahre später, im „Tod des Vergil", zur vollen Entfaltung kommen soll: das Thema der Kunst und des Künstlers. Die Begriffe „Schönheit" („... weshalb auch die Kunst stets schöner sei als die Landschaft ...") und „Spiel", die Bertrand in seinem Toast der Wirklichkeit entgegensetzt, gerade sie werden im „Tod des Vergil" zu Leitbegriffen der Polemik gegen eine die „Wirklichkeit" verfehlende, nur auf ästhetische Selbstvollendung bedachte und gerichtete Kunst[14].

Während Joachim v. Pasenow mit der verhüllten Selbstoffenbarung Bertrands nicht viel anfangen kann:

> Ja, das war alles etwas dunkel und hinterhältig ... aber da Bertrand trotz eines gewissen ironischen Zuges um den Mund nicht aufgehört hatte, Ruzena sehr freundlich anzuschauen, wußte man auch, daß es eine Huldigung für sie gewesen war und daß man sich über all die dunklen Unverständlichkeiten hinwegsetzen durfte, ... (S. 59)

und weiterhin in seiner ambivalenten Haltung dem „Mephisto" gegenüber beharrt, wird Ruzena in ihrer kindlich-triebhaften Unschuld zum Gegenspieler des „schlechten Freundes", wie sie ihn wiederholt nennt. (S. 82; 127; 137). Die Szene, in der sie ihn mit den Worten „Ihnen soll man umbringen" (S. 128) herausfordert und den überraschten und amüsierten Bertrand mit Joachims Revolver bedroht und – wenn auch versehentlich – tatsächlich auf ihn schießt, darf als eine symbolische Entsprechung zu dem Protest des Schlafwandlers Esch gegen die isolierte Schloßexistenz Bertrands angesehen werden.

Im dritten Band sehen wir den zum Büßer gewordenen Bertrand wiederum

[14] Tod des Vergil. S. 156ff.

als Freund und Vertrauten in ein Liebesverhältnis hineingezogen. Im Unterschied zu der Haltung der ironischen Distanz, mit der er im ersten Band Joachim und Ruzena gegenübertritt, begegnet er dem Heilsarmeemädchen Marie und dem Juden Nuchem Sussin als Werbender und Liebender, der hofft, auf das Schicksal beider gestaltend und formend einwirken zu können. Der sühnebereite Ästhet und Rationalist hat den Weg zum Du gefunden, den er bisher bewußt und nur auf die ästhetische Autonomie seines Selbst bedacht gemieden hatte. Aus dem passiven Beobachter seiner Zeit ist der an seiner Zeit Leidende, aus dem „Arzt" der „Kranke" geworden, der die Genesung von seinem tätigen Eingreifen in sie und in das Leben der ihm vom Schicksal anvertrauten Menschen sich erhofft. Dieser Weg aber, – und hier rühren wir zugleich an die tiefste Wurzel der Existenzproblematik des Menschen und des Dichters Hermann Broch – dieser Weg der Katharsis durch die helfende Tat bleibt dem bußbereiten Bertrand verwehrt. Die Welt und die Menschen weisen ihn ab, sie weisen ihn zurück in die Einsamkeit seines Elfenbeinturmes, zurück auf sein „Schloß", in die Isolation des nur durch das Wort und den Gedanken mit der Wirklichkeit in Berührung stehenden philosophischen und künstlerisch-schöpferischen Menschen:

> Oft scheint es[15] mir, als wäre der Zustand, der mich beherrscht und der mich in dieser Judenwohnung festhält, nicht mehr Resignation zu nennen, als sei er vielmehr eine Weisheit, die sich mit der allumschließenden Fremdheit abzufinden gelernt hat. Denn selbst Nuchem und Marie sind mir fremd, sie, denen meine letzte Hoffung gegolten hat, die Hoffnung, daß sie meine Geschöpfe seien, die unerfüllbare süße Hoffnung, daß ich ihr Schicksal in die Hand genommen hätte, es zu bestimmen. Nuchem und Marie, sie sind nicht meine Geschöpfe und waren es niemals. Trügerische Hoffnung, die Welt formen zu dürfen! (S. 590/591)

„Trügerische Hoffnung, die Welt formen zu dürfen!" Dieser Satz ist gleichsam das negative Motto, das über dem gesamten Werk Brochs steht, des „Dichter(s) wider Willen", wie ihn Hannah Arendt genannt hat[16]. Wie seine Gestalt Bertrand, so hat auch ihr Dichter der Einsicht in die Ungestaltbarkeit der Welt durch die helfende Tat das stellvertretende Opfer des Wortes und des Gedankens entgegengesetzt, ein Weg, der von Anbeginn an mit dem Makel der Skepsis behaftet und von dem verzweifelten Wissen um die Vergeblichkeit auch dieser Möglichkeit der Selbstvollendung begleitet gewesen ist. Unverhüllt wird dies am Ende des dreizehnten Abschnitts der „Geschichte des Heilsarmeemädchens" ausgesprochen, in der intimsten und erschütterndsten Selbstaussage des Dichters und Denkers Hermann Broch, die wir in seinem Werk und in seinen Briefen finden:

> Ich sagte zu mir: „Du bist ein Trottel, du bist ein Platoniker, du glaubst, die Welt erfassend, sie dir gestalten zu können und dich selbst zu Gott zu erlösen. Merkst du nicht, daß du daran verblutest?"
> Ich antwortete mir: „Ja, ich verblute." (S. 592)

[15] Im Text „er"; offenbar Druckfehler in der Ausgabe; eigene Verbesserung in „es".
[16] Essays. Bd. 1. S. 5.

D. Die gedankliche Struktur des Werkes

> Die Zeit des polyhistorischen Romans ist angebrochen. Es geht aber nicht an, daß man diesen Polyhistorismus in Gestalt „gebildeter" Reden im Buche unterbringt oder zu dieser Unterbringung Wissenschaftler als Romanhelden präferiert. Der Roman ist Dichtung, hat also mit den Ur-Moventien der Seele zu tun, und eine „gebildete" Gesellschaftsschicht zum Romanträger zu erheben, ist eine absolute Verkitschung. So sehr Gide, Musil, der Zauberberg, in letzter Derivation Huxley als Symptome des kommenden polyhistorischen Romans auch zu werten sind, so sehr finden Sie bei allen diesen die fürchterliche Einrichtung der „gebildeten" Rede, um den Polyhistorismus unterbringen zu können. Bei den meisten dieser Autoren steht die Wissenschaft, steht die Bildung wie ein kristallener Block neben ihrem eigentlichen Geschäft, und sie brechen einmal dieses Stückchen, ein andermal jenes Stückchen davon ab, um ihre Erzählung damit aufzuputzen[1].

In dieser brieflichen Äußerung aus dem Jahre 1931 hat Broch mit dem geschärften Blick des um seine historische Situation und Bedingtheit als Dichter und Romancier Wissenden die Problematik und das Dilemma des modernen Romans treffend umrissen. Die Gefahr des „polyhistorischen Romans", d. h. in der Terminologie Brochs, desjenigen Romans, der mit dem Ziel der „Erkenntnis" Wissenschaft und Dichtung, Reflexion und Gestaltung im Kunstwerk zu vereinen strebt, wird vom Dichter klar erkannt und ausgesprochen. Broch polemisiert hier gegen das für die moderne Epik charakteristische Phänomen der „Überfremdung des Romans durch Reflexion", wie wir es in unserer einleitenden Untersuchung genannt haben und für das wir als Beispiel eben die Werke jener Autoren anführten, die auch Broch in seinem Brief nennt[2]. Seine Kritik richtet sich jedoch nur gegen die Form, in der Reflexion im modernen Roman „untergebracht" wird; sie richtet sich gegen den Essayismus der „gebildeten Rede", der die Einführung der „gebildeten" Romanperson zur Voraussetzung hat. Als Bundesgenossen seiner Kritik hätte Broch Aldous Huxley, der von ihm gleichfalls als Vertreter eines falsch verstandenen „Polyhistorismus" namhaft gemacht wird, anführen können. Dieser läßt in seinem Roman „Point Counter Point" den Romanschriftsteller Philipp Quarles in sein „Notebook" schreiben:

> The great defect of the novel of ideas is that it's a made-up affair. Necessarily; for people who can reel off neatly formulated notions aren't quite real; they're slightly monstrous. Living with monsters becomes rather tiresome in the long run[3].

[1] Briefe. S. 60. Vgl. Essays. Bd. 1. S. 195/196.

[2] Der entsprechende Abschnitt unserer Arbeit lag bereits abgeschlossen vor, als die Briefe Brochs erschienen.

[3] Aldous Huxley. Point Counter Point. a. a. O. S. 410.

Die sowohl von Broch als auch von Huxley vorgebrachte Kritik am modernen Roman enthüllt schlagartig dessen tiefstes Dilemma: auf Abstraktion und gedanklich-philosophische Reflexion gerichtete Welt„erkenntnis“ und auf Konkretion und dichterische Gestaltung zielende Welt„darstellung“ zugleich sein zu wollen. Der Versuch einer Synthesis dieser beiden Intentionen – seit Goethe das Ziel des dichterischen Romans – ist im 20. Jahrhundert infolge der Prävalenz der Erkenntnisintention vor der Gestaltungsintention in zunehmendem Maße zu einer „made-up affair“, wie Huxley sich ausdrückt, geworden.

Broch hat das von ihm selbst aufgewiesene Dilemma des „polyhistorischen Romans“ zu umgehen gesucht, indem er weitgehend auf den „gebildeten“ Dialog verzichtete und statt dessen die Reflexion in der Form von „Exkursen“ in den Roman einbaute. Doch auch er konnte der „gebildeten“ Romanperson nicht entraten. Mit der Gestalt Bertrands hat er die überlegene Gegenfigur zu den die eigentliche Handlung tragenden Schlafwandlergestalten geschaffen. In sie hat der Dichter seine eigene Existenzproblematik nicht nur, sondern auch seine gedanklichen Intentionen, die er mit den „Schlafwandlern“ verfolgte, hineingelegt. Der besondere technisch-erzählerische Kunstgriff nun, der es Broch möglich machte, breite philosophische Erörterungen in seinen Roman aufzunehmen, ohne zu dem Mittel des gedanklich-philosophischen Dialogs zu greifen und ohne gleichzeitig die organische Verbindung der Reflexion mit den romanhaft-erzählerischen Teilen aufzuheben, liegt darin begründet, daß er Bertrand sowohl als Objekt wie auch als Subjekt der Romanhandlung einführt. Während Bertrand in den ersten beiden Bänden mithandelndes Objekt der Erzählung selbst ist, begegnet er uns im dritten Band als Subjekt der diese Erzählung kommentierenden und interpretierenden Exkurse. Der perspektivische Fluchtpunkt der Exkurse wiederum liegt in dem Ich, das hinter der „Geschichte des Heilsarmeemädchens“ steht, die damit zur entscheidenden kompositorischen Angel zwischen der Romanerzählung und den reflektierenden Partien der „Schlafwandler“ wird. Die Exkurse stehen also nicht – wie es auf den ersten Blick scheint und wie es in der gesamten Broch-Literatur bisher angenommen worden ist – isoliert und isolierbar[4] n e b e n der Romanhandlung, ohne perspektivische oder kompositionelle Verknüpfung oder Verzahnung mit ihr. Wennschon ihr Inhalt weitgehend mit Brochs eigenen Anschauungen identisch ist, darf ihr über das bloß Inhaltliche hinausgehender funktionaler Charakter als Aussage der Hauptpersonen des Romans, Bertrands, nicht übersehen werden. Erst die Deutung der Exkurse als gedanklicher und existentieller Frucht der Entwicklungsgeschichte Bertrands verleiht den sich um das Verhältnis Bertrands zu Pasenow und zu Esch gruppierenden Handlungsteilen ihren tieferen Sinngehalt.

Ein weiteres Argument gegen die isolierte Betrachtung und Bewertung der Exkurse liegt in dem Hinweis auf ihre kontrapunktische Eingliederung in das Erzählgefüge des dritten Bandes beschlossen. Die Exkurse sind nicht einfach wahllos und formlos über den dritten Band verstreut, ihre Anordnung, ihre thematische Abfolge und ihre Verklammerung mit dem Romangeschehen unter-

[4] Vgl. S. 64 unserer Arbeit.

liegen vielmehr einem strengen kompositorischen Gesetz, das jedem der zehn philosophischen Abschnitte seinen genauen Platz anweist. Der fortschreitende Gang der philosophischen Untersuchung und die progressive Entfaltung der Erzählhandlung stehen in einem simultanen Entsprechungsverhältnis, wobei beide Werkschichten auf ein gemeinsames Ziel zustreben, um im letzten Abschnitt des Bandes ineinander überzugehen. Wir sehen uns hier einem ähnlichen Montageverfahren gegenüber, wie es Thomas Mann im „Doktor Faustus" durchgeführt hat. In beiden Fällen sind es zwei voneinander perspektivisch getrennte Werkschichten, die, sich gegenseitig bespiegelnd und in bestimmten Intervallen in der Tonführung sich abwechselnd, um ein gemeinsames Aussagezentrum kreisen, das in der Mitte zwischen der gedanklichen Reflexion und der erzählerischen Vergegenwärtigung liegt. Die Exkurse des dritten Bandes der Schlafwandlertrilogie bilden gleichsam den gedanklichen cantus firmus zu den sich kontrapunktisch um sie gruppierenden Erzählteilen und Handlungsfragmenten.

Wir werden uns bei der nun folgenden Erörterung der Exkurse auf eine vereinfachende Herausarbeitung ihrer Hauptgedankenlinien beschränken, zumal sie im wesentlichen für sich selber sprechen. Wir entsagen damit bewußt dem Reiz und der Versuchung einer kritischen Auseinandersetzung mit ihren philosophischen Thesen sowie einer philosophiegeschichtlichen Würdigung der Grundlagen dieser „völlig neuen Erkenntnistheorie der Geschichtsphilosophie"[5], als die der Autor den „Zerfall der Werte" angesehen und gewertet wissen wollte. Wichtiger als die Frage nach ihrem Inhalt ist für eine literarhistorische Untersuchung die Frage nach der Funktion und der Stellung, die die Exkurse innerhalb eines Werkes haben, das durch den Einbau einer so umfangreichen und subtilen philosophischen Abhandlung in seinem intendierten Gattungscharakter als Roman in Frage gestellt wird und damit beispielhaft die Problematik und „Krise" des modernen Romans deutlich werden läßt.

Der erste Exkurs beginnt mit einer für Brochs dialektischen Denkstil charakteristischen doppelten Fragestellung, die das Grundthema der ganzen Exkursreihe nicht nur, sondern der gesamten Schlafwandlertrilogie intonierend fixiert:

> Hat dieses verzerrte Leben noch Wirklichkeit? hat diese hypertrophische Wirklichkeit noch Leben? ... (S. 400).

In der Untersuchung der erzählerischen Struktur der „Schlafwandler" haben wir die einzelnen Phasen und Etappen einer Krankheitsgeschichte verfolgt, deren Diagnose in den Exkursen gegeben und ausführlich begründet wird. Sie lautet: Zerfall der Werte und Zerfall der Wirklichkeit. Was die Schlafwandlergestalten Pasenow und Esch in einem Zustand visionärer Entrückung überfällt und überwältigt und aus ihrer Bahn wirft, was in ähnlicher Form auch der Schreiber der „Geschichte des Heilsarmeemädchens" erlebt[6] und ihn am Sinn und an der Möglichkeit des rationalen Erfassens der Welt zweifeln läßt, die Auflösung der Wirklichkeit ins Unwirkliche, das wird in den Exkursen als die notwendige Folge eines

[5] Briefe. S. 59.
[6] Vgl. den 13. und 14. Abschnitt.

geschichtsphilosophischen Prozesses begriffen, der als „Zerfall der Werte" seine nähere Kennzeichnung erhält. Es ist wichtig, von vornherein die beiden Leitbegriffe der Exkurse, Wertzerfall und Wirklichkeitszerfall, in ihrem Verhältnis zueinander abzugrenzen und zu bestimmen. Was sich uns in der erzählerischen Vergegenwärtigung als gleichzeitige Erscheinungsformen e i n e s Prozesses darbietet, wird in den Exkursen in der Weise getrennt, daß das Phänomen des Wirklichkeitszerfalls als die Konsequenz des mit logischer Notwendigkeit voranschreitenden Prozesses des Wertzerfalls postuliert wird.

In dem ersten Exkurs nimmt Broch das Thema, das am Beginn des zweiten Bandes angeschlagen wird, wieder auf. Dort entdeckt der Buchhalter August Esch, „daß die Welt einen Bruch hatte, einen fürchterlichen Buchungsfehler ..." (S. 204), und er erhebt gegen sie Protest und begibt sich auf die Suche nach der „Erlösung". An den Gestalten des Tabakshändlers Lohberg, des Gewerkschaftsfunktionärs Geyring, des Theaterdirektors Gernerth und des Präsidenten Bertrand offenbart sich ihm die Inkongruenz von Sein und Schein als der Ausdruck einer brüchig und fadenscheinig gewordenen Wert- und Lebensordnung. Mit den gleichen Argumenten operiert der erste Exkurs, wenn in ihm an die Stelle der Welt Eschs die Welt Huguenaus, die Welt am Ende des Krieges, tritt:

> Eine Zeit, feige und wehleidiger denn jede vorhergegangene, ersäuft in Blut und Giftgasen, Völker von Bankbeamten und Profiteuren werfen sich in Stacheldrähte, eine wohlorganisierte Humanität verhindert nichts, sondern organisiert sich als Rotes Kreuz und zur Herstellung von Prothesen; Städte verhungern und schlagen Geld aus ihrem eigenen Hunger, bebrillte Schullehrer führen Sturmtrupps, Großstadtmenschen hausen in Kavernen, Fabrikarbeiter und andere Zivilisten kriechen als Schleichpatrouillen, und schließlich, wenn sie glücklich wieder im Hinterlande sind, werden aus den Prothesen wieder Profiteure. Aufgelöst jedwede Form, ein Dämmerlicht stumpfer Unsicherheit über der gespenstischen Welt, tastet der Mensch, einem irren Kinde gleich, am Faden irgendeiner kleinen kurzatmigen Logik durch eine Traumlandschaft, die er Wirklichkeit nennt und die ihm doch nur Alpdruck ist. (S. 401).

Diesem apokalyptischen Bild einer Zeit, die „die Klimax des Unlogischen, des Antilogischen nicht mehr übersteigen zu können" scheint (S. 401), setzt Broch nun die erstaunliche Tatsache gegenüber:

> Unsere Einzelschicksale aber sind so normal wie eh und je ... für unser Einzelschicksal können wir mit Leichtigkeit einen logischen Motivenbericht liefern. (S. 401).

Die scheinbare Antithese dieser beiden Feststellungen bildet den Uransatz der Fragestellung in den Exkursen. Es ist die Frage: wie kommt es zu jener Schizophrenie des Bewußtseins, die es dem Menschen möglich macht, angesichts des Unlogischen und Chaotischen des Gesamtschicksals dennoch innerhalb seines Einzelschicksals gleichsam dem Faden einer Privatlogik zu folgen? Daran schließt sich die weitere Frage: wie kommt es überhaupt zur Bildung einer Privatlogik oder eines Privatdenkstils, der den Einzelnen in den Käfig eines vom Gesamtleben abgetrennten Partialwertsystems einsperrt und ihm die Einsicht in das übergreifende Ganze verwehrt? Sind wir erkenntnistheoretisch betrachtet überhaupt berechtigt, von verschiedenen Denk s t i l e n zu sprechen? Ist nicht schon der

Begriff des Denkstils eine contradictio in adiecto? Bleiben nicht die Gesetze des Denkens unberührt von stilbildenden Einflüssen, und sind es nicht nur die Inhalte des Denkens, die derartigen Wandlungen unterliegen? Diese Frage, die Broch in den Exkursen stellt und zum Anlaß tiefgreifender erkenntnistheoretischer Überlegungen nimmt, erhält ein besonderes Gewicht, wenn wir uns an die von uns in der Einleitung erörterte Denkposition des frühen Broch erinnern, die vom „Primat der mathematischen Erkenntnis" ausgeht[7]. Mathematisches Denken aber als die Grundlage und der Ausgangspunkt aller formalen Logik scheint stilistische Abschattungen und damit die Möglichkeit von Denkstilen nicht zuzulassen. An diesem Punkt denken die Exkurse den erkenntnistheoretischen Ansatz der frühen philosophischen Aufsätze Brochs dialektisch weiter.

Am Beginn des fünften Exkurses wird gegen den Begriff des Denkstils folgender Einwand erhoben:

> ... es erinnert der Begriff eines „Denkstils" doch sehr an die Vagheit jener philosophischen und historischen Richtungen, deren methodologisches Krux in dem Wort „Intuition" gelegen ist. Denn die apriorische Eindeutigkeit des Denkens und des Logos erlaubt keine stilistischen Abschattungen, ... (S. 450).

Broch nimmt hier seine Kritik am geisteswissenschaftlichen Wahrheitsbegriff wieder auf, die er bereits 1918 in seinem Aufsatz „Zum Begriff der Geisteswissenschaften" geltend gemacht hatte, und die ihn dort die Scheidung von Natur- und Geisteswissenschaften im Sinne Diltheys und Rickerts in ihrer Grundsätzlichkeit hatte anzweifeln lassen[8]. Ganz im Sinne dieses Aufsatzes erscheint auch in den Exkursen die Mathematik als Ausgangspunkt und Modellfall einer „stilfreien" Logik:

> Die Logik bleibt „stillos" wie die Mathematik. (S. 451).

Dieser These setzt Broch nun in den Exkursen dialektisch die Antithese entgegen:

> Das Gebäude der formalen Logik ruht auf inhaltlichen Grundlagen. (S. 451).

Dieser Satz, der von der Tatsache der formal nicht zu überschreitenden und zu beweisenden inhaltlichen Plausibilierung aller logischen Beweisketten ausgeht, führt, da die formalen Gesetze der Logik ihrem Wesen gemäß unantastbar bleiben und unveränderlich sind, zu dem Problem:

> In welcher Art können Inhalte, seien sie nun logisch-axiomatischer oder außerlogischer Natur, derart in die formale Logizität eingreifen, daß bei Aufrechterhaltung der formalen Invarianz die Veränderlichkeit des Denkstils eintritt? (S. 452).

Jede mögliche Fragekette, so argumentiert Broch, findet ihre Grenze an ihrem logischen Plausibilitätspunkt, d. h. dem ihr jeweils zugrundeliegenden und „in Kraft stehenden" (S. 452) ontischen oder logischen Axiomensystem. Die jeweilige Axiomatik wirkt stilbildend auf den jeweils von ihr abhängigen und von ihr bedingten Denkvorgang, während „die formale Logik als solche, ihre Schlußweise, ja sogar ihre inhaltlichen Assoziationsnachbarschaften" bestehen bleiben: „was sich ändert, sind ihre ‚Maße', ist ihr ‚Stil'". (S. 454). Broch erläutert den ge-

[7] Vgl. S. 16ff. unserer Arbeit.
[8] Vgl. S. 17 unserer Arbeit.

meinten Tatbestand durch einen Vergleich der Kosmogonie der Primitiven mit der Weltkonzeption des Monotheismus. Während die Welt der Primitiven „eine Welt von unendlich vielen Axiomen" ist, da hier jedes Ding „sein Eigenleben" führt und gewissermaßen als „causa sui" gedacht und erlebt wird, hat sich in einer monotheistischen Welt die Zahl der Axiome bereits auf Eins, nämlich auf „Gott", in dem sämtliche ontologischen Frageketten zusammenlaufen, verringert. (S. 453). Beide Denksysteme sind – vom Standpunkt der formalen Logik aus – schlüssig; was sich verändert hat, ist nur ihr Denk„stil", der nicht den Gesetzen der formalen Logik, sondern der auf innerer Evidenz gegründeten Axiomatik unterworfen ist.

An dieser Stelle nun münden die rein logisch-erkenntnistheoretischen Gedankengänge Brochs, die ihre Herkunft aus dem Raum der modernen mathematisch-logistischen Grundlagenforschung kaum verleugnen, in geschichtsphilosophische Überlegungen ein, die zum eigentlichen Kern der Exkurse, der Frage nach dem „Zerfall der Werte", hinführen:

> Der Schritt, der über die monotheistische Kosmogonie hinaus noch zu tun blieb, war ein fast unmerklicher, und war doch von größerer Bedeutung als alle vorhergegangenen: der Urgrund wird aus der „endlichen" Unendlichkeit eines immerhin noch anthropomorphen Gottes in die wahre abstrakte Unendlichkeit hinausgeschoben, die Frageketten münden nicht mehr in dieser Gottesidee, sondern laufen tatsächlich in die Unendlichkeit (sie streben sozusagen nicht mehr nach einem Punkt, sondern haben sich parallelisiert), die Kosmogonie ruht nicht mehr auf Gott, sondern auf der ewigen Fortsetzbarkeit der Frage, auf dem Bewußtsein, daß nirgends ein Ruhepunkt gegeben ist, daß immer weiter gefragt werden kann, gefragt werden muß, daß weder ein Urstoff noch ein Urgrund aufzuweisen ist, daß hinter jeder Logik noch eine Metalogik steht, daß jede Lösung bloß als Zwischenlösung gilt und daß nichts übrigbleibt als der Akt des Fragens als solcher: die Kosmogonie ist radikal wissenschaftlich geworden und ihre Sprache und ihre Syntax haben ihren „Stil" abgestreift, haben sich zum mathematischen Ausdruck gewandelt. (S. 454/455).

Mit einer echt Hegelschen κατάβασις εἰς ἄλλο γένος scheint die Untersuchung, die auf den erkenntnistheoretischen Aufweis der Denkmöglichkeit von Denk„stilen" gerichtet war, zu ihrem Ausgangspunkt zurückgekehrt zu sein:

> Die Logik bleibt „stillos" wie die Mathematik. (S. 451).

Die beiden Aussagen (S. 451 und S. 455) sind jedoch in ihrem Aussagecharakter nicht identisch, sie verhalten sich vielmehr wie die Thesis zur Synthesis innerhalb eines dreistufigen dialektischen Denkschemas. Ihr modifizierendes Moment liegt in der Feststellung, daß die stilfreie, mathematische Syntax des modernen Denkens erst das Produkt eines geschichts- und religionsphilosophischen Prozesses ist, nämlich der Hinausschiebung des Plausibilitätspunktes der logischen Frageketten „aus der ‚endlichen' Unendlichkeit eines immerhin noch anthropomorphen Gottes in die wahre abstrakte Unendlichkeit ..." (S. 454). Das paradoxe Resultat der erkenntnistheoretischen Untersuchung lautet demnach: der Denk„stil" unserer Zeit ist „stillos".

Bevor wir uns den Konsequenzen dieser Aussage für die Brochsche Theorie vom Wertzerfall zuwenden, müssen wir die ihr zugrundeliegende geschichtsphilosophische Denkposition ins Auge fassen. Der epochale Umschwung im Denken der Neuzeit, dessen gleichsam letzte Phase die Herausbildung eines stillosen Denkstils ist, beginnt nach Broch im späten Mittelalter und findet in der Reformation, in der Spaltung des „christliche(n) Wertgebilde(s) in eine katholische und eine protestantische Hälfte“ (S. 510), seinen ersten sinnfälligen Ausdruck. Der Denkstil des christlichen Monotheismus, für den alle Frageketten in dem einen, alle Teilwertgebiete zusammenfassenden Plausibilitätspunkt, in Gott, münden, unterliegt hier einer grundlegenden Revision, gerät in eine entscheidende Krise, die ihren Niederschlag in der spätscholastischen Diskussion der Unendlichkeitsantinomien gefunden hat. Mit ihr stößt das christlich-scholastische Denken, das auf der „aristotelische(n) ‚Verendlichung‘ des unendlich fernen platonisch-logischen“ Plausibilitätspunktes (S. 512) gegründet ist, die wiederum die Verendlichung und Verabsolutierung aller von diesem Axiom abhängigen und bedingten Denk- und Symbolformen bewirkt, auf seine Grenze. Mit logischer Notwendigkeit, so folgert Broch, der hier formal ganz in den Bahnen Hegels denkt[9], mußte das mittelalterliche scholastische Denken, das mit dem Aufweis der Unendlichkeitsantinomien seinen Bankrott erklärt hatte, dialektisch umschlagen in jenen Denkstil, dessen auf die Hinausschiebung des Plausibilitätspunktes in die abstrakte Unendlichkeit gegründete Axiomatik die Lösung dieser Antinomien ermöglichte. Dieser Denkumschwung, wie er sich nach Broch an der Wende vom Mittelalter zur Neuzeit als Konsequenz eines autonomen logischen Prozesses ereignet, ist die Keimzelle des „Zerfalls der Werte“. Indem „das Denken ... den Schritt vom Monotheistischen ins Abstrakte gewagt“ hat, und der in den Symbolen der Kirche „sichtbare“ und im Glauben „persönliche“ Gott in die „unerreichbare“ und „unendliche Neutralität des Absoluten“ verschwunden ist, „war die Bindung der einzelnen Wertgebiete an einen Zentralwert mit einem Schlage unmöglich geworden; ...“ (S. 476/477). Die Frageketten, die bislang in Gott als dem stilbildenden Plausibilitätspunkt einer monotheistischen Axiomatik zusammenliefen, haben sich „parallelisiert“[10], sie sind autonom, abstrakt und stillos geworden. Die finale Denkstruktur ist einer kausalen gewichen, die ihre Prägung nicht mehr von einer „Zentralstelle“, sondern vom „unmittelbaren Objekt“ aus erhält. (S. 513). Das hierarchisch gegliederte Weltganze zerfällt in eine Vielzahl von Partialsystemen, die wiederum jeweils die Struktur des verlorengegangenen Totalsystems „imitieren“ (S. 672), indem sie einer nur ihr eigenen und ihr immanenten Axiomatik unterworfen sind. Dem Denk„stil“ des Mittelalters stehen die Denk„stile“ innerhalb der modernen Welt gegenüber. So ist die radi-

[9] Vgl. Brochs Brief an Egon Vietta vom 20. 4. 1936, in dem es heißt: „Wenn es für mich ein philosophisches ‚Erlebnis‘ gibt, und ich glaube behaupten zu dürfen, daß ich es gehabt habe und eigentlich fortwährend unter seinem Einfluß stehe, ... so liegt dieses philosophische Erlebnis im Primat des Logos, also eben in jener objektiven Sphäre, die Sie zu einem Differenzpunkt zwischen uns erheben, während sie zweifelsohne unsere gemeinsame Basis darstellt. Um dies zu stützen, brauche ich bloß auf die geschichtsphilosophischen Exkurse in den Schlafwandlern hinzuweisen, die ohne Hegel undenkbar wären.“ (Briefe. S. 150). Vgl. auch: Briefe. S. 94.

[10] Vgl. Schlafwandler. S. 454. Zitiert auf S. 161 unserer Arbeit.

kale Autonomisierung und Verabsolutierung der einzelnen Wertgebiete in der Sicht Brochs das Stigma, mit dem die moderne Welt behaftet ist, die unausweichliche Endstufe eines Prozesses, der in der Auflösung des mittelalterlichen Weltbildes und des ihm zugrundeliegenden Denkstils seinen Ursprung findet:

> ... gleich Fremden stehen sie nebeneinander, das ökonomische Wertgebiet eines „Geschäftemachens an sich" neben einem künstlerischen des l'art pour l'art, ein militärisches Wertgebiet neben einem technischen oder einem sportlichen, jedes autonom, jedes „an sich", ein jedes in seiner Autonomie „entfesselt", ein jedes bemüht, mit aller Radikalität seiner Logik die letzten Konsequenzen zu ziehen und die eigenen Rekorde zu brechen. (S. 477).

Es mag bereits aus dieser gedrängten Darstellung des Gedankengangs von Brochs Theorie des Wertzerfalls klar erhellen, daß wir es hier weder mit einem romantischen Klagegesang auf den Verlust der Glaubenseinheit, wie sie das Mittelalter besaß, noch mit einer Art von christlich-katholisierender Zeitkritik, deren Voraussetzung die fraglose Anerkennung bestimmter theologisch-dogmatischer Normen ist, zu tun haben. Es hieße die gedankliche Intention Brochs in den Exkursen verfälschen, wollte man den in ihnen dargestellten Prozeß des Wertzerfalls im Sinne romantischer, christlich-katholischer oder wie immer sonst gearteter weltanschaulicher Konzeptionen negativ interpretieren. Beispielhaft für eine solche Fehlinterpretation ist die Auffassung von Jean Boyer, der in seiner Schrift „Hermann Broch et le problème de la solitude" den von Broch als Ursprung des Wertzerfalls aufgezeigten Denkumschwung an der Schwelle vom Mittelalter zur Neuzeit als „faux-pas", als „audac de la pensée" bezeichnet[11]. Demgegenüber muß mit Nachdruck betont werden, daß der Begriff „Zerfall" im Rahmen der gedanklichen Konstruktion Brochs einen durchaus wertfreien Charakter hat. Dieser wertneutrale, objektive und gleichsam teilnahmslose Blick des intellektuellen Beobachters auf den Gegenstand seiner Analyse ist, wie wir bereits vorausdeutend festgestellt haben, ein Hauptcharakteristikum der gedanklichen Exkurse nicht nur, sondern auch der Erzählhaltung in den romanhaften Partien des Werkes. Brochs philosophisches Denken ist selber jenem Denkstil unterworfen, den er in den Exkursen als „stillos" bezeichnet hat. Die Logik seiner Beweisführung entspricht formal der sachlichen und ornamentfreien Logik Huguenaus, die für Broch der adäquate Ausdruck des Denkstils seiner Zeit ist[12], eines Denkstils, für den es eine inhaltliche Plausibilitätsschranke der logischen Fragenketten und damit allgemeinverbindliche und stilbildende Werte und Axiome nicht mehr gibt, sondern nur noch den Akt des Fragens als solchen, die entfesselte, autonom und abstrakt gewordene Vernunft. Der Theoretiker Broch – und das verleiht den „Schlafwandlern" die erregende innere Spannung – steht seinen Romangestalten nicht in der Haltung eines moralisierenden Richters gegenüber, er behandelt sie nicht wie Angeklagte, die für schuldig befunden werden, sondern er weiß sich mit

[11] „Cet édifice spirituel, théologique, moral et social a été bouleversé. Non par une révolution à forme guerrière ou sociale, mais d'abord par une audace de la pensée qui, au regard de l'état de choses équilibré qu'elle a détruit, est un faux-pas: ..." (a. a. O. S. 10/11).

[12] Vgl. Schlafwandler. S. 442–444.

ihnen solidarisch in der Gemeinsamkeit eines umgreifenden Epochenschicksals, dem auch er nicht entrinnen kann. Darin liegt, wie wir zu zeigen versucht haben, die symbolische Funktion der Gestalt Bertrands, unter deren Maske sich der Autor Hermann Broch selber in das Spiel der Romanhandlung eingereiht hat, und unter deren Maske er in den Exkursen stellvertretend für die Schlafwandler Pasenow, Esch und Huguenau den Geist der Zeit, dem sie und auch er selber unterworfen sind, in die deutende Helle des Rationalen überführt.

Doch der Theoretiker und Rationalist Broch behält in den „Schlafwandlern" nicht das letzte Wort. Neben ihn tritt der Dichter und Romanautor Broch, und erst die Gegenüberstellung beider und die Klärung des Verhältnisses, in dem sie zueinander stehen, verschafft uns den Zugang zu dem Kernproblem der „Schlafwandler", die in dem Spannungsfeld von Rationalität und Irrationalität, von Reflexionen und Gestaltung stehen. In der gesamten bisher vorliegenden Broch-Literatur ist die Problematik dieser Fragestellung nicht erkannt worden. Indem man sich zumeist an die philosophischen Aussagen der Exkurse hielt und die Romanhandlung nur als einen die Theorie veranschaulichenden Appendix betrachtete, hat man sich den Blick für das Wesen und die Eigenart des Brochschen Werkes verstellt[13]. Von diesem Vorwurf kann auch der tiefdringende Aufsatz von Richard Brinkmann, der als erster und einziger die Frage nach dem Verhältnis von „Romanform und Werttheorie bei Hermann Broch"[14] aufgeworfen hat, nicht ganz freigesprochen werden. In scheinbarem Widerspruch zu den von uns am Beginn der Schlafwandlerinterpretation aufgestellten Thesen[15] möchten wir behaupten, daß der Roman nicht nur Exemplum und Veranschaulichung der Theorie ist, sondern auch deren Infragestellung. Romanhandlung und Werttheorie stehen in einem Verhältnis starker Spannung zueinander, und nur unter Vorbehalten wird man die in den Exkursen entwickelte Philosophie des Wertzerfalls zur Deutung der gesamten Romantrilogie heranziehen dürfen. Wäre dem nicht so, besäßen wir in der Theorie den Schlüssel für die Lösung aller mit dem Roman aufgegebenen Probleme, dann hätten wir uns die Mühe einer Beschäftigung mit den erzählerischen Partien des Werkes sparen und die „Schlafwandler" getrost einer fachphilosophischen Betrachtung überlassen kön-

[13] Charakteristisch für dieses Verfahren sind die beiden Schlafwandlerinterpretationen von Jean Boyer (In: „Hermann Broch et le problème de la solitude". a. a. O. S. 7–16) und von Egon Vietta (In: Die Neue Rundschau. 1934. a. a. O.). Beide legen ihrer Deutung die gedanklichen Aussagen der Exkurse zugrunde und kommen demzufolge in Bezug auf den eigentlichen erzählerischen Inhalt des Werkes zu mehr als kläglichen, ja unsinnigen Resultaten. Als Beispiel sei hier nur die Deutung der Ilona-Varieté-Szene durch Jean Boyer angeführt, die keines weiteren Kommentars bedarf: „Un des symboles de l'existence du peuple est cette pauvre fille qui gagne sa vie en s'exhibant dans des music-halls populaires, revêtue d'un maillot pailleté, les bras en croix devant un tableau noir où un illusionniste cerne sa silhouette de poignards qu'il lance avec une infaillible sûreté, aux applaudissements de la foule. L'aspiration à la liberté prend des formes niaises, ou bien elle aboutit à la prison, car les possédants défendet leur situation privilégiée." (a. a. O. S. 14/15).

[14] Titel des genannten Aufsatzes. a. a. O.

[15] Vgl. S. 61ff. unserer Arbeit.

nen[16]. Am stärksten ist die Annäherung von Theorie und Roman im dritten Band, wo die einzelnen Handlungsfragmente sowohl thematisch als auch kompositorisch[17] unmittelbar mit den Exkursen verknüpft und auf sie bezogen sind. Dies gilt vor allem für die Gestalt Huguenaus, die am Reißbrett der Theorie entworfen ist. Huguenau ist der idealtypische Vertreter des Wertzerfalls, der Sklave eines Partialwertsystems, der unbeirrt vom Grauen einer chaotisch gewordenen Welt den Motivfäden seiner Privatlogik folgt und auch vor einem Mord nicht zurückschreckt, wenn es gilt, das ihm von seinem Teilwertgebiet gesteckte Ziel zu erreichen. Auch die übrigen Erzählepisoden im „Huguenau" sind streng auf die gedankliche Explikation des Wertzerfalls bezogen, sie sind gleichsam die romanhafte Verlängerung der Exkurse[18]. Anders liegt der Fall in den beiden ersten

[16] Diese Betrachtungsweise hätte die volle Zustimmung des späten Broch gefunden, der sich nach dem „Tod des Vergil" in zunehmendem Maße der Wissenschaft und der Philosophie zugewandt hatte. In dem von uns schon angeführten Brief an K. L. Schneider (vgl. S. 64 unserer Arbeit) spricht der Dichter davon, daß er die „Schlafwandler" am liebsten in der Hand der „Fachphilosophie", ihrem „Ursprungsgebiet" sähe. Vgl. dazu die grundsätzlichen Ausführungen auf S. 64f. unserer Arbeit.

[17] Beachte dazu die Nahtstellen von Exkurs und Romanhandlung. Die Erörterung der in den jeweiligen Exkursen aufgeworfenen Probleme schließt zumeist unmittelbar an die Thematik des vorangegangenen Erzählabschnitts an. Die Exkurse transponieren gleichsam das Thema der Erzählung in eine andere Tonart, in die strengere und härtere Tonart der Reflexion. So folgt etwa – um nur ein Beispiel anzuführen – auf den Erzählabschnitt, der mit Eschs Übertritt zum protestantischen Glauben endet, der „Historische Exkurs", in dem das Phänomen des Protestantismus einer geschichtsphilosophischen Betrachtung unterzogen wird. (S. 510).

[18] In der Lazarettepisode wird an einem Modellfall die vollkommene Isolierung der einzelnen Wertgebiete vorgeführt. Das militärische und das ärztliche Wertsystem treffen hier aufeinander, jedes der beiden eingesponnen in die ihm immanente Logik und beherrscht von dem ihm eigenen Denkstil. Es fehlt das tertium comparationis, das beide Gebiete und deren divergierende Zielsetzungen vereinen könnte, so daß das Handeln des Menschen ihm in dem Augenblick als sinnlos erscheinen muß, wo er über die Grenze der ihm zugewiesenen Privatlogik hinauszublicken wagt: „Kuhlenbeck sagte: ‚Kennen Sie die Geschichte vom Delinquenten, der die Gräte verschluckt und den man operiert hat, um ihn am Morgen aufhängen zu können? das ist beiläufig unser Metier'". (S. 433). Das Thema des Kriegslazaretts als Symbol für die Sinnlosigkeit eines Geschehens, das sich selbst ad absurdum führt, ist schon im deutschen Expressionismus als Argument in den Dienst einer von pazifistischen Tendenzen bestimmten Literatur gestellt worden. Ein besonders wirkungsvolles Beispiel bietet die Lazarettszene in Ernst Tollers Drama „Die Wandlung" (1919) (Sechstes Bild), in der sich bereits alle Motive finden, deren sich auch Broch in seiner Gestaltung des gleichen Themas bedient.

In der Hanna Wendlung-Studie ist das Thema der Einsamkeit, das in allen drei Bänden eine hervorragende Rolle spielt, zum Gegenstand eines besonderen Erzählzusammenhangs gemacht worden. Die Hanna Wendling-Studie nimmt insofern eine Sonderstellung innerhalb der Schlafwandlertrilogie ein, als hier das Schicksal einer „normalen" Frau dargestellt ist, deren Denken, Fühlen, Erleben und Handeln der Leser psychologisch nachvollziehen kann. Während die drei Titelhelden vor allem aber Pasenow und Esch, infolge ihrer schlafwandlerischen Überhöhung, die sie zu Trägern eines konstruktiven, abstrakten Sinngehalts machen, der Teilnahme des Lesers weitgehend entrückt sind, kann er sich mit Hanna Wendling und ihrem Schicksal identifizieren. Sie könnte die Heldin eines traditionellen psychologischen Romans sein, der etwa die seelische Tragödie einer einsamen Frau zum Gegenstand hätte. Dennoch ist auch sie für den

Bänden. Auch auf sie zwar greift die philosophische Deutung der Exkurse zurück, dennoch fügen sie sich nicht ohne weiteres in das gedankliche Schema der Theorie vom Wertzerfall ein, sie sprengen es vielmehr, indem sie Ausdruck einer Erfahrung sind, die in der rationalen Konzeption des Werkes nicht aufgeht: der Erfahrung des Irrationalen. Das wird besonders deutlich an der Gestalt August Eschs, des Rollenträgers irrational-religiöser Urerfahrungen, der, wie wir zu zeigen versuchten, geradezu zum Gegenspieler des Rationalisten und späteren Schreibers der Exkurse, Bertrands, wird. Die in der Auseinandersetzung zwischen Esch und Bertrand aufbrechende Dialektik liegt der gesamten Schlafwandlertrilogie zugrunde. In der biographischen Einleitung haben wir den plötzlichen Entschluß Brochs, sich ganz dem Beruf des Dichters zuzuwenden, als Antwort auf das Urerlebnis des Irrationalen zu verstehen gesucht, als Antwort auf ein Phänomen, das die rationale Weltkonzeption seiner frühen Aufsätze einer tiefgreifenden Erschütterung aussetzte[19]. Allein mit Hilfe der Dichtung glaubte Broch die Lösung derjenigen Probleme zu finden, die sich dem Zugriff des Rationalen, Wissenschaftlichen und Philosophischen entziehen, die Erhellung des „metaphysischen Rest(s)“, wie es in einem von uns schon zitierten Brief heißt[20]. Der Dichtung wird so ein nur ihr eigener Gegenstandsbereich zugewiesen, sie tritt als ein autonomes Ausdrucksmittel gleichberechtigt neben die rationale Theorie, wennschon ihre Autonomie von Broch sogleich in dem Sinne wieder eingeschränkt wird, als für ihn die Dichtung nicht um ihrer selbst willen existiert, sondern nur als Instru-

Autor, der ihre Darstellung beständig mit kommentierenden Reflexionen begleitet, nur ein „Fall“, der Fall „einer höchst unbeträchtlichen Frau“ (S. 589), der „insignifikanten Gattin eines insignifikanten Provinzrechtsanwalts ...“ (S. 404). Hanna Wendling ist die einzige handlungstragende Figur in den „Schlafwandlern“, die sich nicht selbst darstellt oder in den Bewußtseinsspiegelungen anderer Personen Gestalt gewinnt, sondern im wesentlichen von außen beschrieben wird. Broch ist in dieser Studie vornehmlich Psychologe, der die Symptome einer fortschreitenden seelischen Zerrüttung zu einem überzeugenden Krankheitsbild zusammenfügt. Mit der Distanz und Objektivität, der Unbestechlichkeit und wissenschaftlichen Genauigkeit, mit der ein Psychiater einen Krankheitsbericht abfaßt, werden die einzelnen Stadien des seelischen Verfalls von Hanna Wendling genau beschrieben und analysiert: der Kontaktverlust mit der Außenwelt, die Flucht in den Traum, die innere Spannungslosigkeit, die Entfremdung und Teilnahmslosigkeit ihrer gewohnten Umgebung gegenüber, die Angst vor der „erotischen“ Beziehung zu ihrem Mann, die Verlangsamung des Lebensstroms, der allmähliche Verlust des Ichgefühls, die ambivalenten Gefühlshaltungen usw. Diese Krankheitssymptome nun werden ganz im Sinne der Exkurse von dem die Erzählung kommentierenden Autor auf ihre metaphysischen Ursachen zurückgeführt. Die Krankheit Hanna Wendlings, die „Vereinsamung des Ichs“ (S. 590), ist nur ein Teilaspekt des Zerfalls der Werte, der die Atomisierung und Isolierung aller Lebensbereiche und damit auch die brückenlose Einsamkeit des auf sich selbst zurückgeworfenen Menschen zur Folge hat. Das individuelle Schicksal Hanna Wendlings ist nur ein beliebig herausgegriffener „Fall“ unter vielen, ist nur exemplum für ein überindividuelles Schicksal, dem der Mensch in der Sicht des mitleid- und schonungslos die Verfallssymptome registrierenden Analytikers Broch hilflos ausgeliefert ist. Hanna Wendling und Wilhelm Huguenau sind beide Repräsentanten der Endphase des Prozesses des Wertzerfalls. Sie verkörpern die beiden extremen Möglichkeiten menschlichen Reagierens auf dieses Epochenschicksal.

[19] Vgl. S. 18ff. unserer Arbeit.

[20] Briefe. S. 67. Vgl. S. 18 unserer Arbeit.

ment der „Erkenntnis" Bedeutung und Daseinsberechtigung gewinnt. Sie dient gleichsam als Verlängerung der rationalen Erkenntnis in das Gebiet des – der ratio unzugänglichen – Irrationalen[21]:

> Denn in diesen Regionen versagt der rationale und wissenschaftliche Ausdruck, das Wort gilt nicht mehr in seiner Eigenbedeutung, nur mehr mit seinem wechselnden Symbolcharakter, und das Objekt muß in der Spannung zwischen den Worten und Zeilen eingefangen werden[22].

Die Handlungsträger der beiden ersten Romane, Joachim v. Pasenow und August Esch, stehen im Schnittpunkt rationaler und irrationaler Erkenntnisintentionen. Während sie einerseits als typische Vertreter eines bestimmten, zeitsymptomatischen Denkstils (des Landjunkers und des Buchhalters) das gedankliche Schema des „Zerfalls der Werte" exemplifizieren, werden sie anderseits zu Exponenten irrationaler Erfahrungen, die sie aus den ihnen angestammten Teilwertbereichen herausreißen und die sie ihrem Denkstil entfremden. Der – wenn wir es so nennen dürfen – handlungstragende Konflikt in den beiden ersten Romanen erwächst aus dem Zusammenstoß der von der Logik ihrer jeweiligen Denksysteme beherrschten Schlafwandlergestalten mit den Phänomenen des Unlogischen, Unwirklichen und Irrationalen. Dieser Vorgang wird jedoch weder von Pasenow noch von Esch eigentlich bewußt erlebt, er vollzieht sich auf einer transsubjektiven und transpsychologischen Bühne, auf der beide nur wie ohnmächtige Marionetten agieren.

Es ist nach Broch geradezu das Signum des modernen Menschen in der Epoche des Wertzerfalls, daß er sich der Spaltung und Auflösung seiner rational geordneten Welt durch den Einbruch des Irrationalen, durch den „Einbruch von unten", wie es in den Exkursen heißt (S. 661), nicht bewußt wird. Von dieser Voraussetzung her ist es ein vergebliches Unterfangen, das Schicksal des modernen Menschen in der Form einer mit psychologischen Kategorien arbeitenden individuellen Lebensgeschichte darzustellen. Das individuelle Leben ist „insignifikant" geworden (S. 668), es vermag nur noch sich selbst oder den engen Umkreis des Wertgebiets, in dem es eingeschlossen ist, zu repräsentieren. Daher vermag ein persönliches, individuelles Schicksal kein legitimer Gegenstand einer auf Darstellung der „Welttotalität" gerichteten Romankunst[23] mehr zu sein, fehlt ihm doch gerade der „Totalität" schaffende symbolische und metaphysische Bezug zu den schicksalgestaltenden Mächten und Gesetzen der Welt. Ebenso versagt hier jede realistische oder naturalistische Darstellungstechnik, die immer von der Voraussetzung motivierbarer, in sich schlüssiger und nachvollziehbarer Geschehnisabläufe getragen ist. An ihre Stelle tritt eine komplizierte und vielschichtige Methode, mit deren Hilfe der moderne Romancier eine Wirklichkeit gestaltend zu bewältigen sucht, die sich in der Vieldimensionalität ihrer disparaten Aspekte zusehends jeder Gestaltungsmöglichkeit entzieht.

Im Mittelpunkt der beiden ersten Romane stehen weniger konkrete Gestalten,

[21] Vgl. S. 61–65 unserer Arbeit.
[22] Briefe. S. 17.
[23] Vgl. S. 25 und S. 32 unserer Arbeit.

deren Handeln, Leiden, Fühlen und Erleben dargestellt werden soll, als vielmehr abstrakte menschliche Erfahrungen, Haltungen und Relationen. Broch hat diese Bedeutungsschicht, der vornehmlich sein erzählerisches Interesse gilt, auf die naturalistische Basis seines Romans aufgestockt, so daß sowohl die Personengestaltung als auch die Handlungsführung eine eigentümliche Doppelbödigkeit und Zweistöckigkeit kennzeichnet. Während die Romanfiguren Pasenow und Esch auf der unteren, der naturalistischen Ebene konfliktlos den Motiven ihrer jeweiligen „Privatlogik" folgen, haben sie auf der oberen, der surrealen Ebene teil am Prozeß des Wirklichkeitszerfalls. Sie werden zu Schlafwandlern, d. h. zu Trägern irrationaler Erlebnisweisen und irrationaler Werte. Auf der dichterischen Gestaltung der schlafwandlerischen Erfahrung des Irrationalen liegt das eigentliche Schwergewicht des Erzählers Broch. Hier stößt der Dichter in bisher unerschlossen gebliebene Erfahrungs- und Erlebnisbereiche vor und findet gleichzeitig die diesen Erfahrungen und Erlebnissen adäquate Ausdrucksform. In den hymnischen Schlafwandlerpartien gelangt Broch zu der nur ihm eigenen unverwechselbaren dichterischen Aussage, der lyrisch-ekstatische Sprachton dieser Abschnitte ist ein Vorklang auf den Stil des „Tod des Vergil". Verallgemeinernd dürfen wir sagen, daß Broch in den „Schlafwandlern" der Theoretiker des Wertzerfalls und der Dichter des Irrationalen und dessen Erscheinungsform, des Zerfalls der Wirklichkeit ist. Sein Roman bildet hier gleichsam den Abschluß und den Höhepunkt einer für die Dichtung des 20. Jahrhunderts symptomatischen und charakteristischen Entwicklungsreihe, die uns in einem besonderen Kapitel noch beschäftigen wird.

Das abschließende und zusammenfassende Wort Brochs in den „Schlafwandlern" bildet der zehnte Exkurs, der den Titel „Epilog" trägt. Er unterscheidet sich insofern von den übrigen Abschnitten des „Zerfalls der Werte", als in ihm an die Stelle der nüchternen philosophischen Untersuchung das pathetische Bekenntnis, der persönliche Kommentar des Autors tritt. Hier begibt sich der Dichter der Objektivität des Erkenntnistheoretikers und Geschichtsphilosophen und nimmt wertend zu den im Roman gestalteten und in den Exkursen erörterten Problemen Stellung. In diesem Schlußabschnitt fließen gedankliche Reflexionen und dichterische Aussage in einem stark rhythmisch durchpulsten Prosahymnus zusammen, der in der prophetischen Verkündigung des „Heilsbringers", mit dessen Erscheinen eine neue Zeit anbrechen wird, aufgipfelt.

Die in den vorangegangenen Exkursen offengebliebene – weil rational nicht ableitbare – Frage nach dem Verhältnis vom Wertzerfall und Wirklichkeitszerfall wird vom Autor jetzt im Sinne eines Postulats beantwortet. Die fortschreitende Zerspaltung des Gesamtwertsystems in unendlich viele Einzelwertgebiete läßt, so argumentiert Broch, die in einem geschlossenen Wertverband noch gebundenen irrationalen Kräfte frei werden, so daß am Ende dieses Prozesses „neben einer entfesselten autonomen Vernunft ein entfesseltes autonomes irrationales Leben" (S. 663) steht. Der in diesen Prozeß hineingestellte Mensch aber, sklavisch der Privatlogik seines Partialwertsystems folgend und dennoch beständig bedroht von dem diese Logik aufhebenden Irrationalen, ist „der metaphysisch ‚ausgestoßene' Mensch". (S. 665). Ihn repräsentieren die drei Titelhelden der

„Schlafwandler", Pasenow, Esch und Huguenau, wobei jeder von ihnen eine besondere Spielart desselben darstellt. Während Joachim v. Pasenow vor der Bedrohung durch den „anarchischen Zustand der Welt" sich restaurativ in das schon abgestorbene Gehäuse der „Uniform" und in den Tempel einer romantischen Pseudoreligiosität flüchtet, erhebt August Esch im Namen eines buchhalterischen Denkstils, dem es um die Ordnung der Bilanz geht, Protest gegen eine Welt, die mit dem Makel eines Buchungsfehlers behaftet ist. Er überschreitet jedoch die ihm von seinem Wertgebiet gesteckte Grenze und wird zum Anwalt des Irrationalen und zum Träger einer religiös-mystischen Rolle. Sowohl Pasenow als auch Esch scheitern, sie werden liquidiert durch Huguenau, den Vertreter einer wertfreien und stillosen „Sachlichkeit". Im Unterschied zu den Titelhelden der beiden ersten Romane gehört Huguenau keinem Wertsystem mehr an, aus dem er herausgerissen werden könnte; er erscheint von vornherein als der „Deserteur", als der bindungslose, nur noch sich selbst und seinen kommerziellen Interessen skrupellos gehorchende autonome Individualist. Huguenau ist mit sich selbst und dem Geist seiner Zeit identisch, er steht den „gebrochenen" Schlafwandlergestalten Pasenow und Esch, die noch in bestimmten Werthaltungen und Denkstilen befangen sind, als geschlossene und zielstrebige Figur gegenüber. Er ist gegen den Einbruch des Irrationalen gefeit, weil er selbst das entfesselte Irrationale verkörpert. Das Individuum, die „letzte Zerspaltungseinheit im Wertzerfall" (S. 664), vermag nur noch den eigenen Individualwerten zu folgen, das heißt aber: es ist sich selbst und seiner eigenen Irrationalität ausgeliefert. Der Prozeß des Wertzerfalls, der mit der Auflösung des mittelalterlichen Weltbilds und Denkstils begonnen und zur Bildung einer abstrakten, autonomen und entfesselten Vernunft geführt hatte, endet mit dem Aufstand des Irrationalen, dessen Vollzugsorgan das aus jedem Wertverband entlassene und nur noch sich selbst überlassene Individuum ist.

Das ist das – wenn man so sagen darf – negativ-pessimistische Fazit der „Schlafwandler", sowohl der gedanklichen Exkurse als auch der Romanhandlung. Es ist jedoch nicht das letzte Wort Brochs. Der Dialektiker spielt dem Dichter im „Epilog" ein hoffnunggebietendes Argument zu, indem er aus der gegenwärtigen Situation, in der der „stillose" Denkstil der Neuzeit sich selbst ad absurdum geführt hat, die Möglichkeit eines neuen Denkumschwungs ableitet, analog demjenigen, der die Auflösung des mittelalterlichen Denkstils zur Folge hatte. „Es läßt sich ... mit einigem Recht behaupten", heißt es in einem der vorangegangenen Exkurse,

> daß eine durchgreifende Revolution des Denkstils – ... – stets dann erfolgt, wenn das Denken an seine Unendlichkeitsgrenze gestoßen ist, wenn es die Antonomien der Unendlichkeit nicht mehr mit den alten Mitteln zu lösen vermag und von hier aus genötigt ist, seine eigenen Grundlagen zu revidieren. (S. 510/511).

Broch stellt anschließend den Vergleich an zwischen der „Grundlagenforschung der modernen Mathematik" und der scholastischen Diskussion der „Unendlichkeitsantinomien" und leitet aus der Tatsache der „auffallende(n) Verwandtschaft" zwischen beiden die Vermutung ab, daß sich in unserer Zeit ein ähnlicher

Denkumbruch vollziehe wie im späten Mittelalter. (alles: S. 511). Im „Epilog" nimmt er diesen Gedankengang wieder auf und macht ihn zur Basis eines hoffnungsvollen Ausblicks in die Zukunft. Die Entfesselung des Irrationalen ist für Broch der Beweis dafür, daß das autonome, rationale und abstrakte Denken, das den Zerfall der Werte eingeleitet und vollendet hat, an seine „überrationale Unendlichkeitsgrenze" (S. 677) gestoßen ist. So steht die gegenwärtige Welt im Kairos „des Todes und der Zeugung" (S. 677), sie befindet sich im „Nullpunkt" (S. 683, 685) des Übergangs zu einem neuen Zusammenschluß der atomisierten Wertgebiete zu einem übergreifenden Wertverband, der die zerbrochene Einheit von Rationalität und Irrationalität wieder herstellen wird.

Diesem metaphysischen Postulat des „Epilogs" liegt eine zyklische Geschichtsauffassung zugrunde. Nach ihr ist der Ablauf der Geschichte bestimmt von einer logischen Entwicklung, die mit autonomer Selbstgesetzlichkeit periodisch wiederkehrende Krisenpunkte durchlaufen muß, nachdem das jeweils herrschende Denksystem sich von innen her aufgelöst hat. Broch hat dreizehn Jahre später diese zyklische Zeit- und Geschichtsauffassung, die die spekulative Grundlage der in den „Schlafwandlern" entwickelten Theorie vom „Zerfall der Werte" bildet, zur thematischen Achse des großen Gesprächs zwischen Vergil und Augustus im „Tod des Vergil" gemacht. In diesem Gespräch bedient sich Vergil Augustus gegenüber der gleichen Argumente, deren Fundament bereits in den philosophischen Erörterungen der Exkurse in den „Schlafwandlern" gelegt worden ist. Die Auseinandersetzung zwischen ihm und Augustus um die Frage der Unzeitgemäßheit der Dichtung findet in dem Zusammenstoß zweier verschiedener Geschichtsauffassungen ihren tiefsten Differenzpunkt. Während Augustus, der Vertreter eines linearen Zeitverständnisses, nur das ewige Zugleich von Ende und Anfang in jedem Augenblick kennt, weiß Vergil um ein zyklisch-periodisches Gesetz, dem die Zeit unterworfen ist[24]. Vergil weiß sich am Ende eines alten und am Anfang eines neuen Zeiten- und Geschichtskreises stehend, in jenem Krisenpunkt des „Noch nicht und doch schon"[25], wie die stehende Formel im „Tod des Vergil" lautet, der wir in ähnlicher Form bereits in den „Schlafwandlern" begegnen. (S. 678).

Beide Hauptwerke Brochs, die, wie wir sehen, von der gleichen thematischen Konzeption getragen sind, indem sie die Situation des Menschen in einer Epoche des Übergangs und der Zeitenwende zum Gegenstand haben, gipfeln in der hoffnungserfüllten Verkündigung eines kommenden „Heilsbringers", mit dessen Erscheinen eine neue Zeit anbrechen wird. Wir hatten bei der Erörterung der Gesprächsszene in Badenweiler, in der Bertrand dem Opfergedanken des hilfesuchenden Anklägers Esch durch den Hinweis auf den „erkennenden liebenden Erlöser" (S. 324) einen Inhalt zu geben sucht, die Frage, ob wir es dabei mit einer christlichen Lösung der in dem Gespräch und in den „Schlafwandlern" überhaupt aufgeworfenen Problematik zu tun haben, noch zurückgestellt[26]. Die Aussagen

[24] Vgl. Tod des Vergil. S. 368ff.
[25] Tod des Vergil. S. 296 passim.
[26] S. 129 unserer Arbeit.

am Ende des „Epilogs", wo der Heilsbringergedanke wieder aufgenommen wird, zeigen deutlich, daß sich eine christliche Interpretation, wie sie durch den Hinweis auf die neutestamentliche Kreuzessymbolik in der Badenweilerszene nahegelegt wird, verbietet:

> ... der Heilsbringer wandelt im unscheinbarsten Gewande und vielleicht ist es der Passant, der jetzt über die Straße geht, – denn wo immer er wandle, im Gewühl der Großstadtstraßen oder im Abendschein der Felder, sein Weg ist der Zionsweg, dennoch unser aller Weg, ist ein Suchen der Furt zwischen dem Bösen des Irrationalen und dem Bösen des Überrationalen und auch seine Freiheit ist die schmerzliche Freiheit der Pflicht, ist Aufopferung und Sühne für das Geschehene, auch sein Weg ist der Weg der Prüfung, ist untertan der Strenge, und auch seine Verlassenheit ist die des Kindes, ist die Verlassenheit des Sohnes, dem das Ziel im Unerreichbaren entschwindet, da er vom Vater verlassen ward. Und trotzdem: schon die Hoffnung auf das Wissen des Führers ist eigenes Wissen, schon das Ahnen der Gnade ist Gnade, und so vergeblich unser Hoffen auch sei, daß mit dem sichtbaren Leben des Führers das Absolute sich im Irdischen jemals erfüllen werde, ewig annäherbar bleibt das Ziel, unzerstörbar die Messiashoffnung der Annäherung, ewig wiederkehrend die Geburt des Wertes. (S. 686).

Der „Heilsbringer", der „Führer", „der das Haus neu erbauen wird, damit aus Totem wieder das Lebendige werde" (S. 685), trägt Züge des „neuen Menschen", jenes Symbols des Glaubens an die Möglichkeit einer Neuschöpfung des Menschen und der Welt aus dem Geist der Pflicht, des Opfers und der Hingabe an die ewige und unverlierbare Idee der Wahrheit, das der deutsche Expressionismus als Vermächtnis der Dichtung des 20. Jahrhunderts übermacht hat. Jüdische Messiashoffnung und expressionistisches Menschheitspathos vereinen sich in der Brochschen Idee des „Heilsbringers" zur sinnbildhaften Grundfigur der „Erlösung", die die Zeitenwende herbeiführen wird, „damit der Stand der Unschuld allem Lebendigen wieder geschenkt werde ..." (S. 293).

> „Dann wird alles fest und sicher sein. Und was hinter einem ist, kann einem nichts mehr anhaben." (S. 294).

Exkurs

Der Zerfall der Wirklichkeit

In einem 1896 erschienenen Aufsatz, „Englischer Stil", von Hugo von Hofmannsthal heißt es:

> Ja, es gehört wirklich nichts zusammen. Nichts umgibt uns als das Schwebende, Vielnamige, Wesenlose, und dahinter liegen die ungeheuren Abgründe des Daseins. Wer das Starre sucht und das Gegebene, wird immer ins Leere greifen. Alles ist in fortwährender Bewegung, ja alles ist so wenig wirklich als der bleibende Strahl des Springbrunnens, dem Myriaden Tropfen unaufhörlich entsinken, Myriaden neuer unaufhörlich zuströmen[1].

[1] Hugo von Hofmannsthal. Gesammelte Werke in Einzelausgaben. Hg. von H. Steiner Prosa I. Frankf. a. M. 1950. S. 301.

Was der junge Hofmannsthal hier mit der empfindlichen Witterung des Vorausfühlenden beschrieben und ins Bild des Springbrunnens gebannt hat, wurde zur Grunderfahrung des 20. Jahrhunderts. Das „Schwebende, Vielnamige, Wesenlose“, hinter dem die „ungeheuren Abgründe des Daseins“ liegen, wurde zum immer erneut ergriffenen, immer erneut gestalteten Thema in der modernen Dichtung. Es ist das Thema des Wirklichkeitszerfalls, das seit der Jahrhundertwende die deutsche Literatur wie ein roter Faden durchzieht, und dessen verschiedene Gestaltungsversuche sich zu einer heute bereits klar überschaubaren Entwicklungsreihe zusammenschließen, deren Beschreibung und wissenschaftliche Darstellung zum Gegenstand eines eigenen größeren Untersuchungszusammenhangs gemacht werden müßte[2]. Gottfried Benn, in dessen früher expressionistischer Prosa, die sich um die autobiographisch gefärbte Gestalt des jungen Arztes Dr. Rönne gruppiert, die veränderte Welt- und Wirklichkeitsauffassung bereits ihren dichterischen Niederschlag gefunden hatte, gibt in seiner berühmten Akademie-Rede von 1932 dem allgemeinen Epochenbewußtsein Ausdruck in Formulierungen, die in unmittelbarer Nähe der Exkurse in Brochs „Schlafwandlern“ stehen:

> Eine neue Zerebralisationsstufe scheint sich vorzubereiten, eine frigidere, kältere: die eigene Existenz, die Geschichte, das Universum nur noch in zwei Kategorien zu erfassen: dem Begriff und der Hallunzination. Der Realitätszerfall seit Goethe geht so über alles Maß, daß selbst die Stelzvögel, wenn sie ihn bemerkten, ins Wasser müßten: der Erdboden ist zerrüttet von purer Dynamik und von reiner Relation. Funktionalismus, wissen Sie, heißt die Stunde, trägerlose Bewegung, unexistentes Sein. Um eine verschleierte und irre Utopie der Prozeß an sich, die Wirtschaft als solche, eine Flora und Fauna von Betriebsmonaden und alle verkrochen hinter Funktionen und Begriff. Die alten Realitäten Raum und Zeit Funktionen von Formeln; Gesundheit und Krankheit Funktion von Bewußtsein; überall imaginäre Größen, überall dynamische Phantome, selbst die konkretesten Mächte wie Staat und Gesellschaft substantiell gar nicht mehr zu fassen, immer nur der Prozeß an sich, immer nur die Dynamik als solche –[3];

Auch Benn sieht – ähnlich wie Broch – in dem bis zum Extrem gesteigerten Gegeneinander von Rationalität und Irrationalität („die eigene Existenz, die Geschichte, das Universum nur noch in zwei Kategorien zu erfassen: dem Begriff und der Halluzination.“) die Ursache des fortschreitenden „Funktionalismus“, der Auflösung einer festgeglaubten Wirklichkeitsstruktur in substanzlose, „trägerlose“, nur noch um ihrer selbst willen daseiende „Dynamik“. Der Mensch und seine Gemeinschaftsformen wie auch die Welt der Dinge entziehen sich in zunehmendem Maße dem begreifenden und gestaltenden Zugriff, beide Wirklichkeitssphären lösen sich auf in ein unentwirrbares Netz von Beziehungen, die nicht mehr in einem ruhenden Punkt zusammenlaufen, sondern sich im Unendlichen verlieren. Daß wir es hier nicht mit mehr oder minder privaten und subjektiven Er-

[2] Einen ersten Versuch in dieser Richtung hat Walter Jens unternommen in seinem Aufsatz „Der Mensch und die Dinge“, dem auch wir wertvolle Anregungen verdanken. (In: Walter Jens. Statt einer Literaturgeschichte. a. a. O. S. 61–85).

[3] Gottfried Benn. Gesammelte Werke in vier Bänden. Hg. von Dieter Wellershoff. Bd. 1. Essays, Reden, Vorträge. Wiesbaden 1959. S. 433.

lebnissen und Erfahrungen Einzelner zu tun haben, zeigt ein nur flüchtiger Blick auf die gleichzeitige fundamentale Umwälzung des physikalischen Weltbildes, die um etwa 1900 einsetzt und in der Relativitätstheorie Einsteins kulminiert.

Die veränderte Situation des Menschen der Wirklichkeit gegenüber, die erkenntnistheoretisch gesehen in einer tiefgreifenden Verwandlung des menschlichen Selbstbewußtseins begründet ist[4], stellt auch die Dichtung vor völlig neue Probleme. Indem der Gegenstand des Dichtens, die Welt der äußeren und der inneren Erfahrung, sich auflöst ins unkrontrollierbar, unbewältigbar und undarstellbar Dynamische, zerbricht die noch in der Dichtung des 19. Jahrhunderts problemlos bestehende Einheit von Sprachwelt und Objektwelt, und der Akt des Dichters als solcher wird fragwürdig.

Hugo von Hofmannsthal hat in seinem vielzitierten „Brief des Lord Chandos" (1901), der wie ein Menetekel am Beginn der Dichtung des 20. Jahrhunderts steht, dieser umstürzenden Erfahrung Ausdruck verliehen:

> Mein Fall ist, in Kürze, dieser: Es ist mir völlig die Fähigkeit abhanden gekommen, über irgend etwas zusammenhängend zu denken oder zu sprechen.
>
> Zuerst wurde es mir allmählich unmöglich, ein höheres oder allgemeineres Thema zu besprechen und dabei jene Worte in den Mund zu nehmen, deren sich doch alle Menschen ohne Bedenken geläufig zu bedienen pflegen. Ich empfand ein unerklärliches Unbehagen, die Worte „Geist", „Seele" oder „Körper" nur auszusprechen. Ich fand es innerlich unmöglich, über die Angelegenheiten des Hofes, die Vorkommnisse im Parlament, oder was Sie sonst wollen, ein Urteil herauszubringen. Und dies nicht etwa aus Rücksichten irgendwelcher Art, denn Sie kennen meinen bis zur Leichtfertigkeit gehenden Freimut: sondern die abstrakten Worte, deren sich doch die Zunge naturgemäß bedienen muß, um irgendwelches Urteil an den Tag zu geben, zerfielen mir im Munde wie modrige Pilze[5].

Das ist die harte Konsequenz, der sich Lord Chandos – d. h. aber der junge Hofmannsthal selbst – angesichts der neuen Wirklichkeitserfahrung ausgeliefert weiß: die Unmöglichkeit, über irgendetwas im Zusammenhang zu sprechen. Dem Dichter ist die Fähigkeit abhanden gekommen, vermittels der Sprache die Brücke vom Ich zur Welt zu schlagen, einsam und sprachverstummt steht er einer Wirklichkeit gegenüber, die ihn bedroht, die ihn überwältigt, die sich ihm aufdrängt, da er sie nicht mehr in das distanzschaffende Wort zu bannen fähig ist:

> Mein Geist zwang mich, alle Dinge ... in einer unheimlichen Nähe zu sehen: so wie ich einmal in einem Vergrößerungsglas ein Stück von der Haut meines kleinen Fingers gesehen hatte, das einem Blachfeld mit Furchen und Höhlen glich, so ging es mir nun mit den Menschen und ihren Handlungen. Es gelang mir nicht mehr, sie mit dem vereinfachenden Blick der Gewohnheit zu erfassen. Es zerfiel mir alles in Teile, die Teile wieder in Teile, und nichts mehr ließ sich mit einem Begriff umspannen. Die einzelnen Worte schwammen um mich; sie gerannen zu Augen, die mich anstarrten und in die ich wieder hineinstarren muß: Wirbel sind sie, in die hinabzusehen mich schwindelt, die sich unaufhaltsam drehen und durch die hindurch man ins Leere kommt[6].

[4] Vgl. Erich Kahler. Die Verinnerung des Erzählens. a. a. O. S. 502.

[5] Hugo von Hofmannsthal. Gesammelte Werke in Einzelausgaben. Hg. von H. Steiner. Prosa II. Frankf. a. M. 1951. S. 12–13.

[6] Ebd. S. 14.

Die Emanzipation der Dingwelt zieht die Emanzipation der Sprachwelt nach sich, beide Sphären lassen sich nicht mehr zur Deckung bringen, es fehlt das tertium comparationis, das sie vereinen könnte, und an seine Stelle tritt das „Leere“[7]. So steht am Ende des „Chandos-Briefs“ der Wunsch nach einer wortbefreiten Sprache über den Sprachen, in der die „stummen Dinge“ wieder zum Menschen reden und durch die die verlorengegangene Einheit von Ich und Welt wiederhergestellt wird[8].

Die in diesem frühen Dokument[9] von Hofmannsthal dargestellte Trennung von Dingwelt und Sprachwelt, die Verselbständigung der Objektsphäre, ihre durch die Sprache nicht mehr zu bannende Aggressivität gegen den „sprach“los

[7] Hofmannsthal hat sechs Jahre nach dem „Chandos-Brief“ in den „Briefe(n) des Zurückgekehrten“ (1907) noch einmal das Thema des Wirklichkeitszerfalls gestaltet. Auch hier wieder findet sich, wie schon in den oben angeführten Zitaten aus dem Aufsatz „Englischer Stil“ und dem „Chandos-Brief“, der Begriff des Leeren. In dem vierten der „Briefe des Zurückgekehrten“ heißt es: „Zuweilen kam es des Morgens, in diesen deutschen Hotelzimmern, daß mir der Krug und das Waschbecken – oder eine Ecke des Zimmers mit dem Tisch und dem Kleiderständer so nicht-wirklich vorkamen, trotz ihrer unbeschreiblichen Gewöhnlichkeit so ganz und gar nicht wirklich, gewissermaßen gespenstisch, und zugleich provisorisch, wartend, sozusagen vorläufig die Stelle des wirklichen Kruges, des wirklichen mit Wasser gefüllten Waschbeckens einnehmend. Wüßte ich nicht, daß Du ein Mensch bist, dem eigentlich nichts groß, nichts klein vorkommt und vor allem nichts ganz absurd, ich käme nicht weiter. Immerhin kann ich ja vielleicht den Brief unabgeschickt lassen. Aber es war so. In den andern Ländern drüben, selbst in meinen elendesten Zeiten, war der Krug oder der Eimer mit dem mehr oder minder frischen Wasser des Morgens etwas Selbstverständliches und zugleich Lebendiges: ein Freund. Hier war er, kann man sagen: ein Gespenst. Es ging von seinem Anblick ein leichter unangenehmer Schwindel aus, aber kein körperlicher. Ich konnte dann ans Fenster treten und ganz dasselbe mit drei oder vier Droschken erleben, die an der andern Staßenseite standen und warteten. Sie waren Gespenster von Droschken. Es verursachte eine fast dauerlose leise Übelkeit, sie anzusehen: es war wie ein momentanes Schweben über dem Bodenlosen, dem Ewig-Leeren.“ (Prosa II. S. 344).

[8] A. a. O. S. 22.

[9] Ein weiteres frühes Zeugnis für die im „Chandos-Brief“ dargestellte Problematik stammt gleichfalls aus dem Wiener Kreis um Hofmannsthal. In der in ihrer Bedeutung für die Genesis des expressionistischen Stils noch kaum erkannten und entdeckten Erzählung „Der Tod Georgs“ (1900) von Richard Beer-Hofmann stoßen wir auf Abschnitte, die, wenn auch stärker als bei Hofmannsthal von Geist des „fin de siècle“ bestimmt, in unmittelbarer Nähe zu dem Erlebniskomplex des „Chandos-Briefs“ stehen: „Er stand still und sah auf den See, der nicht mehr spiegelte und nur Dunkelheit schien, die weithin wuchs, bis zu schmalen helleren Streifen, die Wolken waren – flüchtiger und zerrinnender als Wasser und Sand. Dann wandte er sich und merkte, dass etwas neben ihm aus dem Sand ragte. Nur die Umrisse erkannte er im Dunkel; es schien eine Pflanze mit kleinen verkümmerten Blättern die hart an dem verästelten hohen Stiel saßen; die dunkle Masse ganz oben war wohl eine Blüthe. Er neigte sich über sie. Ein leichter Duft hob sich ihm aus dem Kelch entgegen. Da wusste er – aber kein Wissen, in Worte oder Gedanken zu fassen, war es, wie ein fallender Stern leuchtend über den Nachthimmel hin schwindet, durchflog es ihm – dass er allein war; er und Alles. Keine Brücken führten von ihm zum Duft der Pflanzen, zum stummen Blick der Thiere, und zur Flamme die nach oben lechzte, und zum Wasser das zur Tiefe wollte, und zur Erde, immer bereit Alles zu verschlingen und Alles wieder von sich zu speien. Und Blicke und Worte und errathene Gedanken der Menschen waren lügnerische Brücken die nicht trugen. Hilflos und Niemandem hel-

und daher ungeschützt dem Aufstand der Dinge ausgelieferten Menschen: dieser Komplex ist zu einem Kernthema der Dichtung in der ersten Hälfte des 20. Jahrhunderts geworden. Wir greifen hier nur einige wenige hervorstechende Beispiele heraus, um an ihnen gestaltbestimemnde Züge der modernen Wirklichkeitserfahrung und ihrer dichterischen Gestaltung abzulesen, die wir im Werk Brochs wie in einem Sammelbecken wiederfinden.

In Rilkes „Aufzeichnungen des Malte Laurids Brigge" (1910) und in Robert Musils „Vereinigungen" (1911) ist der im „Chandos-Brief" beschriebene Vorgang in die dichterische Bildwirklichkeit übersetzt. Das bei Hofmannsthal noch vorhandene – obschon bedrohte – Gegenüber von Mensch und Ding ist bei Rilke und Musil einem ununterscheidbaren Ineinander beider Sphären gewichen, einem Verströmen und Verfließen ihrer Grenzen, das das herkömmliche Verhältnis von Subjekt und Objekt ad absurdum führt. Vor allem in den „Vereinigungen" von Musil ist dieser Prozeß mit einer die Elemente überscharfer sinnlicher Beobachtung und exakter intellektueller Bewußtheit vereinigenden Mikro-Optik registriert und in einer die Bildlichkeit der expressionistischen Prosa vorwegnehmenden und sie zum Teil an Kühnheit übertreffenden Sprache dargestellt:

> Der leere Raum zwischen ihr und den Dingen verlor sich und war seltsam beziehungsgespannt. Die Geräte wuchteten wie unverrückbar auf ihren Plätzen, – der Tisch und der Schrank, die Uhr an der Wand, – ganz erfüllt von sich selbst, von ihr getrennt und so fest in sich geschlossen wie eine geballte Faust; und doch waren sie manchmal wieder wie in Veronika oder sie sahen wie mit Augen auf sie, aus einem Raum, der wie eine Glasscheibe zwischen Veronika und dem Raum lag. Und sie standen da, als ob sie viele Jahre nur auf diesen Abend gewartet hätten, um zu sich zu finden, so wölbten und bogen sie sich in die Höhe, und unaufhörlich strömte dieses Übermäßige von ihnen aus, und das Gefühl des Augenblicks hob und höhlte sich um Veronika, wie wenn sie selbst plötzlich wie ein Raum mit schweigend flackernden Kerzen um alles stünde[10].

Die Dinge sind zu lebendigen Wesen geworden, die den Menschen beobachten („... oder sie sahen wie mit Augen auf sie ...") und vor denen er, wie es an einer anderen Stelle der „Vereinigungen" heißt, sich „schämt"[11]. Der Mensch

fend, einsam neben einander, lebte sich ein Jedes, unverstanden, stumm, zu Tode." (Richard Beer-Hofmann. Der Tod Georgs. Berlin 1900. S. 125–126).

Die Bildlichkeit des Stils im „Tod Georgs" ist schon ganz bestimmt von jener die Wirklichkeit entstellenden und verzerrenden mikroskopischen Optik, die für alle in unseren Zusammenhang gehörenden Texte charakteristisch ist (vgl. S. 176f. unserer Arbeit): „Ihre Stirnen waren vom Hutrand überschattet, aber die mager sich streckenden Hälse und ihre Gesichter, waren in grellem Sonnenlicht. Wie schlecht gespannte Leinwand nothdürftig Gerüst und Seile einer Gauklerbude verkleidet, so schien ihre Haut schlaff und fältig über die hart hervortretenden Knochen und Sehnen gehängt. Glanzlose Augen lagen wie trübe, zufrierende Lachen in dunkeln, tiefgeschaufelten Gruben; um ihren eingesunkenen, kindisch zahnlosen Mund starrten weisse Stoppeln; in der Sonne, die grell in die scharfgerissenen Furchen ihrer Wangen leuchtete, und Licht auf die hohen Ränder legte, und schwarzen Schatten in die Tiefe der Rinnen warf, glichen ihre Gesichter einander, wie gefrorene kahle Aecker, gesprengt und zerklüftet von Kälte und Frost, einander gleichen." (a. a. O. S. 135–136)

[10] Robert Musil. Gesammelte Werke in Einzelausgaben. Hg. von A. Frisé. Prosa, Dramen, späte Briefe. Hamburg 1957. S. 220. [11] A. a. O. S. 178.

dagegen wird in die Dinge hineingezogen, er wird selbst zum Ding oder zum alles umfasenden, alles in sich bergenden Raum. Walter Jens hat darauf hingewiesen, daß mit der Verselbständigung und Vitalisierung der Dingsphäre auch die Sprache eine neue Dimension gewinnt. Sie wird, wie Jens treffend formuliert, zum „Stil der redenden Dinge"[12]. Wir möchten dem hinzufügen: sie wird auch zum Stil des verdinglichten Menschen:

> Und es gab – verworren noch im Wachen – ein wahnsinnig stilles ihn Ansehn, wo sie ihre Blicke leise wie Nadeln in ihn hineingleiten ließ, tiefer und tiefer, ob nicht in einem Zittern seines Lächelns, in einem Verziehen seiner Lippen, in irgendeiner Bewegung der Qual etwas wie ein Toter Verschenktes sich ihr plötzlich mit der unberechenbaren Fülle des Lebendigen verwirklicht entgegenhübe. Seine Haare wurden dann wie ein Gestrüpp und seine Nägel wurden wie große glimmrige Platten, sie sah feuchtfließende Wolken im Weißen seiner Augen und kleine spiegelnde Teiche, er lag ganz geöffnet häßlich da, mit entwaffneten Grenzen, aber seine Seele war noch in einem letzten Gefühl nur von sich selbst verborgen[13].

„Mein Geist zwang mich", hieß es in Hofmannsthals „Chandos-Brief",

> alle Dinge ... in einer unheimlichen Nähe zu sehen: so wie ich einmal in einem Vergrößerungsglas ein Stück von der Haut meines kleinen Fingers gesehen hatte, das einem Blachfeld mit Furchen glich, ...

Die überscharfe, distanzlos nahe an den Gegenstand heranrückende dichterische Optik bewirkt eine Denaturierung und Verzerrung der Wirklichkeit. Es ist dies die Grunderfahrung auch der Brochschen Gestalten in den „Schlafwandlern", denen in der unerwarteten Heimsuchung durch schlafwandlerische Visionen die gewohnte Wirklichkeit entgleitet und, wie es an einer Stelle heißt, ins „Unmenschliche umzukippen" (S. 120) droht:

> In ihrem Stuhl zurückgelehnt, blinzelte sie auf die herbstliche Landschaft, und das zurückgeworfene Gesicht, rechtwinklig fast gegen den gespannten Hals abgebogen, war wie ein unebenes Dach auf diesen Hals aufgesetzt. Vielleicht mochte man auch sagen, daß es auf dem Kelch des Halses schwamm wie ein Blatt oder ihn abschloß wie ein flacher Deckel, denn eigentlich war es kein richtiges Gesicht mehr, sondern bloß ein Teil des Halses, sah aus dem Hals hervor, sehr entfernt an das Gesicht einer Schlange erinnernd. Joachim folgte der Linie des Halses; hügelartig sprang das Kinn vor und dahinter lag die Landschaft des Gesichtes. Weich lagen die Ränder des Mundkraters, dunkel die Höhle der Nase, geteilt durch eine weiße Säule. Wie ein kleiner Bart sproß der Hain der Augenbrauen und hinter der Lichtung der Stirne, die durch dünne Ackerfurchen geteilt war, war Waldesrand ... Er schloß ein wenig die Augen und schaute durch den Spalt über die Landschaft des hingebreiteten Gesichtes. Da verfloß es mit dem Gesicht der Landschaft selber, der Waldessaum der Haare setzte sich fort in dem gelblichen Gelaube des Forstes und die Glaskugeln, die die Rosenstöcke des Vorgartens zierten, glitzerten gemeinsam mit dem Stein, der im Schatten der Wange, – ach, war es noch eine Wange, – als Ohrgehänge sonst blitzte. (S. 112).

Im Unterschied zu dem Textbeispiel von Musil, in dessen „Vereinigungen" die Distanz des Lesers zum Dargestellten durch die das Erzählgeschehen übergrei-

[12] Statt einer Literaturgeschichte. a. a. O. S. 65.
[13] Robert Musil. Vereinigungen. a. a. O. S. 222.

fende und überlagernde Perspektivik des Autors noch aufrechterhalten bleibt, wird bei Broch der Leser unmittelbar in die Erfahrung der Auflösung und Entwirklichung der Wirklichkeit hineingezogen. Während bei Musil die Vergleichsebene bestehen bleibt („... wie ein Gestrüpp ...“; „... wie große glimmrige Platten ...“), gleitet bei Broch der Vergleich („... wie ein unebenes Dach ...“; „... wie ein flacher Deckel ...“) infolge der Einverwandlung des Erzählten in die Perspektive Pasenows über die Metapher („... die Landschaft des Gesichtes ...“; „... die Höhle der Nase ...“; „... Lichtung der Stirne ...“) in die Identifikation über („... hinter der Lichtung der Stirne ... war Waldesrand“). Mensch und Ding sind identisch geworden und werden vom Leser als identisch erlebt.

Der Verdinglichung der körperlichen Erscheinung des Menschen steht deren Vivifizierung und Animisierung gegenüber. Wie die Welt der ihm begegnenden Dinge, so entgleitet dem Menschen auch der eigene Körper. Auflösung der Wirklichkeit und Zerfall des körperhaften Ichbewußtseins sind wechselseitig einander bedingende Erscheinungsformen eines Prozesses. Für die Animisierung der Körpersphäre bieten wiederum die beiden oben angeführten Werke von Rilke und Musil reiches Anschaungsmaterial. So wird Rilkes Malte heimgesucht von einer Erfahrung, dic cr, ratlos ihr ausgeliefert, in Erinnerung an Fieberträume in der Kindheit, das „Große“ nennt:

> Jetzt war es da. Jetzt wuchs es aus mir heraus wie eine Geschwulst, wie ein zweiter Kopf, und war ein Teil von mir, obwohl es doch gar nicht zu mir gehören konnte, weil es so groß war. Es war da, wie ein großes totes Tier, das einmal, als es noch lebte, meine Hand gewesen war oder mein Arm. Und mein Blut ging durch mich und durch es, wie durch einen und denselben Körper. Und mein Herz mußte sich sehr anstrengen, um das Blut in das Große zu treiben: es war fast nicht genug Blut da. Und das Blut trat ungern ein in das Große und kam krank und schlecht zurück. Aber das Große schwoll an und wuchs mir vor das Gesicht wie eine warme bläuliche Beule und wuchs mir vor den Mund, und über meinem letzten Auge war schon der Schatten von seinem Rande[14].

Die auffallende Vorliebe der Dichtung im 20. Jahrhundert für die Analyse extremer und abnormer, oftmals pathologischer Erlebnis- und Erfahrungsbereiche hat zur Schaffung eines neuen Menschentyps geführt, den wir allenthalben in der modernen Literatur, vor allem in der Epik wiederfinden. Charakteristisch für die Zeichnung dieses menschlichen „Extremtypus“[15] ist die Nähe zu klinischen Krankheitsbildern wie Schizophrenie, Paranoia usw., in denen die für unseren Zusammenhang wichtigen Phänomene wie der Verlust des Ichgefühls, der Kontaktverlust mit der Außenwelt, das Gefühl der Bedrohung durch die Dinge usw. als Symptome auftreten. Am Beginn der diesen Extremtypus verkörpernden Gestaltenreihe steht – einsam und seiner Zeit weit voraus – Georg Büchners Lenz. Naturwissenschaftlich-medizinisches Wissen und dichterisch-intuitives Nacherleben sind im „Lenz“ (1839) vereinigt in der Gestaltung eines Erfahrungs- und Erlebniskomplexes, dem wir erst im 20. Jahrhundert in Gestalten wie dem Irren

[14] Rainer Maria Rilke. Gesammelte Werke. Bd. 5. Schriften in Prosa. Zweiter Teil. Leipzig 1930. S. 76–77.

[15] Vgl. Walter Jens. Statt einer Literaturgeschichte. a. a. O. S. 79.

und dem Dieb in den gleichnamigen Novellen von Georg Heym (1913), Septimus Warren Smith in Virginia Woolfs „Mrs. Dalloway“ (1925), Moosbrugger und Clarissa in Robert Musils „Mann ohne Eigenschaften“ wiederbegegnen. Auch die Schlafwandlergestalten Brochs gehören in einem gewissen Sinne hierher[16]. Mit der Figur des Maurers und Landwehrmanns Ludwig Gödicke, der im dritten Band der Schlafwandlertrilogie ein eigener Erzählzusammenhang gewidmet ist, der sich kontrapunktisch in die Reihe der anderen auf die Exkurse bezogenen Handlungsfragmente (Hanna Wendling: Vereinsamung des Ich; Lazarettepisode: Zerfall der Werte) einfügt, hat Broch das Thema des Ichzerfalls, das schon in den beiden ersten Bänden eine bedeutende Rolle spielt, noch einmal aufgenommen und an einem besonderen „Fall“ zu veranschaulichen gesucht. Der verschüttet gewesene Gödicke befindet sich auf der Suche nach seinem Ich, das sich ihm hinter den verschiedenen „Ichs“ seiner zerschlagenen und zerspalteten Seele verbirgt:

> Es war wie ein Dröhnen in seinen Ohren, ein Dröhnen der Seele, ein Dröhnen des Ichs, das so stark dröhnte, daß er es mit dem ganzen Körper spürte, aber es war auch, wie wenn man einen Erdknebel unter die Zunge geschoben bekam, einen erstickenden Knebel, der einem alle Gedanken veränderte. Oder vielleicht war es auch anders, jedenfalls aber war es etwas Übermächtiges, dem man sich ausgeliefert fühlte. Es war, als wollte man den Mörtel auf eine Ziegellage aufstreichen und der Mörtel erstarrte schon auf der Kelle. Es war, als gäbe es hier einen Baupolier, der zu einer unstatthaften und unmöglichen Eile antrieb und die Ziegel in rasender Eile auf das Gerüst schaffen ließ, so daß sie sich türmten und nicht aufzuarbeiten waren. Das Gerüst mußte einstürzen, wenn man, solchem Treiben Einhalt zu tun, die Ziegelwinde und die Betonmischmaschine nicht rechtzeitig unbrauchbar machte. Am besten wäre es, die Augen würden einem wieder zuwachsen und die Ohren würden wieder verstopft werden; der Mann Gödicke dürfte nichts sehen, nichts hören, nichts essen dürfte er. Hätte er jetzt nicht so arge Schmerzen, er würde in den Garten gehen und sich eine Handvoll Erde holen, die Löcher zu verstopfen. Und während er sich den bösen Unterleib hielt, aus dem die Kinder herausgeflossen waren, während er die Hände darauf preßte, als sollte nie mehr etwas aus ihm herausfließen dürfen, während er die Zähne aufeinanderbiß und die Lippen schmal machte, damit nicht einmal das Seufzen des Schmerzes ihnen entgleite, da war es ihm, als würden ihm solcherart die Kräfte wachsen, als könnten die wachsenden Kräfte das Gerüst immer höher und immer lichter bauen, als wäre er selber allgegenwärtig auf jedem Stockwerk und auf jeder Ebene des Gerüstes und als würde er schließlich doch ganz allein im obersten Stockwerk, an des Gerüstes Spitze stehen, stehen können, stehen dürfen, schmerzlos und gelöst, singend, wie er immer droben gesungen hatte. Die Zimmerleute würden unter ihm arbeiten, hämmern, Klammern einschlagen, und er würde hinunterspucken, wie er immer hinuntergespuckt hat, im weiten Bogen über sie hinwegspucken, und wo es unten hintreffen und aufklatschen würde, dort würden Bäume wachsen, die, so hoch sie auch wüchsen, dennoch nicht bis zu ihm hinaufreichen werden. (S. 466/467).

Das Thema des Ichzerfalls und der Auflösung der Wirklichkeit, dessen Gestaltung wir an einigen Beispielen aufzuzeigen versucht haben, schlägt im Werk Franz Kafkas gewissermaßen in sein Gegenteil um, indem es hier die Kategorie einer

[16] Vgl. S. 70ff. unserer Arbeit.

fixierten Wirklichkeit, die ins Wanken geraten und zerfallen könnte, nicht mehr gibt. Die Irrealisierung und Entwirklichung der Welt ist bei Kafka das Selbstverständliche geworden. Das unterscheidet ihn grundsätzlich von den bisher betrachteten Dichtern des Wirklichkeitszerfalls, es ist dies auch der Punkt, wo, wir bereits angeführt haben[17], seine Weltsicht und diejenige Brochs sich trennen. Die einlinig festgehaltene irreale Perspektivik der Kafkaschen Welt läßt die Frage nach ihrer bestürzenden Andersartigkeit im Vergleich mit den vertrautgewohnten Kriterien nicht mehr aufkommen, da für die „Helden" der Erzählungen und Romane Kafkas diese Kriterien gegenstandslos sind. Nur in seinem Frühwerk, „Beschreibung eines Kampfes"[18], hat der Dichter den Schleier gelüftet und uns den Erlebnisgrund seiner späteren Werke freigelegt, der dort hinter der verschlüsselten Fassade einer scheinbar festen und durch Instanzen gesicherten und geordneten Welt verborgen liegt. Dieser Erlebnisgrund aber ist auch für Kafka, der sich mit der „Beschreibung eines Kampfes" in die hier im Blickfeld stehende Entwicklungsreihe einfügt, die Erfahrung des Zerfalls und der Auflösung der Realität:

> „Ihr Blick tröstet mich schon eine lange Zeit. Und ich hoffe von Ihnen zu erfahren, wie es sich mit den Dingen eigentlich verhält, die um mich wie ein Schneefall versinken, während vor andern schon ein kleines Schnapsglas auf dem Tisch fest wie ein Denkmal steht."
>
> Was sind das für Tage, die ich verbringe! Warum ist alles so schlecht gebaut, so daß bisweilen hohe Häuser einstürzen, ohne daß man einen äußern Grund finden könnte. Ich klettere dann über die Schutthaufen und frage jeden, dem ich begegne: ‚Wie konnte das nur geschehen! In unserer Stadt – ein neues Haus – das wievielte ist es heute schon! – bedenken Sie doch'. Dann kann mir keiner antworten.
>
> Die Spitze des Rathausturmes macht kleine Kreise. Alle Fensterscheiben lärmen und die Laternenpfähle biegen sich wie Bambus. Der Mantel der heiligen Maria auf der Säule windet sich und die Luft reißt an ihm. Sieht es denn niemand? Die Herren und Damen, die auf den Steinen gehen sollten, schweben.
>
> ‚Was ist es doch, daß ihr tut, als wenn ihr wirklich wäret. Wollt ihr mich glauben machen, daß ich unwirklich bin, komisch auf dem grünen Pflaster stehend. Aber doch ist es schon lange her, daß du wirklich warst, du Himmel, und du Ringplatz bist niemals wirklich gewesen.'
>
> Aber meine Beine, doch meine unmöglichen Beine lagen über den bewaldeten Bergen und beschatteten die dörflichen Täler. Sie wuchsen, sie wuchsen! Schon ragten sie in den Raum, der keine Landschaft mehr besaß, längst schon reichte ihre Länge aus der Sehschärfe meiner Augen.
> Aber nein, das ist es nicht – ich bin doch klein, vorläufig klein –, ich rolle – ich rolle – ich bin eine Lawine im Gebirge! Bitte, vorübergehende Leute, seid so gut, sagt mir, wie groß ich bin, messet nur diese Arme, diese Beine.
>
> Da ist nichts Sicheres, niemand kann Richtung und Dauer bestimmt angeben[19].

[17] Vgl. S. 69f. unserer Arbeit.

[18] Die Erzählung „Beschreibung eines Kampfes" ist nach den Angaben des Herausgebers Max Brod in den Jahren 1902 oder 1903 entstanden. (Franz Kafka. Beschreibung eines Kampfes. a. a. O. S. 345).

[19] Franz Kafka. Gesammelte Werke. Hg. von Max Brod. Beschreibung eines Kampfes. New York (Lizenzausgabe) 1946. S. 43; 44; 45; 51–52; 60; 63.

Die in allen angeführten Stellen auftauchende beängstigte Frage nach dem Wesen einer Wirklichkeit, die ins Unwirkliche zu verfließen und zu versinken droht („Und ich hoffe von Ihnen zu erfahren ...“; „Warum ist alles so schlecht gebaut ...“; „Sieht es denn niemand? ...“; „Was ist es doch, daß ihr tut, als wenn ihr wirklich wäret.“; „Bitte, vorübergehende Leute, seid so gut, sagt mir, wie groß ich bin, ...“), sie wird im späteren Werk Kafkas nicht mehr gestellt. Sie kann nicht mehr gestellt werden, weil die Fragebasis, die Anerkennung einer „normalen“, durch Konvention und Überlieferung gesicherten Wirklichkeit, fehlt. Nur am Beginn[20] der damit strukturell von dem Frühwerk grundsätzlich unterschiedenen späteren Erzählungen und Romane begegnen wir noch dem plötzlichen Erstaunen, mit dem die Kafkaschen „Helden“ die veränderte Situation, in die sie geraten sind, beantworten; nur hier noch wird die Frage Gregor Samsas in der „Verwandlung“ laut: „Was ist mit mir geschehen?“[21]

Bei keinem der hier besprochenen Dichter ist das Problem des Wirklichkeitszerfalls in einem so hohen Grade lebens- und werkbestimmend geworden wie bei Hermann Broch, der in einem Brief aus dem Jahre 1941 von sich bekannt hat, daß er „vielleicht mehr oder zumindest bewußter als die meisten anderen Menschen ... vom Phänomen der fluktuierenden Unerfaßlichkeit des Seins, sowohl der innern wie der äußern Welt, ergriffen und bewegt“ gewesen ist[22]. Diese Erfahrung war es vor allem, die ihn mit James Joyce verband, in dessen „Ulysses“ wir die für sein Werk höchst aufschlußreiche und kunsttheroretisch bedeutsame Frage nach der Möglichkeit der dichterischen Gestaltung einer ewig bewegten und proteushaft sich der Fixierung durch das Wort entziehenden Wirklichkeit finden:

> How can you own water really? It's always flowing in a stream, never the same, which in the stream of life we trace. Because life is a stream[23].

Es war dies auch die Urfrage Brochs, die Frage nach der Aufgabe und der Möglichkeit des Dichters und der Dichtung angesichts der „fluktuierende(n) Erfahrung einer fluktuierenden Realität“[24].

Wir haben diesen Exkurs bewußt an das Ende unserer Untersuchung der „Schlafwandler“ gestellt, bildet das in ihm skizzierte Problem doch die thematische Angel, die den ersten Roman Brochs mit dem „Tod des Vergil“ verbindet. Die im „Chandos-Brief“ von Hofmannsthal dargestellte Trennung von Sprachwelt und Dingwelt bildet den Ausgangspunkt für das diese Trennung durch eine forcierte Überspannung der dichterischen und sprachlichen Mittel zu überwinden trachtende Hauptwerk Brochs. Der späte Broch selbst hat die im „Tod des Vergil“

[20] Vgl. Wilhelm Emrich. Franz Kafka. In: Deutsche Literatur im zwanzigsten Jahrhundert. a. a. O. Bd. 2. S. 192f.

[21] Franz Kafka. Gesammelte Werke. Hg. von Max Brod. Erzählungen. New York (Lizenzausgabe) 1946. S. 71.

[22] Briefe. S. 179.

[23] James Joyce. Ulysses. The Odyssey Press. Hamburg – Paris – Bologna. Fourth Impression 1939. Vol. I, S. 156.

[24] Essays. Bd. 1. S. 192.

entwickelte Problematik in einer tiefschürfenden Interpretation der Chandos-Situation des jungen Hofmannsthal[25] zu klären versucht:

> Der „Chandos-Brief" schildert den Extremfall der völligen Vernichtung, da hier der Mensch, unfähig zur Identifikation, unfähig zur Überwindung der Spannung zwischen dem Erkennen und dem Erkannten, restlos dem unerkennbaren Sein, den Dingen, ihrer ungreifbaren Feindlichkeit, ihrer Unbegreiflichkeit, ihrer Ironie ausgeliefert ist[26].

Der Dichter, wie ihn der „Chandos-Brief" beschreibt, unfähig, die getrennten Sphären zu vereinen, ausgesetzt einer Unstimmigkeit, in der die Dinge den in sprachverstummter Hilflosigkeit Verharrenden zu überwältigen drohen, befindet sich, wie es in Brochs Hofmannsthal-Aufsatz weiter heißt, „im Zustand der Panik, im tiefsten Absturz des Menschen"[27]. Genau das aber ist die Situation des sterbenden Dichters der Äneis in Hermann Brochs „Tod des Vergil":

> Hofmannsthals junger Edelmann gerät in panikerfüllte Verzweiflung, weil er Ästhet ist und in seiner Überheblichkeit keinen Ausweg mehr findet; würde ein wahrhaft Demütiger und Frommer von der Chandos-Katastrophe ereilt werden, sie würde ihn noch frömmer machen, und sein Schweigen wäre Zerknirschung, wäre das Suchen nach noch tieferen Realitäten[28].

[25] Brochs Hofmannsthal-Aufsatz (vgl. auch S. 14f. unserer Arbeit), der in der Ausgabe der „Essays" jetzt vollständig vorliegt (ein Teil erschien bereits 1951 unter dem Titel: „Hugo von Hofmannsthals Prosaschriften", in: Die Neue Rundschau 62 (1951), S. 1–30, und: „Der junge Hofmannsthal", in: Literarische Revue 4, S. 287–292), ist für uns eine der wichtigsten Quellen zur Erhellung des Problems der Dichtung und des Dichters, wie es im Mittelpunkt des „Tod des Vergil" steht. Die überragende Bedeutung dieses Aufsatzes ist auch von der Broch-Kritik bereits klar erkannt. So schreibt Felix Stössinger: „Selten läßt sich die Projizierung des eigenen Wesens in einem Essay über einen Dichter so spannend verfolgen wie in dieser Arbeit; die vierte Gattung (Kritik) ist in einem solchen Stück nicht mehr von einer erkenntnistheoretischen Novelle zu unterscheiden". (In: Von Proust zu Broch. a. a. O. S. 445. Diese Äußerung Stössingers bezieht sich auf den bereits 1951 erschienenen Teil) Dennoch liegt schon in der von Stössinger gebrauchten Bezeichnung des Aufsatzes als „erkenntniskritischer Novelle" das Problematische dieser Arbeit in Bezug auf ihre sachgerechte Beurteilung von Hofmannsthal selbst. Zweifellos hat Broch Entscheidendes zur Erkenntnis Hofmannsthals zu sagen, man wird jedoch eine gewisse Aktualisierung der Hofmannsthalschen Positionen nicht überhören dürfen. Es scheint erlaubt, hier von einem „produktiven Mißverständnis" zu sprechen, ohne damit den Wert dieser Arbeit, vor allem aber ihre Bedeutung für eine tiefere Erkenntnis Brochs, in Frage zu stellen. Das gilt besonders für die „metaphysische" Interpretation des „Chandos-Briefs". Darauf hat Paul Requadt aufmerksam gemacht: „Obwohl Broch als produktiver Künstler spricht, der Hofmannsthal in sich überwindet – wer könnte eine nähere Beziehung zu ihm haben? – wird man den Chandos-Brief nicht so eindeutig und modern als Zeichen einer Bewußtseinskrise nehmen dürfen, die durch Theorien zu meistern wäre, und ebenso wenig wird man darin einen ‚Bruch mit dem Ästhetizismus' sehen können, höchstens eine entschiedenere Orientierung, denn jener Bruch war ja schon längst vollzogen." (In: Paul Requadt. Hugo von Hofmannsthal. Deutsche Literatur im zwanzigsten Jahrhundert. a. a. O. Bd. 2. S. 71.) Wir wagen es nicht, uns an dieser Stelle in eine Diskussion über Hofmannsthal selbst einzulassen. Die noch ausstehende Untersuchung über das Verhältnis von Broch und Hofmannsthal wird diese Frage zu beantworten haben.

[26] Essays. Bd. 1. S. 156. [27] Ebd. S. 157. [28] Ebd. S. 160.

Literaturverzeichnis

Grundsätzliche Vorbemerkung:

Das Literaturverzeichnis gliedert sich in drei Teile:

1. Das Werk Hermann Brochs. Textgrundlage ist die Ausgabe der „Gesammelten Werke", die der Rhein-Verlag, Zürich, veranstaltet hat. (1952ff.) Es werden weiterhin die Werke, Aufsätze, Rezensionen und Briefe Brochs aufgeführt, die vom Verlag nicht in die Ausgabe der „Gesammelten Werke" aufgenommen worden sind. Es wurde angestrebt, sämtliches erreichbare Material zusammenzutragen. Bei der Aufführung der einzelnen Titel aus den „Gesammelten Werken" ist jeweils das Erscheinungsjahr und der Erscheinungsort der ersten Veröffentlichung mitangegeben. Zitate aus den „Schlafwandlern" sind im Text der Arbeit selbst gekennzeichnet worden.

2. Allgemeine Literatur zur Geschichte und Ästhetik des modernen Romans und der modernen Dichtung. Dieser Teil macht selbstverständlich keinen Anspruch auf Vollständigkeit. Es wurden nur diejenigen Titel aufgenommen, die als Hilfsmittel für die Arbeit gedient haben.

3. Broch-Bibliographie. Es wird an dieser Stelle zum erstenmal der Versuch unternommen, ein umfassendes Verzeichnis aller Arbeiten, Rezensionen usw. über Hermann Broch zusammenzustellen. Es wurden auch solche Titel aufgenommen, die infolge von Beschaffungsschwierigkeiten nicht zugänglich waren. Sie sind jeweils durch ein (*) gekennzeichnet.
Alle weitere Literatur ist in den Anmerkungen zum Text verzeichnet worden.

Abkürzungen:

Dt. Vjschr. = Deutsche Vierteljahrsschrift für Geistesgeschichte und Literaturwissenschaft. 1923ff.

PMLA = Publications of the Modern Language Association of America. New York.

1. Das Werk Hermann Brochs

A. Die Ausgabe der „Gesammelten Werke" im Rhein-Verlag, Zürich

Band 1 Gedichte. Herausgegeben und eingeleitet von Erich Kahler. 1953.
(Eine erste Ausgabe von Brochs Gedichten erschien 1935 unter dem Titel: „Patmos". Johannespresse, Wien.)

Band 2 Die Schlafwandler. Eine Romantrilogie. 1952.
Der erste Roman
1888 Pasenow oder die Romantik
Der zweite Roman
1903 Esch oder die Anarchie

Der dritte Roman
1918 Huguenau oder die Sachlichkeit
(Die erste Ausgabe erschien 1931/32 in 3 Bden. im Rhein-Verlag, Zürich.)

Band 3 Der Tod des Vergil. 1952.
(Die erste Ausgabe erschien 1945 bei Pantheon Books Inc. New York.)

Band 4 Der Versucher. Aus dem Nachlaß herausgegeben und mit einem Nachwort versehen von Felix Stössinger. 1953.

Band 5 Die Schuldlosen. Roman in elf Erzählungen. Mit einer Einführung von Hermann J. Weigand. 1954. (Die erste Ausgabe erschien im Willi Weismann Verlag, München. 1950.)

Band 6 Dichten und Erkennen. Essays. Bd. 1. Herausgegeben und eingeleitet von Hannah Arendt. 1955.

Band 7 Erkennen und Handeln. Essays. Bd. 2. Herausgegeben und eingeleitet von Hannah Arendt. 1955.

Band 8 Briefe. Von 1929 bis 1951. Herausgegeben und eingeleitet von Robert Pick. 1957.

Band 9 Massenpsychologie. Schriften aus dem Nachlaß. Herausgegeben und eingeleitet von Wolfgang Rothe. 1959.

Band 10 „Die unbekannte Größe“ und frühe Schriften. Herausgegeben und eingeleitet von Ernst Schönwiese. Ergänzt durch die Briefe an Willa Muir, herausgegeben von Eric W. Herd. 1961.

B. Außerhalb der Ausgabe der „Gesammelten Werke“ erschienene Werke, Aufsätze, Rezensionen und Briefe Hermann Brochs

Mathematisches Mysterium (Gedicht). In: Der Brenner 3 (1913), S. 136.

Ein Brief als Beitrag zur „Rundfrage über Karl Kraus“. In: Der Brenner 3 (1913). Sonderdruck der Beiträge zur „Rundfrage über Karl Kraus“: Innsbruck (Brenner-Verlag) 1917. Brochs Brief auf S. 31.

Ethik. Zu (Stuart) Chamberlains „Kant“. In: Der Brenner 4 (1914), S. 684–690.

Zolas Vorurteil. In: Summa, Erstes Viertel, 1917, S. 155–158.

Morgenstern. In: Summa, Zweites Viertel, 1917, S. 150–154 (Initial: Hermann B.).

Eine Methodologische Novelle. In: Summa, Drittes Viertel, 1918, S. 151–159 (Initial: H. J. B.). Wiederabdruck (anonym) unter dem Titel „Antigonus und Philaminthe“ in: Franz Blei. Das Große Bestiarium der Literatur. Die moderne Literatur. Eine Darstellung. Erster Band. Berlin 1922 (4. Aufl. 1924). S. 102–115.

Heinrich von Stein. In: Summa, Drittes Viertel, 1918, S. 166–169 (Initial: H. J. B.).

Konstruktion der historischen Wirklichkeit. In: Summa, Viertes Viertel, 1918, S. I–XVI.

Konstitutionelle Diktatur als demokratisches Rätesystem. In: Der Friede, Wochenschrift für Politik, Volkswirtschaft und Literatur 3 (1919), S. 269–273.

Der Kunstkritiker. In: Die Rettung 2 (1920), S. 78–80 (Initial: H. J. B.).

Der Theaterkritiker Polgar. In: Die Neue Rundschau 31 (1920), S. 655–657 (Initial: H. J. B.).

Die erkenntnistheoretische Bedeutung des Begriffs „Revolution“ und die Wiederbelebung der Hegelschen Dialektik. In: Prager Presse, 30. Juli 1922.

Ethical Duty. In: Saturday Review of Literature, New York, 19. Oktober 1940.

Adolf Hitler's Farewell Address. In: Saturday Review of Literature, New York, 21. Oktober 1944.

Denn sie wissen nicht was sie tun. (Szene aus Brochs Drama „Die Entsühnung", 1933). In: Die Fähre 1 (1946), S. 479–483.

T. S. Eliot. Präludien. Deutsch von Hermann Broch. In: Die Fähre 1 (1946), S. 478.

History as ethical Anthropology. Erich Kahler's Scienza Nuova. In: Festschrift Erich Kahler. Hg. von ELEANOR L. WOLFF und HERBERT STEINER. New York 1950. Dt. Übers. u. d. T.: Geschichte als moralische Anthropologie. Erich Kahlers Scienza Nuova. In: Hamburger akademische Rundschau 3 (1948/49), S. 406–415.

Randbemerkungen zu Elisabeth Langgässers Roman „Das Unauslöschliche Siegel". In: Literarische Revue 4, H. 1, S. 56–59.

Rede über Berthold Viertel. In: Plan 2 (1947/48), S. 297–301. Auszug u. d. T. Berthold Viertel. Dem Sechzigjährigen. In: Berthold Viertel. Dichtungen und Dokumente. Hg. von Ernst Ginsberg. München 1956. S. 406–409.

Brief an Karl Ludwig Schneider vom 21. 2. 1949. Unveröffentlicht. Freundlicherweise zur Verfügung gestellt von Prof. Dr. Schneider, Hamburg.

Brief an Hermann Kasack vom 6. 3. 1949. In: Morgenblatt für Freunde der Literatur 8 (1956), (Suhrkamp Verlag), S. 2.

Letzter Brief an den Herausgeber von „Das Silberboot". In: Das Silberboot 5 (1951/53), S. 6.

Brief an George Saiko vom 20. 5. 1951. In: H. Winter. George Saiko und der moderne Roman nach der Krise. In: Das Silberboot 5 (1951/53), S. 76.

2. *Allgemeine Literatur zur Geschichte und Ästhetik des modernen Romans und der modernen Dichtung*

A. Gesamtdarstellungen

Deutsche Literatur im zwanzigsten Jahrhundert. Gestalten und Strukturen. Hg. von HERMANN FRIEDMANN und OTTO MANN. 4., veränderte und erweiterte Aufl. 2 Bde. Heidelberg 1961.

GÜNTER BLÖCKER: Die neuen Wirklichkeiten. Linien und Profile der modernen Literatur. Berlin 1957.

KARL AUGUST HORST: Die deutsche Literatur der Gegenwart. München 1957.

– –: Das Spektrum des modernen Romans. Eine Untersuchung. München 1960.

WALTER JENS: Statt einer Literaturgeschichte. Pfullingen 1957.

FRITZ MARTINI: Das Wagnis der Sprache. Interpretationen deutscher Prosa von Nietzsche bis Benn. 2. Aufl. Stuttgart 1956.

INGE MEIDINGER-GEISE: Welterlebnis in deutscher Gegenwartsdichtung. 2 Bde. Nürnberg 1957.

HERMANN PONGS: Im Umbruch der Zeit. Das Romanschaffen der Gegenwart. 3., erweiterte Aufl. Göttingen 1958.

ADALBERT SCHMIDT: Wege und Wandlungen moderner Dichtung. Salzburg/Stuttgart 1957.

GERDA ZELTNER-NEUKOMM: Das Wagnis des französischen Gegenwartsromans. Die neue Welterfahrung in der Literatur. Hamburg 1960 (rowohlts deutsche enzyklopädie 109).

B. Aufsätze und Abhandlungen

Theodor W. Adorno: Form und Gehalt des zeitgenössischen Romans. In: Akzente 1 (1954), S. 410–416. Wiederabdruck unter dem Titel: Standort des Erzählers im zeitgenössischen Roman. In: Adorno. Noten zur Literatur. Berlin und Frankfurt a. M. 1958. S. 61–72.

Franz Altheim: Roman und Dekadenz. Tübingen 1951.

Friedrich Beissner: Der Erzähler Franz Kafka. Ein Vortrag. Stuttgart 1952.

Herbert Burgmüller: Zur Ästhetik des modernen Romans. In: Die Fähre 1 (1946), S. 111–120.

Herbert Cysarz: Weltwende im zeitgenössischen Roman. In: Universitas 7 (1952), S. 345–355.

Karlheinz Deschner: Kitsch, Konvention und Kunst. Eine literarische Streitschrift. München 1957 (List-Bücher 93).

Heimito von Doderer: Grundlagen und Funktion des Romans. In: Jahresring 58/59. Stuttgart 1958. S. 67–80.

Wilhelm Emrich: Die Struktur der modernen Dichtung. In: Wirkendes Wort 3 (1952/53), S. 213–223. Wiederabdruck in: Emrich. Protest und Verheißung. Studien zur klassischen und modernen Dichtung. Frankfurt a. M./Bonn 1960. S. 111–122.

– –: Zur Ästhetik der modernen Dichtung. In: Akzente 1 (1954), S. 371–387. Wiederabdruck in: Emrich. Protest und Verheißung. A. a. O. S. 123–134.

– –: Formen und Gehalte des zeitgenössischen Romans. In: Universitas 11 (1956), S. 49–58. Wiederabdruck in: Emrich. Protest und Verheißung. A. a. O. S. 169–175.

– –: Die Literaturrevolution und die moderne Gesellschaft. In: Akzente 3 (1956), S. 173–191. Wiederabdruck in: Emrich. Protest und Verheißung. A. a. O. S. 135–147.

– –: Die Erzählkunst des 20. Jahrhunderts und ihr geschichtlicher Sinn. In: Deutsche Literatur in unserer Zeit. Göttingen 1959 (Kleine Vandenhoeck-Reihe 73/74). Wiederabdruck in: Emrich. Protest und Verheißung. A. a. O. S. 176–192.

Hanns W. Eppelsheimer: Der Schild des Aenas. Betrachtungen zu unserer Literatur. In: Die neue Rundschau 66 (1955), S. 339–368.

E(dward) M(organ) Forster: Aspects of the Novel. London 1927. Deutsche Übersetzung von Walter Schürenberg unter dem Titel: Ansichten des Romans. Berlin/Frankfurt a. M. 1949.

Mario Galetti: Von der Freiheit der epischen Kunstform. In: Frank Thiess. Werk und Dichter. 32 Beiträge zur Problematik unserer Zeit. Hg. von Rolf Italiaander. Hamburg 1950. S. 71–86.

Wilhelm Grenzmann: Motive und Formen der deutschen Dichtung der Gegenwart. In: Stimmen der Zeit 151 (1952/53), S. 343–357.

Alain Robbe-Grillet: Dem Roman der Zukunft eine Bahn. In: Akzente 3 (1958), S. 227–233.

Willy Haas: Wien 1895. Die Wendung zur neuen Epik. In: Forum 3 (1956), H. 25, S. 25–29.

Käte Hamburger: Die Logik der Dichtung. Stuttgart 1957.

– –: Erzählformen des modernen Romans. In: Der Deutschunterricht 11 (1959), H. 4, S. 5–23.

Erich Heller: Enterbter Geist. Essays über modernes Dichten und Denken. Wiesbaden 1954.

Hans Hennecke: Dichtung und Dasein. Gesammelte Essays. Berlin 1950.

ERICH KAHLER: Untergang und Übergang der epischen Kunstform. In: Die neue Rundschau 64 (1953), S. 1–44.

– –: Die Zukunft des Romans. In: Deutsche Universitätszeitung 12 (1957), Nr. 9, S. 14–15.

– –: Die Verinnerung des Erzählens. In: Die Neue Rundschau 68 (1957), S. 501–546.

– –: Die Verinnerung des Erzählens. (II.) In: Die Neue Rundschau 70 (1959), S. 1–54.

ROBERT KANTERS: Der moderne Roman. In: Antares 2 (1954), H. 6, S. 29–33.

WOLFGANG KAYSER: Entstehung und Krise des modernen Romans. 3. Aufl. Stuttgart 1961.

– –: Wer erzählt den Roman? Ein Vortrag. In: Die Neue Rundschau 68 (1957), S. 444 bis 459. Wiederabdruck in: Kayser. Die Vortragsreise. Bern 1958. S. 82–101.

R. KOSKIMIES: Theorie des Romans. Helsinki 1935. (Annales Academiae Scientiarium Fennicae B XXXV, 1).

FRITZ MARTINI: Krise und Zukunft des Romans. In: Die Pforte 1 (1947/48), S. 742–758.

– –: Wandlungen und Formen des gegenwärtigen Romans. In: Der Deutschunterricht 3 (1951), H. 3, S. 5–28.

HERMAN MEYER: Zum Problem der epischen Integration. In: Trivium 8 (1950), S. 299–318.

NORBERT MILLER: Erlebte und verschleierte Rede. In: Akzente 3 (1958), S. 213–226.

GÜNTHER MÜLLER: Die Bedeutung der Zeit in der Erzählkunst. Bonn 1947.

WALTER MUSCHG: Die Zerstörung der deutschen Literatur. 3., erweiterte Aufl. 1958.

– –: Wiederaufbau der deutschen Literatur. In: Deutsche Universitätszeitung 12 (1957), Nr. 15, S. 16–20.

BERNHARD RANG: Der Roman. Kleines Leserhandbuch. 2., ergänzte Aufl. Freiburg 1954.

– –: Die deutsche Epik des 20. Jahrhunderts. In: Deutsche Literatur im zwanzigsten Jahrhundert. A. a. O. Bd. 1. S. 84–98.

HANS S. REISS: Stil und Struktur im modernen europäischen experimentellen Roman. In: Akzente 3 (1958), S. 202–213.

ARNO SCHIROKAUER: Bedeutungswandel des Romans. In: Maß und Wert 3 (1940), S. 575–590.

ADALBERT SCHMIDT: Zur Kunstform des Gegenwartsromans. In: Lebendige Dichtung 2 (1935/36), S. 101–106; 119–124; 139–144; 160–166; 181–187; 197–204; 219–224; 242–247.

PIERRE SCHNEIDER: Der Todeskampf des Romans. In: Antares 2 (1954), N. 3, S. 32–38.

HERBERT SEIDLER: Gegenwartsdichtung und Literaturwissenschaft. Gedanken zu neuen Büchern von Martini, Muschg und Pongs. In: Wirkendes Wort 7 (1956/57), S. 257–268.

FRANZ SCHONAUER: Der Verlust der Realität im modernen Roman. In: Eckart 25 (1956), S. 157–159.

FRANZ STANZEL: Die typischen Erzählsituationen im Roman. Dargestellt an Tom Jones, Moby-Dick, The Ambassadors, Ulysses u. a. Wien-Stuttgart 1955. (Wiener Beiträge zur Englischen Philologie. LXIII. Band.).

ANTON SZERB: Die Suche nach dem Wunder. Umschau und Problematik in der modernen Romanliteratur. Amsterdam-Leipzig 1938.

FRANK THIESS: Zum Gestaltwandel des Romans. In: Die Wirklichkeit des Unwirklichen. Untersuchungen über die Realität der Dichtung. Hamburg 1954.

M. H. WAIDSON: Der moderne Roman in England und Deutschland. In: Wirkendes Wort 7 (1957), S. 152–159.

3. Broch-Bibliographie

Bibliographie: In: Hanns W. Eppelsheimer: Bibliographie der deutschen Literaturwissenschaft. 1945–1953. Frankf. a. M. 1957. S. 447–448.

Bd. II. 1954–1956, bearbeitet von Clemens Köttelwelsch. Frankf. a. M. 1958. S. 314–315. Bd. III. 1957–1958, bearbeitet von CLEMENS KÖTTELWESCH. Frankf. a. M. 1960. S. 212.

A. Allgemeine Literatur

W. ALT: Hermann Broch. In: Wort in der Zeit 4 (1958), S. 65–70.

J.-J. ANSTETT: Le romantisme de Hermann Broch. In: Etudes Germaniques 11 (1956), S. 224–239.

HANNAH ARENDT: Hermann Broch und der moderne Roman. In: Der Monat 1 (1949), H. 8/9, S. 147–151.

– –: The Achievement of Hermann Broch. In: Kenyon Review 11 (1949), S. 476–483.

– –: Einleitung zu Hermann Brochs „Essays“. Essays. Bd. 1. A. a. O. S. 5–42.

K. BACHLER: Drei große „B“. Broch, Brecht und Benn. In: Schweizer Rundschau 44 (1954/55), S. 678–683.

OTTO FORST DE BATTAGLIA: Hermann Broch. (1886–1951). In: Das Silberboot 5 (1951/53), S. 3–5.

MAURICE BLANCHOT: Hermann Broch. In: Nouvelle Revue Française. 3 (1955), No. 32, S. 295–303 (*).

GÜNTER BLÖCKER: Hermann Broch. In: Die neuen Wirklichkeiten. Linien und Profile der modernen Literatur. Berlin 1957. S. 307–318.

LISELOTTE VON BORCKE: Das Romanwerk Hermann Brochs. Eine systematische Untersuchung. Diss. (Masch.). Bonn 1957. (*)

JEAN BOYER: Hermann Broch et le problème de la solitude. Presses Universitaires de France. Paris 1954.

(Rezension: Josef Strelka. In: Euphorion 50 (1956), S. 482–486).

R. BREUER: Hermann Broch – poet and philosopher. In: American-German Review 23 (1956/57), N. 3, p. 12–14.

RICHARD BRINKMANN: Romanform und Werttheorie bei Hermann Broch. Strukturprobleme moderner Dichtung. In: Dt. Vjschr. 31 (1957), S. 169–197.

M(AX) B(RÜCK): Grenzweg. (Über H. Broch) In: Die Gegenwart 6 (1951), Nr. 12, S. 20.

HERBERT BURGMÜLLER: Hermann Broch. Ein Lebensabriß. In: Die Fähre 1 (1946), S. 450.

– –: Hermann Broch oder der Dichter im Zeitalter des Faschismus. In: Das Silberboot 2, S. 161–162.

– –: Begegnung mit Hermann Broch. In: Aufbau 5 (1949), S. 38–44.

G. BUSCH: Hermann Broch oder das System des Unsäglichen. In: Begegnung 10 (1955), S. 358–359. (*)

K. DESNER: Hermann Broh. In: Letopis matice srpske. Novi Sad. Kn. 381 (1958), p. 149–161. (*)

M. DIETRICH: Broch und Kafka. In: Freude an Büchern. 1954. No. 1. (*)

CURT FABER DU FAUR: Hermann Broch. In: Monatshefte (Wisconsin) 45 (1953), S. 99–101.

PAUL FECHTER: (Über H. Broch) In: Geschichte der deutschen Literatur. Gütersloh 1955. S. 735–740.

MARTIN GREINER: Seelenlärm und kalter Traum. Nachtprogramm über Hermann Broch im Bayerischen Rundfunk am 14. November 1956.

WILHELM GRENZMANN: Hermann Broch. In: Dichtung und Glaube. Probleme und Gestalten der Gegenwartsliteratur. 2. Aufl. Bonn 1952. S. 130–139.

HANS HEINZ HAHNL: Hermann Broch und die Krise des Romans. In: Zukunft. Sozialistische Monatszeitschrift für Politik und Kultur. Wien 1953. S. 38–40. (*)

GERALD HARLASS: Das Kunstmittel des Leitmotivs. Bemerkungen zur motivischen Arbeit bei Thomas Mann und Hermann Broch. In: Welt und Wort 15 (1960), S. 267–269. (*)

RUDOLF HARTUNG: Dichtung als Welttotalität. Zum Tode Hermann Brochs. In: Neue Zeitung. 1951. No. 129 (5. Juni).

E. W. HERD: Hermann Broch and the legitimacy of the novel. In: German Life & Letters 8 (1960), H. 4, S. 262–277. (*)

THOMAS R. HINTON: The Novels of Hermann Broch. In: Cambridge Journal. July 1953, S. 599–604. (*)

KARL AUGUST HORST: Methodisch konstruiert. Über das Romanwerk von Hermann Broch. In: Merkur 5 (1951), S. 389–395.

– –: Was ist die Wahrheit der Kunst? Die gesammelten Werke von Hermann Broch. In: Frankfurter Allgemeine Zeitung, 12. Okt. 1957.

WALTER JENS: Mathematik des Traums. Hermann Broch. In: Statt einer Literaturgeschichte. Pfullingen 1957. S. 111–131.

SVEN-AAGE JÖRGENSEN: Hermann Broch. Dichtung auf Religionssuche. In: Der große Entschluß. Monatszeitschrift für lebendiges Christentum 15 (1960), S. 172–177.

ERICH KAHLER: Rede über Hermann Broch. In: Die Neue Rundschau 63 (1952), S. 232–243.

– –: Hermann Broch. In: Social Research. Albany. New York. Vol. 19 (1952), S. 105–115.

– –: Einleitung zu Hermann Brochs „Gedichten". A. a. O. S. 7–60.

CHRISTIAN E. LEWALTER: Darf man in dürftiger Zeit Dichter sein? Gedanken aus und zu den Essays von Hermann Broch. Nachtprogramm des N. D. R. 1956. (Manuskript)

CLARA MENCK: Advent und Niemandsland. Zum Werk Hermann Brochs. In: Wort und Wahrheit 6 (1951), S. 751–756.

– –: Hermann Broch. In: Lexikon der Weltliteratur im 20. Jahrhundert. Freiburg-Basel-Wien 1960. Bd. 1. Sp. 266–274.

P. NETTL: Hermann Broch. In: American-German Review 17 (1951), N. 6, S. 35. (*)

HARTWIG OBST: Zu Hermann Brochs Romanwerk. In: Die Zeit. Hamburg. Jg. 6 (1951), Nr. 23, S. 4.

HEINZ POLITZER: „Zur Feier meines Ablebens". In: Der Monat 3 (1951), S. 630–632.

HERMANN PONGS. Hermann Broch. In: Pongs. Im Umbruch der Zeit. Das Romanschaffen der Gegenwart. 2. Aufl. Göttingen 1956. S. 53–59; 352–357.

FRANZ SCHONAUER: Dichtung und Erkenntnis. Hermann Broch und sein Werk. In: Hochland 48 (1956), S. 473–480.

ERNST SCHÖNWIESE. Einleitung zu Bd. 10 von Brochs „Gesammelten Werken". A. a. O. S. 10–36.

TH. SCHULTZ: Hermann Broch. In: Wiener literarisches Echo 1 (1948/49), S. 41–44 (*)

FELIX STÖSSINGER: Hermann Broch. In: Deutsche Literatur im zwanzigsten Jahrhundert. Gestalten und Strukturen. Hg. von Hermann Friedmann und Otto Mann. 4., veränderte und erweiterte Aufl. Bd. 2. Heidelberg 1961. S. 209–225.

– –: Von Proust zu Broch. In: Neue Schweizer Rundschau 21 (1953), S. 440–446.

– –: Hermann Broch. Zur Situationsbestimmung seines Werkes. In: Forum 1 (1954), H. 5, S. 16–18.

JOSEPH STRELKA: Hermann Broch. Der Erringer eines irdisch Absoluten. In: J. Strelka. Kafka, Musil, Broch und die Entwicklung des modernen Romans. Wien-Hannover-Basel. o. J. (1959). S. 65–100. – Rez. von Heinz Politzer. In: Monatshefte (Wisconsin) 52 (1960), S. 360–361.

FRANK THIESS: Hermann Broch. Dokumente des abendländischen Geistes. In: Das literarische Deutschland 2 (1951), Nr. 12, S. 1.

HELMUT UHLIG: Zum Tode Hermann Brochs. In: Deutsche Rundschau 77 (1951), S. 708–711.

EGON VIETTA: Hermann Broch gest. 30. Mai 1951. In: Der Monat 3 (1951), S. 616–629.

HERMANN J. WEIGAND: Hermann Broch. In: Yale University Library Gazette XXX (1956), S. 150–151.

HANNS V. WINTER: Hermann Broch. Mit Bibliographie und Literatur. In: Wissenschaft und Weltbild 4 (1951), S. 217–225.

– –: Der Dichter der Humanität. In: Die österreichische Furche 7, Nr. 5 (27. 1. 1951) (*)

– –: Hermann Broch. In: Die österreichische Furche 7, Nr. 26 (23. 6. 1951) (*)

– –: Hermann Broch. Der Dichter und Friedensfreund. In: Neue Wege 6, Nr. 66. Juni 1951 (*)

– –: Frankreich entdeckt Hermann Broch. In: Wort in der Zeit 1 (1955), H. 2, S. 40–42 (*)

PAUL ZECH: Hermann Broch, un nuevo escritor universal. In: La Nacion, Buenos Aires. 1. September 1946 (*)

Das Werk Hermann Brochs. In: Weltstimmen. Jg. 1952, S. 295–303 (*)

Hermann Broch zum 60. Geburtstag. (Ernst Schönwiese, Hans Reisiger, Franz Blei, Herbert Burgmüller, Ernst Waldinger) In: Die Fähre 1 (1946), S. 451–454.

Hermann Broch zum 60. Geburtstag. (Hans Reisinger, Franz Blei, Aldous Huxley, Margucrite Young) In: Das Silberboot 2, S. 159–160.

Hermann Broch. In: Saturday Review of Literature. 19. Oct. 1940 (*)

Dichter wider Willen. Einführung in das Werk von Hermann Broch. Rhein-Verlag Zürich 1958.

Hermann Broch. Der Mensch, die geistige Gestalt, das Werk. Ein Porträt von Thilo Koch. Mit Beiträgen von Hannah Arendt, Erich von Kahler, Hermann J. Weigand, Robert Pick, Elias Canetti, Ernst Schönwiese und Daniel Brody. Nachtprogramm des N.D.R. am 23. 5. 1958.

B. Literatur zu den einzelnen Werken

a) Die Schlafwandler

FRANZ BLEI: Hermann Broch. Pasenow. In: Der Querschnitt 11 (1931), S. 213.

K. H. BÜHNER: Broch. Pasenow oder die Romantik. In: Die Literatur 33 (1931), S. 412.

– –: Broch. Esch oder die Anarchie. In: Die Literatur 34 (1931), S. 114–115.

– –: Broch. Huguenau oder die Sachlichkeit. In: Die Literatur 34 (1932), S. 700.

I. COURNOS: H. Broch. The Sleepwalkers. Trans. by W. & E. Muir. In: Nation. New York. Vol. 135, S. 574 (*)

OTTO DODERER: Hermann Broch. Die Schlafwandler. In: Die Neue Literatur 33 (1932), S. 356–358.

PAUL FECHTER: H. Broch. Die Schlafwandler. Eine Romantrilogie des deutschen Zusammenbruchs. In: Deutsche Allgemeine Zeitung. 14. 1. 1931; 27. 5. 1931; 1. 6. 1932.

F. GAUPP: H. Broch. Die Schlafwandler. In: Vossische Zeitung. 29. 5. 1932.

M. HOCHGESANG: Der Roman des Wertzerfalls. H. Brochs „Die Schlafwandler“. In: Kunstwart, ab 46. Jg.: Deutsche Zeitschrift 47 (1934), S. 22–25 (5. Mai) (*)

F. LEHNER: Hermann Broch. In: Life and Letters to-day 15 (1936), S. 64–71.

EDWIN MUIR: Hermann Broch. In: Bookman N. Y. (U.S.A.) Vol. LXXV. (1932), Pp. 664–668.

A. W. G. Randall: H. Broch. The Sleepwalkers. In: The Criterion. London. Vol. 12, S. 530 (*)

W. Richter: H. Broch. Die Schlafwandler. In: Berliner Tageblatt. 1. 3. 1931; 23. 10. 1932.

M. Sadleir: H. Broch. The Sleepwalkers. Trans. by W. & E. Muir. In: New Statesman & Nation. N. S. IV (1932), S. 583–584 (*)

Paul Stefan: H. Broch. Die Schlafwandler. In: Die Stunde. 6. 6. 1932.

J. A. G. Strong. The Sleepwalkers. In: Spectator, Vol. 149 (1932), 22. Okt. (*)

Frank Thiess: H. Broch. Die Schlafwandler. In: Die literarische Welt 8 (1932) (*)

Egon Vietta: Hermann Broch. In: Die Neue Rundschau 45 (1934) Bd. 1, S. 575–585.

The Sleepwalkers. A Trilogy. By Hermann Broch. Translated from the German by Willa and Edwin Muir. In: The Times Literary Supplement. 20. 10. 1932, S. 754.

Les Somnambules de Hermann Broch. Apocalypse du Temps présent. In: Le Mois, Paris, Nr. 18, Juni 1932, S. 198–203. (*)

b) Die unbekannte Größe

K. H. Bühner: H. Broch. Die unbekannte Größe. In: Die Literatur 36 (1933), S. 716.

Ch. Demming: H. Broch. Die unbekannte Größe. In: Der Gral 29 (1934), S. 43.

G. Mueller: H. Broch. Die unbekannte Größe. In: Books abroad 8 (1934), S. 323 (*)

c) Der Tod des Vergil

H. Becher S. J.: Vergil, der Vater der Gegenwart. In: Stimmen der Zeit 147 (Okt. 1950), S. 71–74 (*)

Maurice Blanchot: Hermann Broch: La mort de Virgile. In: Nouvelle Revue français 3 (1955), Nr. 34, S. 747–759. (*)

Marcel Brion: Hermann Broch et „La Mort de Vergile“. In: Le Monde. 14. oct. 1952 (*)

Herbert Burgmüller: Hermann Broch. Der Tod des Vergil. In: Die Fähre 1 (1946), S. 508–509.

Jürgen Eyssen: Hermann Broch. Der Tod des Vergil. In: Literaturblatt der Stuttgarter Zeitung. Nr. 178 (28. September 1949).

Curt von Faber du Faur: Der Seelenführer in Brochs „Tod des Vergil“. In: Wächter und Hüter. Festschrift für Hermann J. Weigand zum 17. November 1957. Edited by Curt von Faber du Faur, Konstantin Reichardt, and Heinz Bluhm. New Haven 1957. S. 147–161.

Claudia Frank: Hermann Broch. Der Tod des Vergil. In: Die Fähre 1 (1946), S. 473–475.

Albert Fuchs: Des problèmes de la forme dans La Mort de Virgile de Hermann Broch. In: Stil und Formprobleme in der Literatur. Vorträge des VII. Kongresses der Internationalen Vereinigung für moderne Sprachen und Literaturen in Heidelberg. Hg. von Paul Böckmann. Heidelberg 1959. S. 436–441.

Michel Habart: Hermann Broch et les rançons de la création pétique. „La Mort de Virgile“. In: Critique 10 (1954), No. 83, pp. 310–322.

Gustav René Hocke: Der Wachtraum des Vergil. In: Die neue Zeitung. München. 15. 7. 1948.

Aniela Jaffe: Hermann Broch. Der Tod des Vergil. Ein Beitrag zum Problem der Individuation. In: Studien zur analytischen Psychologie C. G. Jungs II. Festschrift zum 80. Geburtstag von C. G. Jung. Zürich 1955. S. 288–343.

Werner Kraft: Hermann Brochs „Tod des Vergil“. In: Eckart 27 (1958), S. 325–345. (*)

Jack Lindsay: The Death of Virgil. In: The Gate 1 (1947), No. 2, S. 37–44.

Fritz Martini: Hermann Broch. Der Tod des Vergil. In: Martini. Das Wagnis der Sprache. 2. Aufl. Stuttgart 1956, S. 408–464.

WOLFRAM MAUSER: La Morte di Virgilio di Hermann Broch ossia Del Mito Della Carità. In: Rivista di Letterature Moderne e Comparate. Jg. 1956. Ottobre-Dicembre 1956, S. 259–271.

HERBERT NETTE: Die Ungenügsamkeit des Geistes. („Der Tod des Vergil") In: Frankfurter Allgemeine Zeitung. 24. 12. 1953.

HEINZ GÜNTHER OLIASS: Hermann Broch. Der Tod des Vergil. In: Welt und Wort 4 (1949), S. 198.

KARL O. PAETEL: Hermann Broch. Der Tod des Vergil. In: Universitas 3 (1948), S. 201.

P. ROSENFELD: The Death of Virgil. Some comments. In: Chimera 3 (1945), Nr. 3, S. 47–55 (*)

O. v. SIMSON: Death of Vergil. In: Review of Politics. Indiana. Vol. 8 (1946), S. 258–260 (*)

DORIS STEPHAN: Der innere Monolog in Hermann Brochs Roman „Der Tod des Vergil". Diss. Mainz 1957. (*)

– –: Thomas Manns „Tod in Venedig" und Brochs „Vergil". In: Schweizer Monatshefte 40 (1960), H. 1, S. 76–83. (*)

FRITZ STÖRI: „Auferstehung des Dichters". In: Weltwoche 16 (1948), 25. März.

HELMUT UHLIG: Der Dichter und die Wirklichkeit. Über Hermann Brochs „Tod des Vergil". In: Neue literarische Welt 4 (1953), Nr. 13, S. 15 (*)

WERNER VORDTRIEDE: Hermann Broch. Der Tod des Vergil. In: Die Neue Rundschau 57 (1946), S. 373–375.

HERMANN J. WEIGAND: Brochs Death of Vergil. Program Notes. In: PMLA 62 (1947), S. 525–554.

PAUL WENGER: Caesarenkult in der Emigrantenliteratur? Import Hegels in USA? In: Das Goldene Tor 2 (1947), S. 1101–1104.

MARGUERITE YOUNG: A Poet's Last Hours on Earth. In: The New York Times Book Review. 8. 7. 1945 (*) (Deutsch von Herbert Schläger. In: Die Fähre 1 (1946), S. 508–509.

Amerikanische Ankündigung eines neuen Werkes von Hermann Broch. In: Die Fähre 1 (1946), S. 121–122.

d) Der Versucher

CHRISTIAN FERBER: H. Broch. Der Versucher. In: Evangelischer Literaturbeobachter. 15. Folge. August 1954, S. 272.

RUDOLF HARTUNG: Roman vom politischen Scharlatan. Hermann Broch: „Der Versucher". In: Süddeutsche Zeitung. 13. 2. 1954 (*)

KARL AUGUST HORST: Hermann Brochs Bergroman. In: Merkur 8 (1954), S. 784–790.

R. J. HUMM: Das letzte Buch von Hermann Broch: „Der Versucher". In: Die Weltwoche. Zürich. 12. 2. 1954. (*)

SIEGFRIED MELCHINGER: Hermann Brochs nachgelassener Roman. In: Die Bücherkommentare 1954, Nr. 2.

FRITZ MARTINI: Hermann Broch und der Versucher. In: Deutsche Rundschau 80 (1954), S. 468–477.

C. PACK: Ein Nachlaßwerk Hermann Brochs. In: Wort und Wahrheit 9 (1954), S. 298–299 (*).

GEORGE SCHOOLFIELD: Notes on Broch's „Der Versucher". In: Monatshefte (Wisconsin) 48 (1956), S. 1–16.

HANS SCHWERTE: Ein vergessenes Nachlaßwerk. Hermann Broch: Der Versucher. In: Die Erlanger Universität 9 (1956), N. 2, S. 2–3 (Beilage des Erlanger Tageblattes). (*)

FELIX STÖSSINGER: Nachwort des Herausgebers zur Ausgabe des „Versuchers" im Rhein-Verlag, Zürich. a. a. O. S. 555–598.

e) Die Schuldlosen

SIDONIE CASSIRER: The Adventure of Form. A Study of Hermann Broch's Short Stories. Diss. Yale University. New Haven 1957. (*)

JÜRGEN EYSSEN. Schlafwandler und Schuldlose. In: Stuttgarter Zeitung. 27. 3. 1951 (*).

HEINZ GÜNTHER OLIASS: H. Broch. Die Schuldlosen. In: Welt und Wort 6 (1951), S. 243.

HEINZ POLITZER: Jenseits von Joyce und Kafka. Zu Hermann Brochs: „Die Schuldlosen". In: Die Neue Rundschau 63 (1952), S. 152–159.

FRITZ STÖRI: Hermann Brochs letztes Werk. In: Neue Schweizer Rundschau 19 (1951), Nr. 3, S. 175–179.

HELMUT UHLIG: Die Schuld der Schuldlosen. Hermann Broch: Die Schuldlosen. In: Der Monat 3 (1951), S. 205–206.

HERMANN J. WEIGAND: Einführung zur Ausgabe der „Schuldlosen" im Rhein-Verlag, Zürich. A. a. O. S. 5–26.

– –: Hermann Brochs „Die Schuldlosen". An Approach. In: PMLA 68 (1953), S. 323–334.

Vielschichtige Methode. H. Broch: Die Schuldlosen. In: Die Gegenwart 6 (1951), Nr. 5, S. 21–22.

Doubtful Innocents. In: The Times Literary Supplement. 24. 7. 1953. p. 476.

f) Essays

SIDONIE CASSIRER: Hermann Broch's early writings. In: PMLA 75 (1960), S. 453–462.

CARL DAHLHAUS: H. Broch. Essays. In: Deutsche Universitätszeitung. Jg. 1956, Heft 7/8, S. 24–25.

KARL AUGUST HORST: Hermann Brochs theoretische Schriften. In: Merkur 10 (1956), S. 1218–1222.

FRANZ SCHONAUER: Dichtung muß mehr sein als Kunst. Die Essays Hermann Brochs. In: Frankfurter Allgemeine Zeitung. 14. 7. 1956.

HANS SCHWERTE: Dichter wider Willen. Hermann Brochs Essays. In: Zeitwende 28 (1957), Heft 4, S. 275–277.

g) Briefe

WILLY HAAS: Ein großer Geist – und ein großer Mensch. Briefe des Epikers Hermann Broch: Zeugnisse für das Gewissen des Intellektuellen. In: Die Welt. 5. 11. 1957.

KARL AUGUST HOSRT: Der Briefschreiber Broch. In: Merkur 11 (1957), S. 1091–1093.

H. A. FIECHTNER: Briefe von Benn, Broch und Hesse. In: Die Furche 14 (1958), Nr. 3, S. 11 (*).

H. LOETSCHER: Minerva gegen die Musen. Zu Hermann Brochs „Briefen". In: Weltwoche 25 (1957), Nr. 1243, S. 5 (*).

FRANZ SCHONAUER: Hermann Brochs Briefe. In: Frankfurter Allgemeine Zeitung. 20. 7. 1957.

Broch-Briefe. Der Korrespondent. In: Der Spiegel. 12. Jg. Nr. 10 (März 1958), S. 50–52.

h) Massenpsychologie

KURT LOEWENSTEIN: Juden in der modernen Massenwelt. Das jüdische Motiv in Hermann Brochs „Massenpsychologie". In: Bulletin für die Gesellschaft der Freunde des Leo Baeck Instituts. Nr. 11. Tel Aviv 1960. S. 157–171 (*).

WOLFGANG ROTHE: Hermann Broch als politischer Denker. In: Zeitschrift für Politik. Berlin, Zürich, Wien. N. F. 5 (1958), H. 4, S. 329–341.

– –: Einleitung zu Hermann Brochs „Massenpsychologie". Bd. 9 der „Gesammelten Werke". A. a. O. S. 7–34.

Namenverzeichnis